U0648538

二十五史藝文經籍志考補萃編

考補萃編

第九卷

王承略　劉心明　主編

補三國藝文志

侯康補三國藝文志

三國藝文志

〔清〕侯　康　撰
蘇麗娟　李　凌　整理

〔清〕陶憲曾　撰
陳錦春　整理

〔清〕姚振宗　撰
朱莉莉　整理

清華大學
出版社　北京

版權所有，侵權必究。侵權舉報電話：010-62782989　13701121933

圖書在版編目(CIP)數據

二十五史藝文經籍志考補萃編.第9卷/王承略,劉心明主編.--北京：清華大學出版社，　2012.4

ISBN 978-7-302-28070-5

Ⅰ.①二…　Ⅱ.①王…②劉…　Ⅲ.①中國歷史：古代史－紀傳體②二十五史－研究　Ⅳ.①K204.1

中國版本圖書館 CIP 數據核字(2012)第 024140 號

責任編輯：馬慶洲
封面設計：曲小華
責任校對：王鳳芝
責任印製：楊　艷

出版發行：清華大學出版社
　　　　　網　址：http：//www.tup.com.cn，http：//www.wqbook.com
　　　　　地　址：北京清華大學學研大廈 A 座　郵　編：100084
　　　　　社總機：010-62770175　　　　　郵　購：010-62786544
　　　　　投稿與讀者服務：010-62776969，c-service@tup.tsinghua.edu.cn
　　　　　質 量 反 饋：010-62772015，zhiliang@tup.tsinghua.edu.cn
印　刷　者：清華大學印刷廠
裝　訂　者：三河市金元印裝有限公司
經　　　銷：全國新華書店
開　　　本：148mm×210mm　　印　張：12.625　字　數：290 千字
版　　　次：2012 年 4 月第 1 版　　　　印　次：2012 年 4 月第 1 次印刷
印　　　數：1～3000
定　　　價：40.00 元

產品編號：040808-01

《二十五史藝文經籍志考補萃編》編纂委員會

學 術 顧 問：董治安

主　　　　編：王承略　劉心明

副　主　編：馬慶洲　陳錦春　朱新林

常 務 編 委：項永琴　尹　承　張海峰　張祖偉　王正一

　　　　　　張緒峰

編　　　　委：董建國　劉克東　盧芳玉　郭偉宏　周晶晶

　　　　　　蘇麗娟　馬小方　許建立　張　雲　馬常録

　　　　　　李　林　李湘湘　陳金麗　梁瑞霞　朱莉莉

　　　　　　李　凌　王　盼　魏奕元　蔡　喆　郭怡穎

校 對 組 成 員：辛世芬　謝　麟　吕　婷　王　蕾　王慶玲

　　　　　　楊俊秀　王緒福　張　倩　鄭民令　宋　凱

目　録

補三國藝文志

〔清〕 侯康 撰

蘇麗娟 李淩 整理

底本：清道光三十年(1850)南海伍氏刻《嶺南遺
　　　書》本
校本：1955 年中華書局影印《二十五史補編》本

補三國藝文志卷一

　　經之類十有一：一曰易，二曰書，三曰詩，四曰禮，五曰樂，六曰春秋，七曰孝經，八曰論語，九曰羣經，十曰小學，十一曰讖緯。

易類

李譔　古文易注
　　注：本傳無"注"字，據常璩《梓潼士女志》增。後凡李譔諸書倣此。

王朗　易傳
　　注：《齊王芳紀》："正始六年，詔故司徒王朗所作《易傳》令學者得以課試。"則當時甚重其書。又《北魏書·闞駰傳》稱："駰注王朗《易傳》，學者藉以通經。"則其學并行于數百年後矣。

鍾繇　易記
　　注：見《鍾會傳》注引《會母傳》。又《世說》卷一注引《魏志》曰："繇家貧好學，爲《周易》、《老子》訓。"今《魏志》無此文，當是"魏書"或"魏略"之訛。

王肅　周易注十卷　周易音
　　注：陸澄曰："王肅《易》在鄭玄、王弼之閒。"王應麟曰："《釋文》云：'王肅本作《繫辭上傳》，迄于《雜卦》，皆有傳字。'《漢·儒林傳》云：'孔子晚而好《易》，讀之韋編三絶，而爲之傳。'王肅本是也。"《易義別録》曰："肅著書，務排鄭氏，其託于賈、馬

以抑鄭而已。故於《易》義，馬、鄭不同者，則從馬；馬與鄭同，則并背馬。故鄭言《周禮》，則蕭申馬'禴爲殷春祭'是也。鄭言卦氣本于馬，則蕭附《説卦》，而棄馬'西南陰方，東北陽方'，用馬注而改其'春夏之文'是也。馬、鄭取象必用《説卦》，是以有互，有爻辰，則蕭并棄《説卦》，《剝》之以坤象牀，以艮象人是也。然其訓詁大義出于馬、鄭者十七。"

董遇　周易章句十二卷　<small>字季直，弘農華陰人，魏大司農。</small>

注：《經義考》曰："董氏《易》注，'君子體仁'作'體信'，與京、荀同。'哀多益寡'，'哀'作'捊'，與鄭、荀同。'洗心退藏于密'，'洗'作'先'，與京、荀、虞、張同。'夫坤，隤然示人簡矣'，'隤'作'妥'，與陸、姚同。餘如'拔茅茹，以其彙征，''彙'作'夤'；'賁如，皤如'，'皤'作'槃'；'君子得輿'，作'德車'；'婦喪其茀'，作'笧'；<small>當作"髢"。</small>'爲乾卦'，作'幹卦'，與諸家別。"按此數條外，尚有"噬乾胏"之作"脯"，與子夏、荀氏同。"爲其嫌于陽也"，"嫌"作"嗛"，與荀、虞、陸同。至"皤"之爲"盤"，則但音讀如此，非有異字。"乾卦"之爲"幹卦"，則本鄭康成，皆不得謂"與諸家別"也。

何晏　周易私記二十卷　周易講説十三卷

注：見《册府元龜》。今孔氏《正義》益卦引一條云："風雷者，取其最長可久之義也。"李氏《集解》師卦引一條云："師者，軍旅之名。故《周禮》云：'二千五百人爲師也'。"《管輅傳》注引《輅別傳》曰："何尚書神明精微，自言不解《易》九事。"《南齊書·張緒傳》："緒常云：'何平叔所不解《易》中七事，諸卦中所有時義，是其一也。"《梁書·儒林傳》："伏曼容云：何晏疑《易》中九事，以吾觀之，晏了不學也，故知平叔有所短。"王應麟曰："晏以《老》、《莊》談《易》，係小子觀朵頤，所不解者，豈止七事哉！"

孫炎　周易例　字叔然，樂安人，魏秘書監，徵不就。

注：《宋史·張洎傳》引《易例》曰："初九爲元士，九二爲大夫，九三爲諸侯。"《古經解鉤沈》以爲出此書。

管輅　易傳一卷

注：《玉海》引《中興書目》曰："管輅《易傳》一卷，訓解名義，不盡流于卜筮。"

劉邠　易注　字令元，魏平原太守。

注：見《管輅傳》注引《輅別傳》。

王弼　周易注六卷　易略例一卷　大衍論三卷　周易窮微一卷　易辨一卷

注：《直齋書錄解題》《周易窮微》條下云："王輔嗣凡爲論五篇。《館閣書目》有王弼《易辨》一卷，其論彖、論象亦類《略例》，意即此書也。又言弼著此書已亡，至晋得之。王羲之承詔錄藏于秘府，世莫得見。未知何所據而云。"按如陳氏說，則《窮微》與《易辨》似即一書。然陳氏亦但爲疑辭，非實據也。故今仍分著錄。《通志·藝文略》"周易窮微"下有"論"字。

荀融　難王弼大衍義　字伯雅，穎川人，參大將軍軍事。

注：融書見《鍾會傳》注引《王弼傳》，融事見《荀彧傳》注引《荀氏家傳》，稱"與王弼、鍾會論《易》、《老》義，傳于世"，即此也。

阮籍　通易論一卷

注：胡一桂曰："阮嗣宗《易通論》一卷，凡五篇。"按百三家《阮步兵集》載此論，僅一篇，幾三千言，未知爲後人合并，爲闕佚矣。

稽康　周易言不盡意論一篇

鍾會　周易盡神論一卷　周易無互體論三卷

荀煇　周易注十卷　魏散騎常侍。

注：《荀彧傳》注引《荀氏家傳》曰：“惲字景文，太子中庶子，作《易集解》。”按此即煇也，而字誤作“惲”。考荀彧子名惲，字長倩，與景文同族，不應又同名，作煇者是。又考《釋文叙錄》引張璠《集解》序稱“煇爲晋太子中庶子”，而《隋志》稱“魏散騎常侍”者，豈注《易》在仕魏時耶？故今仍從《隋志》著錄。

虞翻　周易注十卷

注：王應麟曰：“虞翻曰：‘乾坤，五貴三賤，故定位；艮、兑，同氣相求，故通氣；震、巽，同聲相應，故相薄；坎戊離己，月三十日，一會于壬，故不相射；坤消，從午至亥，故順；乾息，從子至巳，故逆。’蓋用納甲、卦氣之説。”按虞氏以納甲解《易》者，如《坤》象、《蹇》象、《歸妹》象、《繫辭傳》屢見之。伯厚所舉特一隅耳。惠棟曰：“《虞氏逸象》共三百三十一，又《説卦》異同者五。”其文具載《易漢學》，今不錄。　又曰：“仲翔注《易》，大略本諸慈明升降卦變。”張惠言曰：“翻之言《易》，以陰陽消息六爻發揮旁通，升降上下，歸于乾元用九，而天下治。依物取類，貫穿比附，始若瑣碎，及其沈深，解剥離根，散葉暢茂，條理遂于大道，後儒罕能通之。”

周易日月變例六卷　虞翻、陸績撰。

陸績　周易注十五卷

注：《經義考》曰：“陸氏《易注》已亡，今《鹽邑誌林》載有一卷，乃係抄撮陸氏《釋文》、李氏《集解》二書爲之。所存者幾希矣。其經文異諸家者，‘履帝位而不疚’作‘疾’，‘明辨晢也’，‘晢’作‘逝’，‘納約自牖’作‘誘’，‘喪羊于易’作‘場’，‘婦子嘻嘻’作‘喜喜’，‘君子以懲忿窒欲’作‘療欲’，按當作“啙欲”，見《釋文》。‘吾與爾靡之’作‘縻之’，‘三年克之憊也’作‘備也’。”按《鹽邑誌林》本闕謬頗多，孫堂、張惠言皆有補正。《易義別錄》曰：“公紀注京氏《易傳》，則其《易》京氏也。”

余嘗以爲，京氏既爲《易章句》，又別爲《易傳》、《飛候》之書，以謂《易》合萬象，不可執一隅。然則積算之法，殆不用之《章句》，以《易傳》、《飛候》求《易》者，爲京氏者之末，失也。今觀公紀所述，凡納甲、六親、九族、四氣、刑德、生尅，未嘗一言及之。至言六爻，發揮旁通卦爻之變，有與孟氏相出入者，京氏自言其《易》即孟氏學，公紀儻得之耶？"

姚信　周易注十二卷　字德祐，一作元直，吳興人，吳太常。

注：《經義攷》曰："姚《易注》已亡，見于《釋文》者，'旰豫'作'旰'，云：'日始出。'引《詩》'旰日始旦'。'夷于左股'作'右髀'，'君子以順德'作'得'，'折其右肱'作'股'，'闃其无人'作'闚'，'日月運行'作'違行'，'言語以爲階'作'機'，'貞勝者也'作'貞稱'，'爲弓輪'作'倫'，'爲羸'作'蠡'。"按朱氏所引姚注未備，孫堂、張惠言俱別有輯本。《易義別錄》曰："姚氏注言乾坤、致用、卦變、旁通、九六、上下，與虞氏之注若應規矩，元直豈仲翔之徒與？抑孟氏之《傳》在吳，元直亦得有舊聞與？"

程秉　周易摘

書類

李譔　尚書注

尚書釋問四卷　王粲問，田瓊、韓益正。

注：《困學紀聞》二卷："《顏氏家訓》云《王粲集》中難鄭玄《尚書》事，今僅見于唐元行沖《釋疑》。原注：王粲曰：'世稱伊、雒以東，淮、漢以北，康成一人而已。咸言先儒多闕，鄭氏道備，粲竊嘆怪，因求所學，得《尚書注》。退思其意，意皆盡矣，所疑猶未諭焉，凡有二篇。'"按王粲《尚書問》蓋本載粲集中，

不別爲書。後田瓊、韓益答其義，因成《釋問》四卷。《隋志》
但稱王粲撰，似未合。此從《唐志》。田瓊者，康成弟子，見
《鄭志》。韓益，魏大長秋，見《隋志》春秋類。

王肅　尚書傳十一卷　尚書駁議五卷

注：《書·堯典》正義曰：“晋世王肅注《書》，似竊見孔《傳》，
故注‘亂其紀綱’爲夏太康時。”陸德明曰：“王肅解大與古文
相類，或肅私見孔《傳》而秘之乎？江左中興，梅賾奏上孔傳
《古文尚書》，亡《舜典》一篇，購不能得，乃取王肅注《堯典》，
從‘愼徽五典’以下，分爲《舜典》以續之。”按惠棟、江聲皆疑
僞孔《傳》即王肅撰。

尚書義問三卷　鄭康成、王肅及晋孔晁撰。

注：《唐志》又有《王肅孔安國問答》二卷。《經義攷》謂“當即
《隋志》《義問》”是也。蓋孔晁訛爲孔安國耳，故今不別著録。

尚書義二卷　吳太尉范順問，劉毅答。

注：《隋志》本作“范順問，吳太尉劉毅答”。“吳太尉”三字當
上屬。《吳志·孫皓傳》有“太尉范愼”，又見《孫登傳》注，即
其人也。順、愼古通。

程秉　尚書駁

詩類

杜瓊　韓詩章句
李譔　毛詩注
劉楨　毛詩義問十卷

注：《經義攷》曰：“《藝文類聚》引《毛詩義問》曰：‘橫一木作
門，而上無屋，謂之衡門。’《初學記》引《毛詩義問》云：‘鰤，羹
有菜，鹽豉其中，菜爲其形，象可食，因以鰤爲名。’又云：‘狐

之類，貉、貓、貍也。貉子曰貆。貆形狀與貉類異，世人皆名貆。貉子似貍。'又《太平御覽》引《義問》云：'㧫，所以覆矢也，謂箭筒蓋也。''蠨蛸，長脚蜘蛛也。'"按朱氏所引之外，尚有《七月》正義一條云："鬱，樹高五六尺，其實大如李，正赤，食之甜。"《北堂書鈔》一條云："夫婦失禮，則虹氣盛。有赤色在上者，陰乘陽氣也。"《藝文類聚》引一條云："晨風，今之鸇。"《初學記》一條云："有鸒烏、雅烏、楚烏也。"《御覽》引一條云："蟋蟀，食蠅而化成。"又《水經·洧水》注引劉楨云："鄶在豫州外方之北，北鄰于虢都滎之南，左濟右洛，居兩水之閒，食溱、洧焉。"雖不著書名，當是《鄶風》篇中語也。

王肅　毛詩注二十卷　毛詩義駁八卷　毛詩問難二卷　毛詩奏事一卷　毛詩音

注：《釋文序錄》曰："魏太常王肅，述毛非鄭。"按肅雖述毛，然亦有不得毛旨者，如《正義》摘出《召南·采蘋》、《邶風·擊鼓》諸條；亦有改毛以濟其私者，如《經義雜記》摘出"以慰我心"、"古之人無斁"、"維此文王"、"每懷靡及"諸條。

孫炎　毛詩注

注：叔然注，今絕無傳。其旁見《爾雅》注者，多與毛《傳》合。蓋毛公本以《雅》訓釋《詩》者也。

王基　毛詩駁五卷

注：《釋文序錄》曰："魏荊州刺史王基，駁王肅，申鄭義。"按基說之載于孔《疏》者，如"采采芣苢"一條，駁王肅"出于西戎"之說；"充耳以素"一條，駁王肅"玄紞無五色"之說；"侵鎬及方"一條，駁王肅"鎬京"之說；"不自爲政"一條，駁王肅"人臣不顯諫"之說，皆極精當。惜全書久佚，可攷見者無多也。

劉璠　毛詩義四卷　魏祕書郎。　**毛詩箋傳是非二卷**

徐整　毛詩譜三卷　字文操，豫章人，吳太常。

　　注：《釋文序錄》引徐整云："子夏授高行子，高行子授薛倉子，薛倉子授帛妙子，帛妙子授河閒人大毛公。毛公爲《詩故訓傳》于家，以授趙人小毛公。"即此書中語也。《叙錄》又謂："鄭玄《詩譜》二卷，徐整暢，太叔裘隱。"《困學紀聞》引《古今書錄》作"徐正陽注"，《館閣書目》作"太叔求注"。伯厚先生謂："徐正陽，疑即徐整。誤以'整'爲'正'，'暢'爲'陽'也。"按太叔裘，不知何時人，《隋志》、《經義攷》俱系于徐整下。今未敢必爲三國時，故不著錄。

毛詩答雜問七卷　吳侍中韋昭、侍中朱育等撰。育，山陰人。

　　注：《經義攷》曰："韋氏《詩答問》曰：'《時邁》之詩，巡狩告祭柴望也。'《初學記》引之。又'甫田維莠，今何草'？答曰：'今之狗尾也。'又'野有蔓草'問，答曰：'國多供役，按"兵役"誤"供役"。男女怨曠。于是女感傷而思男，故出游于洧之外，託采芬香之草，而爲淫姝之行。時草始生，而云蔓者，女情亟欲以速時也。'又云'旱鬼，眼在頭上'。《太平御覽》引之。"按朱氏所引"旱鬼"一條未備，《藝文類聚》卷一百引之曰：問曰："《雲漢》之詩'旱魃爲虐'。傳曰：'魃，天旱鬼也。'箋曰：'旱氣生魃，天有常神，人死爲鬼。'不審旱氣生魃。奈何？"答曰："魃鬼，人形，眼在頂上。天生此物，則將旱也。天欲爲災，何所不生？而云有常神者耶？"又《御覽》八百十六引韋輝光《毛詩問》曰："《七月》之詩'無褐'。箋云'褐，毛布也，賤者之所服也'。今廁亦用爲之。"攷韋昭，字弘嗣，不字輝光。然輝光與昭，字義合，書名又同，或弘嗣有兩字乎？書之以俟博雅者。朱育事見《虞翻傳》注引《會稽典錄》。

陸璣　毛詩草木鳥獸蟲魚疏二卷　字元恪，吳郡人。吳太子中庶子，烏程令。

禮類

蔣琬　喪服要記一卷

譙周　喪服圖

《御覽》卷五百四十引一條云："男子幼娶必冠，女子幼嫁必
笄。禮之則從成人，不爲殤。"又《通典》八十一引譙周《縗服
圖》，蓋即一書。喪服者，其大名；縗服，則喪服中之一也。
《通典》凶禮門中屢引譙周。又九十四卷引譙周《集圖》，必皆
出此書矣。

李譔　三禮注

王朗　周官傳

王肅　周官禮注十二卷

王肅　喪服經傳注一卷

《隋志》有肅《儀禮注》十七卷，《釋文叙錄》及《唐志》則但有肅
《喪服注》。今從之。《晋書·禮志上》摯虞曰："《喪服》一卷，
卷不盈握，而爭説紛然。三年之喪，鄭云二十七月，王云二十
五月。改葬之服，鄭云服緦三月，王云葬訖而除。繼母出嫁，
鄭云皆服，王云從乎繼寄育乃爲之服。無服之殤，鄭云子生
一月哭之一日，王云以哭之日易服之月。如此者甚衆。臣以
爲，可依準王景侯所撰《喪服變除》，使類統明正，以斷疑
爭。"①案如摯虞言，則此書又名《喪服變除》。

王肅　喪服要記一卷

《水經·汾水》注引一條，頗譏其誣。今據《經義攷》所輯《魯
哀公葬父》一篇，語多誕妄。道元之譏，可云有識矣。

---

① "斷"原誤作"繼"，據清乾隆武英殿本《晋書》改。

王肅　禮記注三十卷

王應麟曰："《史記·樂書》引《樂記》,而注兼存王肅説。《通典》引《大傳》亦取肅注。"

王肅　明堂議三卷

按肅議明堂,不以祖宗爲配食之祭,不以上帝爲五精帝,皆與鄭殊。

王肅　周禮音一卷　儀禮音一卷　禮記音一卷

孫炎　禮記注三十卷

《唐書·儒學傳》:"張説建言:'戴聖所録,向已千載。魏孫炎始因舊書摘類相比,有如鈔掇,諸儒共非之。'元行冲曰:'鄭學有孫炎,雖扶鄭義,條例支分,箴石閒起,增革百篇。'"康按盧辯《大戴禮》卷十注引孫炎《玉藻》注云:"玄端以祭,'端'當爲'冕'。玄冕,祭服之下也。"與鄭義同。又云:"其祭先君亦裨冕矣。"與鄭異。餘見《史記·樂書》注者甚多。

鄭小同　禮義四卷　魏侍中,關内侯。一作《禮記義記》。

小同,鄭康成孫也。事見《鄭康成傳》注及《魏書·高貴鄉公紀》注。

杜寬　删集禮記　字務叔,杜陵人,魏郎中。

見《杜恕傳》注引《杜氏新書》。

蔣濟　郊丘議三卷

本傳注引蔣濟立郊議,稱《曹騰碑》文云"曹氏族出自邾"。又言濟難高堂隆,及與繆襲往反,並有理據。又引濟難鄭康成《祭法》注,蓋皆出此書也。《齊書·禮志》上:"魏高堂隆議以舜配天。蔣濟云:'漢時奏議,謂堯已禪舜,不得爲漢祖,舜亦已禪禹,不得爲魏之祖。今宜以武皇帝配天。'"此即濟難隆之語也。本傳亦略載數語,而與此又不同。

繆襲　祭儀　字熙伯,東海人,魏光禄勳。

《御覽》八百六十引之曰："夏祀以蒸餅。"又八百六十一引之曰："夏祀調和羹宜以葵，秋祀羹宜以葱，春祀和羹宜以韭。"

射慈　喪服變除圖五卷　字孝宗，彭城人，吳齊王傅。

王謨曰："此書出《通典》三十一條，載徐整與慈問答者十二，整自爲立論者一。"則整蓋亦爲禮服之學者。

射慈　喪服天子諸侯圖一卷

按《通典》所載射慈諸說客有出是書者，王謨盡采入《變除圖》，恐未然也。又攷《隋志》有《變除圖》而無此書，《唐志》有此書而無《變除圖》，或疑即一書而異名。然《吳志·孫奮傳》注云："慈撰《喪服圖》及《變除》行于世。"則固有二書矣。

射慈　禮記音義隱一卷

《釋文叙録》有射慈《禮記音》，无"義隱"二字。《隋志》有謝氏《禮記音義隱》一卷，注又有《射慈音》一卷，則似當分爲二書，然射慈本一作謝慈。見《吳志·孫奮傳》。而謝氏《音義隱》，《困學紀聞》引作射氏，則無以見謝氏之非射慈也。《隋志》注中之文恐是重出。《通志·藝文略》及《經義攷》皆直以《音義隱》爲慈書，今從之。是書非獨釋經，兼釋注。《曲禮》疏引之云："酳，飯畢蕩口也。"又云："獵車之形，今之鉤車是也。衣車如轝而長也。漢桓帝之時，禁臣下乘之。"又云："嫌見奪，故云恐辱親也。"又云："嗇夫，主諸侯所齎幣帛皮圭之禮，奉之以白于天子也。"又云："且假借此字也。"皆是解釋鄭注。又《禮疏》及《釋文》常引《隱義》，王伯厚疑即射氏書。王謨輯《音義隱》，并抄人之。今核其文義，亦頗相近。然果爲一書與否，則無以證之矣。

薛綜　五宗圖一卷

《通典》卷七十三薛綜述鄭氏《禮五宗圖》曰："天子之子稱王子，王子封諸侯，若魯、衛是也。諸侯之子稱公子，公子還自

仕，食采于其國，爲卿大夫，若魯公子季友者是也。則子孫自
立此公子之廟，謂之別子爲祖，嫡嫡相承作大宗，百代不絕。
大宗之庶子，則皆爲小宗。小宗有四，五代而遷。己身庶也，
宗禰宗；己父庶也，宗祖宗；己祖庶也，宗曾祖宗；己曾祖庶
也，宗高祖宗；己高祖庶也，則遷，而惟宗大宗耳。"

樂類

樂懸一卷　何晏等撰。
劉邵　樂論十四篇

春秋類

李譔　春秋左氏旨歸
高貴鄉公　春秋左氏傳音三卷
王朗　春秋左氏傳注十二卷　春秋左氏釋駁一卷
周生烈　春秋左氏傳注　字文逸，本姓唐，燉煌人，魏徵士。
　葛洪曰："周生烈，學精而不仕。"
王肅　春秋左氏傳注三十卷　春秋外傳章句二十二卷
孫炎　春秋例　春秋三傳注　春秋外傳國語注
樂詳　左氏問
　見《杜恕傳》注引《魏略》及《後漢書·謝該傳》。
董遇　春秋左氏傳章句三十卷
　董注之載于《正義》者，《襄二十五年傳》："五吏三十帥。"董遇
　云："五吏，謂一正有五吏，爲三十帥之長。"《二十七年傳》：
　"以誣道蔽諸侯。"董遇云："以誣人之道，掩諸侯也。"《釋文》云：
　"'蔽'，服虔、王肅、董遇並作'弊'，云踣也。"與孔《疏》異。據孔《疏》則'踣也'之訓專

屬服虔，而董、王皆訓'掩'，蓋三家雖同作'弊'，而服以爲'斃'之叚借，故訓'踣'；董、王以爲'蔽'之叚借，故訓'掩'.”《昭六年傳》：“士匄相士鞅逆諸河.”董遇本“士匄”作“王正”。《十二年傳》：“供養三德爲善.”董遇本作“共養”，解云：“盡共所以養成三德也.”《二十一年傳》：“干犫御呂封人豹.”董遇本作“華豹”。今本亦有“華”字，據《正義》，則杜本無“華”字。《二十三年傳》：“明其伍候.”董遇本作“五候”，解云：“候四方及國中之姦謀也.”《定五年傳》：“子西問高厚焉.”董遇云：“問城高厚丈尺也.”

糜信　春秋穀梁傳注十二卷　字南山，東海人，魏樂平太守。

按《穀梁疏》于范注之略者，每引糜注補之。其文當較范爲詳，故晋泰元立穀梁博士用糜注，至齊猶然。見《南齊書·陸澄傳》。今攷其書之異于范氏者：桓五年“舉從者之辭”一條、“鄭在冀州”一條，僖二年“不雨者，勤雨也”一條，文二年“作僖公主”一條。《經》、《傳》文之異于范氏者：桓二年，“以是爲討之鼎也”，“討”或作“糾”；四年“秋曰蒐”，“蒐”作“搜”；九年，“曹伯使其世子射姑來朝”，“射”作“亦”；“六十一年，公會宋公于夫鍾”，“鍾”作“童”，音“鍾”；十四年，“旬粟而納之三宫”，“宫”作“官”。

糜信　春秋左氏傳説要十卷　理何氏漢議二卷

春秋公羊傳問答九卷　荀爽問，魏安平太守徐欽答。

王基　春秋左氏傳注

杜寬　春秋左氏傳解

見《杜恕傳》注。

韓益　春秋三傳論十卷　魏大長秋。

嵇康　春秋左氏傳音三卷

士燮　春秋經注十一卷

按《漢志》，《春秋古經》十二篇，左氏經也；《經》十一卷，公、穀經也。士燮習左氏《春秋》，注經何以同公、穀卷數，豈一字誤耶？然《文獻通考》引眉山李氏《古經後序》云："十一卷者，本公羊、穀梁二家所傳，吳士燮始爲之注，《隋志》載焉。"則所見《隋志》已作十一卷矣。疑不能明，闕之以俟知者。

張昭　春秋左氏傳解

虞翻　春秋外傳國語注二十一卷

韋昭曰："建安、黃武之間，故侍御史會稽虞君、尚書僕射丹陽唐君，皆英才碩儒洽聞之士也。采摭所見，因賈謂景伯《國語注》。爲主，而損益之。觀其鴻義，信多善者，然所理釋猶有異同。"按韋昭解內時稱賈、唐二君，或稱三君，則兼虞仲翔也。

唐固　春秋外傳國語注二十一卷　字子正，丹陽人。吳尚書僕射。

《經義攷》曰："固注《國語》'農祥晨正'云：'農祥，房星也；晨正，晨見南方，謂三春之日。'《初學記》引之。餘見韋注者多。"按《史記集解》亦屢引唐注。

唐固　春秋穀梁傳注十三卷　春秋公羊傳注

韋昭　春秋外傳國語注二十二卷

顧啓期　春秋左氏諸大夫世譜十三卷　吳人。

《隋志》有此書名，無撰人。《唐志》有顧啓期《大夫譜》十一卷，書名、卷數皆與《隋志》小異，而《崇文總目》、《通志·藝文略》合爲一書，今從之。《崇文總目》有《春秋世譜》七卷，起黃帝至周，見于《春秋諸國世系》，王堯臣疑即啓期所撰也。啓期之爲吳人，據《隋志》地理類知之。

丁季、黃復　平正春秋決事比十卷　季，汝南人，吳太史令；復，江夏人。

見《崇文總目》。

補三國藝文志卷二

孝經類

王朗 孝經傳

宋均 孝經皇義一卷 魏博士。

鄭稱 孝經注 魏侍中,武德侯傳。

《公羊·昭十五年》注引《孝經》曰:"資于事父以事君,而敬同。"徐彥《疏》云:"何氏之意,以資爲取,與鄭稱同,與康成異。"_康按稱事見《魏志·文帝紀》注引《魏略》。稱又有《答魏武帝金路之問》,見《續後漢書·輿服志》注。

蘇林 孝經注一卷 字孝友,陳留人,魏散騎常侍。

林事見《魏志·高堂隆傳》及《劉劭傳》注引《魏略》。

劉劭 孝經注一卷 一作"劉熙"。

衛顗 孝經注

見《古文苑·聞人牟準魏敬侯碑陰》。

王肅 孝經解一卷

唐玄宗曰:"韋昭、王肅,先儒之領袖。"劉子玄曰:"王肅《孝經傳》首有司馬宣王之奏:'並奉詔令諸儒注述《孝經》,以肅説爲長。'"_康按肅解之見于《釋文》者,"仲尼居"注:"閒居也。""先王有至德要道"注:"孝爲德之至,孝爲道之要。"又見《疏》。見于邢《疏》者:《天子章》注:"天子居四海之上,爲教訓之主,爲教易行,故寄易行者宣之。""孝無終始,而患不及者"注引《蒼頡篇》謂患爲禍。"先之以博愛而民莫遺其親"注:

"君愛其親，則人化之，無有遺其親者，不敢遺。""小國之臣，
而况于公侯伯子男乎"注："小國之臣，至卑者耳，主尚接之以
禮，况于五等諸侯，是廣敬也。"《廣至德章》注："舉孝悌以爲
教，則天下之爲人子弟者，無不敬其父兄也；舉臣道以爲教，則
天下之爲人臣者，無不敬其君也。""諸侯有爭臣五人"注："三
卿、内史、外史。""大夫有爭臣三人"注："家相、室老、邑宰。"《感
應章》注："王者父事天，母事地。""將順其美，匡救其惡"注：
"將，行也，君有美善，則順而行之。匡，正也；救，止也。"

何晏　孝經注一卷

鄭小同　孝經注

《太平寰宇記》：今《孝經序》，鄭氏所作，其序云："僕避難于
南城山，栖遲巖石之下，念昔先人餘暇述夫子之志，而注《孝
經》。"蓋康成胤孫所作。《困學紀聞》："鄭氏注十八章，相承
言康成作《鄭志》，目録不載，通儒皆驗其非。開元中，孝明纂
諸説自注以奪二家，謂孔、鄭。然尚不知鄭氏之爲小同。"康按王
氏此説蓋即本之《寰宇記》"胤孫所作"一語。然細詳文義，似
謂《孝經序》爲康成胤孫所作，非謂《孝經注》也。序中所云
"先人"即指康成，則樂史此文正足以證《孝經注》之出康成
矣。故其下文又云："有石室，周迴五丈，俗云鄭康成注《孝
經》于此也。"然自陸澄以來，屢有異議，則屬之小同，亦可姑
備一説。

虞翻　孝經注

唐玄宗曰："韋昭、王肅，先儒之領袖。虞翻、劉邵，抑又次焉。"

嚴畯　孝經傳

康按《張昭傳》云："權嘗問衛尉嚴畯：'寧念小時所闇書否？'
畯因誦《孝經》'仲尼居'。"則畯所習者，今文也。又據邢
《疏》，則三國時王肅、蘇林、何晏、劉邵、韋昭、徐整諸家所注

亦皆今文也。

韋昭　孝經解讚一卷

康按韋注之見于邢《疏》者，"教之所由生也"註言："教從孝而生。"《天子章》注："天子居四海之上，爲教訓之主，爲教易行，故寄易行者宣之。""孝無終始，而患不及者"注引《蒼頡篇》謂："患"爲"禍"。"進思盡忠，退思補過"注："進見于君，則思盡忠節；退歸私室，則思補其身過。""服美不安"注："《書》云：'成王既崩，康王冕服即位，既事畢，反喪服。'據此，則天子、諸侯但定位初喪，是皆服美，故宜不安也"。"食旨不甘"注："《曲禮》云有疾則飲酒食肉，是爲食旨，故宜不甘也。"

徐整　孝經嘿注一卷

孫熙　孝經注一卷

《經義攷》曰："阮氏《七録》有孫氏注《孝經》一卷。《釋文序録》云不詳何人，當即熙也。"康按孫氏朝代不可攷，《隋志》列于蘇林、何晏、劉邵之後，《唐志》列于韋昭之後，蘇林之前。則當爲三國時人。《隋志》又別有晋孫氏《孝經注》一卷，未知是重出，抑別爲一人。邢《疏》序述注《孝經》諸人，以孫氏列于東晋時，蓋據《隋志》後一人而言。

論語類

譙周　論語注十卷

《經義攷》曰："劉昭注《續漢書・禮儀志》'先臘一日大儺'，引譙氏注云：'儺，却之也，以葦矢射之。'又《釋文》'不亦樂乎'引譙氏注云：'悦深而樂淺。'"

王肅　論語注十卷　論語釋駁三卷

周生烈　論語義説

陳羣　論語義説

何晏　論語集解十卷

王弼　論語釋疑三卷

《經義攷》曰："陸氏《釋文》于'廏焚'引弼注云：'公廏也。'又'逸民'注：'朱張，字子弓。荀卿以比孔子。'"康按《釋文》于"予所否者"引王弼備鄙，反朱氏失采。餘見皇侃《義疏》者甚多，則皆朱氏之所未見也。

虞翻　論語注十卷

張昭　論語注

程秉　論語弼

韋昭　魯論解

《爾雅翼》卷八引韋昭《魯論解》曰："莠草，似稷無實。"

羣經類

譙周　五經然否論五卷

王謨曰："書已久亡，羣書稱引絶少，《御覽》亦不載其目。"《經義攷》鈔出《後漢書》注、《通典》三條，今從《穀梁傳》注鈔出一條。又《詩正義》一條、《禮記正義》二條引譙周説；俱當屬《五經然否論》，附録于此。文繁不書。

鄭志十一卷　魏侍中鄭小同撰。

劉知幾曰："鄭玄卒後，其弟子追論師所著述及應對，時人謂之《鄭志》。"《唐書·儒學傳》元行沖《釋疑》曰："鉤黨獄起，康成于竄伏之中，理紛挐之典，雖存探究，咨謀靡所。具《鄭志》者百有餘科。"《經義考》：《鄭志》載于《正義》及《通典》者，大抵張逸、趙商、冷剛、田瓊、炅模問，而康成答之。又有焦喬、王權、鮑遺、陳鏗、崇精弟子互相問答之辭。錢東垣曰："《鄭志》當是鄭君晚年定論。何以知之？本傳言：'趙商等自遠方來就學,在何進辟召之後,時年六十。兹則商所問者,十居其四,是在六十歲以後也。又諸弟子所問引《易注》者二,是在《易注》已成之後也。引《書贊》者一,《書注》者四,是在《書贊》、《書注》已成之後也。引《詩箋》者十二,是在《詩箋》已成之後也。引《周禮注》者十七,《禮記注》者七,《儀禮注》者一,是在三《禮》注已成之後也。引《論語注》者一,《禘祫志》者一,《駁五經異義》者三,是在《論語》、《禘祫志》、《駁異義》已成之後也。答劉炎問《關雎》,則云《論語注》人閒行已久。答炅模問'匪革其猶',則辨《詩箋》與《禮》注不同之故,可知晚年定論,猶足模楷百世矣。"

王肅　聖證論十二卷

《困學紀聞》："王肅《聖證論》,譏短鄭康成,謂天體無二,郊、丘爲一,禘是五年大祭先祖,非圜丘及郊,祖功宗德,是不毀之名,非配食明堂。皆有功于禮學,先儒譙之。《聖證論》今不傳,《正義》僅見一二。"康按王肅經解,平易近人,故晋、宋以下多從之。近世崇尚鄭學攻肅者,幾於身無完膚。平心而論,肅經解豈無一得？其立異於鄭,猶鄭之立異於賈、馬、何、許、此得彼失,本可並存,特其專事掊擊,且偽造《家語》以自實其言,此則誠不免爲小人儒耳。

孫炎　駁聖證論

馬昭　難聖證論　張融評。二人皆魏博士。

《唐書·儒學傳》元行沖《釋疑》曰："王肅規鄭玄數千百條,鄭學馬昭詆劾肅短。詔遣博士張融按經問詰,融推處是非,而肅酬對疲于歲時。"康按諸經引《聖證論》者,往往兼引馬昭、張融説。《高貴鄉公紀》有博士"馬照",錢大昕《三國志攷異》謂即馬昭也。張融爲魏博士,見《隋志》論語類。

隗禧　諸經解　字子牙，京兆人，魏郎中。

見《王肅傳》注引《魏略》。

小學類

孫炎　爾雅注七卷

邵晉涵《爾雅正義》云："郭氏匡正孫炎注者，如《釋詁》'觀釐，蔪離也'註云：'孫叔然字別為義，非矣。'《釋蟲》'莫貈，蟷蜋蛑'註云：'孫叔然以《方言》説此義，亦不了是也。'"

孫炎　爾雅音一卷

《顏氏家訓・音辭篇》："孫叔然創《爾雅音義》，是漢末人獨知反語。"

劉劭　爾雅注

《初學記》卷三引《爾雅》曰："'蟋蟀蛩'，劉邵注云：'謂蜥蜻也。'"

曹植　飛龍篇

《初學記》卷五引之曰："晨遊泰山，雲霧窈窕。忽逢二童，顏色鮮好。乘彼白鹿，手翳芝草。"

鍾繇　隸書勢

《晉書・衛恒傳》："魏初有鍾、胡二家，爲行書法，俱學之于劉德升，而鍾氏小異，然亦各有巧。今大行于世，云作隸勢。"康按據此文，似《隸書勢》爲鍾氏所作，而語文不甚明。《初學記》卷二十一凡三引鍾氏《隸書勢》，其文同《衛恒傳》，則出鍾氏無疑也，乃《蔡中郎集》又以爲蔡作。

張揖　三蒼訓詁三卷　字稚讓，清河人。一云河間人，魏博士。

《顏氏家訓・風操篇》云："《蒼頡篇》有倄字訓詁云：痛而謕也立，羽罪反。"《音辭篇》云："《蒼頡訓詁》反稗爲逋賣，反娃爲於乖。"康按此即《三蒼訓詁》之一。杜林亦有《蒼頡訓詁》，然此有反音，則非杜林書也。餘見于《一切經音義》所引者，如"款，悬聲也，欸，息聲也"。"魌，苦交反，下擊也"。"飤，飽也。謂以食與人曰飤"。"烷，以桼和之痺，手足不仁也"。"尚，上也"。"窨，燒瓦竈也"。"蛕，腹中蟲也"。"豻，似狗，白色，有爪牙，迅捷善搏噬也"。皆稱《蒼頡訓詁》。見于《文選·甘泉賦》注："襂，拂也。"又見《北堂書鈔》卷一百二十九，《史記·孟子荀卿列傳》索隱。《羽獵賦》注："踔，踰也。"見于《史記·項羽本紀》索隱："垓，堤名，在沛郡。"或稱《三蒼訓詁》，或稱《三蒼注》。見于《文選·司馬遷報任少卿書》："闒，獮劣也。"稱張揖《訓詁》，實則一書而已。

張揖　古今字詁三卷　一作《古文字訓》。

《御覽》卷六百五引王隱《晉書》曰："魏太和六年，博士河間張揖上《古今字詁》，其巾部曰：'紙，今帋也。其字從巾，古以縑白，依書長短，隨事截絹，數重沓即名幡。紙，字從系，此形聲也。後和帝元興中，中常侍蔡倫以故布擣剉作紙，故字從巾，是其聲雖同，系巾爲殊，不得言古之紙爲今紙。'"《魏書·江式傳》："《字詁》方之許慎篇，古今體用，或得或失。"《顏氏家訓·勉學篇》："吾初讀《莊子》蚹二首，韓非子曰：'蟲有蚹者，一身兩口，爭食相齕，遂相殺也。'茫然不識此字何音，後見《古今字詁》，此亦古之虺字。積年凝滯，豁然霧解。"《匡謬正俗》卷六："俗于礪山出刀，子刃，謂之略刃。有舊義否？答曰：按《爾雅》云：'剡、焎，利也。'張揖《古今字詁》云：古作焎，一本作焫，未知孰是。"又引云：闙，古開字。闟，古闔字。卷二。頯府，今俯俛也。卷六。餘見《釋文》、兩《漢書》注、《史記索隱》、《文選注》、《一切經音義》者甚多，任大椿《小學鈎沈》備載之。獨《汗簡》屢引張揖集古文當即由《唐志》"《古文字訓》”之名而省，任氏未采。

張揖　雜字一卷　一作《難字》。

康按《爾雅·釋詁》音義引之云：“詁者，古今之異語也。仗，音‘曳’，‘狃仗’，過度。”《釋訓》音義引云：“訓字，謂字有意義也。”《釋木》音義引云：“荈，茗之別名也。”唐玄應《六度集》第八卷《音義》引云：“痟，痛瘦疼。”皆作雜字。

張揖　埤蒼三卷

《魏書·江式傳》云：“張揖著《埤蒼》、《廣雅》、《古今字訓》，綴拾遺漏，增長事類，抑亦于文爲益者。”康按《埤蒼》，今有任大椿輯本。

張揖　廣雅三卷　錯誤字一卷

李登　聲類十卷　魏左校令。

《隋書·潘徽傳》：“李登《聲類》、呂靜《韻集》，始判清濁，纔分宮羽，而全無引據，過傷淺局，詩賦所須，卒難爲用。”康按《魏書·江式傳》云：“呂靜放李登《聲類》之法，作《韻集》，宮、商、鰴、徵、羽各爲一篇。”據此，則《聲類》亦分五音，故《潘徽傳》云然也。

周成　雜字解詁四卷　魏掖庭右丞。

康按《史記·高祖功臣表》引周成《雜字解詁》云：“邙，音距。”此外有但稱“周成《雜字》”者，《梁孝王世家》索隱：“敆，閩也。”《司馬相如傳》索隱及《文選·上林賦》注：“澔溔，水沸之兒也。”《後漢書·胡廣傳》注：“牋，表也。”《藝文類聚》八十七：“檳榔，果也，似螺，可食。”《御覽》九百二十一：“鸕鶿，鳥似鳧。”諸條是也。鸕鶿一條稱周氏，不稱周成。有但稱《雜字解詁》者，《藝文類聚》卷十九及《御覽》三百八十二：“嘯，吹聲也。”《北堂書鈔》一百五十一：“霄，摩天赤氣也。”《御覽》八引作《雜字詁訓》。《御覽》七百七十：“舶艃，雜船也。”八百六十：“粔籹，膏環也。"《廣韻》引作《新字解訓》。九百十五："鶈䴊，似鳳皇。"諸條是也。有但稱《雜字》者，《文選·洞簫賦》、謝靈運《七星瀨詩》、沈休文《新安江水至清詩》三注皆云："潺湲，水流兒。"是也。有但稱周成者，《賈誼傳》索隱："誶，音碎。"是也。有稱周成《難字》者，《一切經音義》所引："斗撇，鷇鷇也。""穽，捸也。""擐，以繩轉軸，裁木爲器也。""娾，息也，同時爲一娾。""輇，馬輇也。""犇，妃封反，犇牛也。""帑，音蕩。"諸條是也。皆即一書而或少省其文，或小易其名，《雜字》之爲《難字》，正與張揖書同。未知本有二名，抑後人傳寫之誤，但必非兩書明矣。《小學鉤沈》分錄之，殆非。

周成　解文字七卷

朱育　幼學篇二卷　字嗣卿，山陰人，吳侍中。

康按育事載《虞翻傳》注引《會稽典錄》，其字則據《唐志》。

朱育　異字二卷

康按《汗簡》屢引朱育《集字》，或云《集奇字》，或云《集古字》，或云《字略》，蓋皆出此書也。

項峻　始學篇十二卷　吳郎中。

《藝文類聚》卷十一引顏峻《始學篇》云："天地立，有天皇十三頭，號曰天靈，治萬八千歲。地皇十一頭，治八千歲。《初學記》卷九引顏峻《始學篇》曰："地皇興于熊耳龍門山。"餘前後文與此同。人皇九頭，兄弟各三百歲。依山川土地之勢，裁度爲九州，各居其一方，因是而區別。"又曰："上古皆穴處，有聖人教之巢居，號大巢氏。"康按"顏"當作"項"。《御覽》卷七十八引"天皇、地皇"數語正作"項"。又《御覽》卷三百八十五引項氏《始學篇》注，其爲項氏自注、爲他人注，則不可考矣。

韋昭　辯釋名一卷

《四庫全書總目》云："吳韋昭嘗作《辯釋名》一卷，糾劉熙之誤，其書不傳。然如《經典釋文》引其一條云："《釋名》云：古者，車音如居，所以居人也。今曰車音尺遮反，舍也。韋昭云：'車，古皆音尺奢反，後漢以來始有居音。'"案'何彼穠矣'之詩以車韻華，'桃夭'之詩以華韻家。家，古音姑；華，古音敷；則車古音居，更無疑義。熙所説者不謬，昭之所辨亦未必盡中其失也。

張宏　飛白序勢　字敬禮，吴郡人，吴處士。

張懷瓘《書斷》中："吴處士張宏，字敬禮，吴郡人。篤學不仕，恒著烏巾，時號張烏巾。并善篆隸，其飛白妙絶當時。飄若雲遊，激如驚電，飛仙舞鶴之態有類焉。自作《飛白序勢》，備説其美也。歐陽詢曰：'飛白，張烏巾冠世。'"

今字石經毛詩三卷　今字石經鄭氏尚書八卷

康按《唐志》所云今字者，皆一字也。蓋指隸書一體也。一字本漢時所建，而《毛詩》、鄭氏《尚書》，後漢不立學官，必無刊石之理。全祖望謂是黄初時邯鄲淳補修，引魚豢《魏略·儒宗傳》序曰"黄初元年之後，新王乃始掃除太學灰炭，補舊石碑之闕壞"云云爲證，謂是時淳方以博士給事中，是補正熹平隸字舊刻者，淳也，且謂《隋志》以正始石經爲一字，其誤即源于此，今從之。全氏之意，以熹平、黄初所立石經，皆一字。正始所立，乃是三字。諸家但知有熹平、正始二刻，全氏細繹史注，乃知復有黄初補刻也。至全氏并欲以《隋志》之《魯詩》、《儀禮》、《春秋》石經盡歸之邯鄲淳，則未敢從。蓋漢碑原有八種也。説詳《補後漢藝文志》。

三字石經尚書十三卷　三字石經尚書五卷　三字石經春秋十二卷

孫星衍《魏三體石經遺字攷序》云："《隸續》所載三字石經，蓋魏正始中立石。宋皇祐時，蘇望得搨本摹刻于洛陽。古文三百七，篆文二百十七，隸書二百九十五，凡八百一十九。爲

《尚書·大誥》、《吕刑》、《文侯之命》、《春秋左氏》桓、莊、宣、襄四公經文，亦有傳。其石在洛陽太學講堂西，石長八尺，廣四尺。碑石四十八枚，廣三十丈，見于《水經注》。邯鄲淳所書，當有他經，而獨存《尚書》、《春秋》者，《太平御覽·碑部》引《西征記》曰：'國子堂前有列碑，南北行，三十五枚，刻之表裏，書《春秋》經、《尚書》二部，大篆、隸、蝌蚪三種字。碑長八尺。'是時亦止見二種，蘇氏又以《尚書》、《春秋左氏》錯雜成文，命爲《左傳》，不加分別，蒙就《隸續》所載理而董之。

一字石經典論一卷

杭世駿《石經考異》曰：《水經注》言"魏文帝刊《典論》六碑，列于石經之次"。裴松之注《三國志》云："漢世西域舊獻火浣布。文帝以爲火性酷烈，無含生之氣，著之《典論》。及明帝立，詔三公曰：'先帝昔著《典論》，不朽之格言，其刊石于廟門之外及太學，與石經並，以永示來世。'至齊王芳正始元年，西域使至，獻火浣布焉，于是刊滅此論，天下笑之。松之昔從征西，至洛陽，見《典論》石在太學者尚存，而廟門外無之。"愚按《魏志》明帝太和四年二月戊子，以文帝《典論》刻石立于廟門之外，酈道元云"文帝刊之"，誤矣。松之既稱刊滅此論，又云"《典論》石在太學者尚存"，而《伽藍記》云："《典論》六碑至太和後魏孝文帝號。十七年猶有四存。"《隋·經籍志》亦有《一字石經典論》一卷。意當時所謂刊滅者，第芟去火浣布一條，至于六碑，則仍立于太學。故裴松之、楊衒之等並得見也。

讖緯類

宋均　易緯注九卷　《通卦驗》、《坤靈圖》。

《玉海》云："《易緯》宋注不傳。"康按宋注卷數與鄭注同，則

《易緯》六篇當亦全注。然今可攷見者，祇有《初學記》、卷二。
《御覽》卷二十引《通卦驗》，《古微書》引《坤靈圖》，謹據以著録，
餘不敢妄增云。

宋均　書緯注　《璇璣鈐》、《攷靈耀》、《帝命驗》、《運期授》。

康按《書緯》五篇，今宋注可攷者四，備載趙在翰《七緯》中，《詩》、《禮》、
《樂》、《春秋》、《孝經緯》放此。而無《刑德放》，其爲亡佚無疑，非宋注
有所闕也。然今亦不敢擅增。

宋均　尚書中候注

《文選·長楊賦》注引之云：“順斗機爲政也。”

宋均　詩緯注十八卷　《推度災》、《汎歷樞》、《含神霧》。

宋均　禮緯注三卷　《含文嘉》、《稽命徵》、《斗威儀》。

宋均　禮記默房注二卷

宋均　樂緯注三卷　《動聲儀》、《稽耀嘉》、《叶圖徵》。

宋均　春秋緯注三十卷　《演孔圖》、《元命苞》、《文耀鈎》、《運斗樞》、《感精
符》、《令誠圖》、《考異郵》、《保乾圖》、《漢含孳》、《佐助期》、《潛潭巴》、《説題辭》、《命
歷序》。

康按《後漢書·樊英傳》注載《春秋緯》十三篇，有《握誠圖》而
無《命歷序》。宋注亦適十三篇，有《命歷序》而無《握誠圖》。
朱彝尊疑《握誠圖》即《令誠圖》①，然則正宜以《命歷序》補其
闕。但《詩·生民》疏云：“緯候之書及《春秋命歷序》言五帝
傳世之事，以《命歷序》別于緯候之外，又似《春秋緯》實無其
書。而據蕭吉《五行大義論·諸神篇》、《後漢書·楊厚傳》
注、《初學記》卷九、《御覽》卷七十八，則宋均《命歷序》注確有
明文，趙氏《七緯》無《命歷序》，故今特著宋注所出。無妨宋均于十三緯之
外，別注他篇矣。

---

①　“令”原誤作“合”，據《二十五史補編》本改。

宋均　孝經援神契注七卷　孝經鈎命決注六卷

宋均　孝經雜緯注十卷

康按《隋志》載《孝經》雜緯甚多，宋注十卷，疑皆注之矣。今可攷見者，惟《御覽》八百七十二引《孝經内事》注。

宋均　論語讖注八卷《摘輔象》、《摘襄聖》、《比考讖》、《陰嬉讖》、《撰考讖》。

《古微書》並載之。

宋均　河圖注

《初學記》卷九、《御覽》卷七十九、三百四十五、三百七十一俱引之。其可攷見篇名者，惟三百六十八卷稱《河圖矩起注》。《古微書‧河圖握矩記》即《河圖矩起》。引宋注一條，以《御覽》考之，則亦但稱《河圖注》耳。

宋均　洛書摘六辟注

見《古微書》。

補三國藝文志卷三

　　史之類十有一：一曰正史，二曰編年，三曰雜史，四曰起居注，五曰職官，六曰儀注，七曰刑法，八曰雜傳，九曰地志，十曰譜牒，十一曰目錄。

正史類

諸葛亮　論前漢事一卷　漢書音一卷

鄧展　漢書注　南陽人，魏奮威將軍。

文穎　漢書注　字叔良，南陽人，魏甘陵府丞。

　　康按《漢書》敘例，稱"鄧展，魏建安中爲奮威將軍，封高樂鄉侯"。"文穎，後漢末荊州從事，魏建安中爲甘陵府丞"。建安非魏年號而云然者，蓋是時魏國已建，二人實爲魏臣，非漢臣，雖當建安時，不得繫以漢也。故今二書仍著錄于三國。

蘇林　漢書注

　　《漢書》敘例蘇晉衆家剖斷蓋尠。

張揖　漢書注　止解《司馬相如傳》一卷。

如淳　漢書注　馮翊人，魏陳郡丞。

孟康　漢書音義九卷　字公休，安平廣宗人，魏中書監。

　　事蹟見《杜恕傳》注。

鄭氏　漢書注

　　洪頤煊《讀書叢錄》云："《漢書集注》有鄭氏曰，晉灼《音義》敘云不知其名，而臣瓚以爲鄭德，汴本《史記索隱》以爲鄭玄。頤煊按《高帝紀》'沛公還軍亢父'，鄭氏曰：'屬任城郡。'《郡國志》任城，國不名爲郡，《王子侯表》'挹裴戴侯道'，鄭氏曰：
'挹裴音即非，在肥鄉縣南五里肥鄉，黃初二年置。'皆在鄭康
成後，汴本《索隱》以鄭氏作鄭玄誤。"康按鄭氏既在鄭康成後，
又在晉灼前，晉灼，西晉人。并用黃初改置郡縣名，則爲魏人無疑
矣。至康成之無《漢書注》，本無可疑。洪亮吉據《史記集解》
引鄭玄注數處，謂《漢書音義》所稱鄭氏，蓋康成居多，此晉
灼、臣瓚所未及言者，後人能肛斷之乎？《十七史商榷》云：常
熟毛氏《索隱》跋謂宋刻鄭德誤作鄭玄，則裴駰《集解》亦宋人
妄改。其説近是。

王沈　魏書四十八卷　字處道，太原晉陽人，官侍中時作。

《晉書·王沈傳》："正元中，遷散騎常侍、侍中，典著作，與荀
顗、阮籍共撰《魏書》，多爲時諱，未若陳壽之實録也。"康按王
沈名列晉史，而《魏書》則撰于魏朝，故今著録三國時。《御
覽》二百三十三引王隱《晉書》曰："王沈著《魏書》，多爲時諱，
而善叙事。"《史通·正史篇》："黃初、太和始命尚書衛顗、繆襲
草創紀傳，累載不成，又命侍中韋誕、應璩、祕書監王沈、大將軍
從事中郎阮籍、司徒右長史孫該、司隸校尉傅玄等復共撰定。
其後王沈獨就其業，勒成《魏書》四十四卷，其書多爲時諱，殊非
實録。"又《載文篇》："歷選衆作求其穢累，王沈、魚豢是其甚
焉。"又《直書篇》："王沈《魏書》假回邪以竊位。"又《曲筆篇》：
"王沈《魏録》濫述貶甄之詔。"《宋書·五行志》序："王沈《魏書》
志篇闕，凡厥災異但編帝紀而已。"《齊書·禮志》序："魏氏末
大亂，舊章殄滅，侍中王粲、尚書衛顗集創朝儀，而魚豢、王
沈、陳壽、孫盛並未詳也。"康按據宋、齊二志之文，則《魏書》無
志，而《水經·潁水》注引《魏書·郡國志》曰："宣王軍次丘
頭，王凌面縛水次，故號武丘。"又似有志者，何也？豈獨缺
《五行》及《禮志》耶？又按《劉劭傳》注引《文章叙録》稱孫該

著《魏書》，據《史通》，則孫該即與王沈同撰書者，故今不別
著録。

謝承　後漢書一百三十卷　無帝紀。字偉平，吳武陵太守。

承事見《吳志·妃嬪傳》及注引《會稽典録》。《匡謬正俗》卷
五謝承《後漢書·楊豫傳》云：“豫祖父惲，封平通侯，惲子會
宗，坐與臺閣交通，有罪，國除，家屬皆徙酒泉郡。”又載豫上
書乞還本土，其辭云：“臣祖父惲，念安社稷，忠不避難，指刺
奸臣，實心爲國，遂致死徙。”按班書《楊敞傳》具載惲與太僕
戴長樂相失，惲與長樂皆免爲庶人。惲既失爵位家居，營產
業，起室宅，以財自娛。其友人安定太守西河孫會宗與書諫
戒之。惲内懷不服，報會宗書，辭語不遜。宣帝見而惡之，惲
坐腰斬，妻子徙酒泉郡。此惲先失爵位，然後被誅，妻子被
徙。據《敞傳》及豫上書，數説皆同，安得有子名會宗，襲爵、
國除被徙事乎？謝氏既不詳其本，稱引會宗，失于故實，又自
載豫上書，與叙事相背。《史通·書志篇》云：“百官輿服，謝
拾孟堅之遺。”《煩省篇》云：“謝承尤悉江左京洛事，缺于三
吳。”《雜説下》云：“謝承《漢書》，偏黨吳越。”又云：“姜詩、趙
壹身止計吏，而謝書有傳。”傅山曰：“謝承書某家有之，永樂
閒揚州刊本。初，郃陽曹全碑出，曾以謝書考證，多所裨益，
大勝范書。以寇亂，亡失矣，惜哉！”姚之駰曰：“謝偉平之書，
東漢第一良史也。凡所載忠義名卿及通賢逸士，其芳言懿
矩，半爲范書所遺，惟六朝詞人多誦説之。故其軼事，時見他
書，輒採掇彙鈔，分爲四卷。”康按謝書自晁、陳、馬氏以來，俱
不著録。傅青主所言揚州刊本，當亦如姚氏輯本之類耳。姚
本闕漏尚多，近有胡□□□□輯本，未見。洪亮吉曰：“謝承
書最有名又最先出，而其紕繆非一端，試舉一二言之。范史
《周嘉傳》‘高祖父燕曰：我平王之後，正公玄孫’，注引謝承書

曰：'燕字少卿，其先出自周平王之後。漢興，紹嗣封爲正公，食采于汝墳。'今考《武帝紀》元鼎四年，得周室孼子嘉，封爲周子南君，以奉周祀。至元帝初元五年，又以周子南君爲周承休侯。成帝綏和中，始進爵爲公，安得有漢興即嗣封正公之事？如謂'漢興'二字即指綏和以後言，則燕在宣帝時，下距此尚遠。汝陰縣，王莽時改名汝墳，漢興安得有汝墳縣？又《三國志·陶謙傳》：'廣陵太守琅邪趙昱，徐方名士也。'注引承書曰：'昱遷廣陵太守，賊笮融從臨淮見討，进入郡界，昱將兵距戰，敗績見害。'今考《謙傳》，融走廣陵，太守趙昱待以賓禮，融利廣陵資貨，遂乘酒酣殺昱。《吳志·劉繇傳》及《通鑑》等並同，則所謂'拒戰見害'之事非矣。承又云'謙初辟昱別駕從事，辟疾退避。謙重令揚州從事會稽吳範宣旨'云云。考《謙傳》，謙未嘗兼領揚州，一也。《吳志·吳範傳》：'舉有道，詣京師，世亂不行。'至孫權起東南，範始委身服事，是範亦未嘗爲揚州從事，二也。且謙本以融爲下邳相，督廣陵彭城下邳糧運。及曹操擊破謙，徐土不安，融乃將男女萬口走廣陵。則融之走廣陵，實由下邳東下道，不出臨淮，三也。他如范史《隗囂傳》'更始執金吾，鄧曄'注引承書'曄，南陽南鄉人'。前漢既無南鄉之名，又《胡廣傳》注引承書'李咸以靈帝建寧三年自大鴻臚爲太尉'。今考《靈帝紀》咸爲太尉在四年，由太僕亦非大鴻臚。是承書于邑里、官爵皆率意妄書，其他好爲異説以貽誤後人者，又比比也。"康按此條於謝書力加譏彈，然遷、固著史，尚多舛誤，不能摘其一、二事遽毀全書，又況謝書久亡，他書轉引不免魯魚之訛，尤未可以是定謝、范二家優劣也。姚之駰謂"謝書極博，蔚宗過爲删除"。其説甚當。蓋謝之勝范在此，而其不及范之精嚴，亦即在此矣。

韋昭　吳書五十五卷

康按《吳志》注引此書甚多，書名雖繫以韋昭，而據本傳及《薛
瑩傳》，則非昭一人手定也。又《薛瑩傳》稱：韋書承丁孚、項
峻而作，孚、峻俱非史才。兹攷《吳主傳》："黄武四年，丞相孫
邵卒。"注引《志林》曰："吳之創基，邵爲首相，史無其事，竊嘗
怪之。劉聲叔，博物君子也，云：'推其名位，自應立傳。項
峻、吳當作'丁'。孚時已有注記，與張惠恕不能。後韋氏作史，
蓋惠恕之黨，故不見書。'"則韋書亦未必盡勝丁、項二人耳。
又攷《齊書·禮志》序云："吳則太史令丁孚拾遺漢事。"是丁
氏《吳書》有《禮志》也。韋昭因之，亦當有志。

韋昭　漢書音義七卷

薛瑩　後漢記一百卷

編年類

袁曄　獻帝春秋十卷　字思光。"曄"一作"暐"。

康按曄字見《吳志·陸瑁傳》注。裴注作"袁暐"，所引凡二十
餘條，范書注亦屢引。深不滿其書，如《袁紹傳》注云："樂資、袁
曄之徒竟爲何人，未能識别然否，而輕弄翰墨，妄生異端，以
行其書。正足以誣罔視聽，疑誤後生。實史籍之罪人，遠學
之所不取者也。"《馬超傳》注云："袁曄、樂資等諸所記載，穢
雜虛謬，殆不可勝言也。"及《荀彧傳》注，斥其"虛罔"，《張紘
傳》注，譏其"虛錯"，皆毀詆之辭。

雜史類

譙周　古史考二十五卷

《晋書·司馬彪傳》："初，譙周以司馬遷《史記》書周秦以上，

或採俗語百家之言，不專據正經，周於是作《古史考》二十五篇，皆憑舊典以糾遷謬誤。彪復以周爲未盡善也，條《古史考》凡百二十二事爲不當，多據《汲冢紀年》之義。"《史通·模擬篇》："譙周撰《古史考》，其書李斯之弃市也，云'秦殺其大夫李斯'，以此而擬《春秋》，所謂貌同而心異也。"章宗源輯本《古史考》序曰："《史通·外篇》稱《古史考》與《史記》並行於代，雖與《史記》並論，證以史考之名。檢其逸篇體例，實異正史，《唐志》列於雜史者是也。《文選》王元長《曲水詩》序注引公孫述竊位，蜀人任永託目盲一事，蔚宗書亦載之，是又兼及後漢事，不獨糾遷書矣。"

譙周　天文志

《續漢書·天文志》注引謝沈書曰："蔡邕撰建武以後星驗，著明以續前志，譙周接繼其下。"《晋書·天文志》序："班固叙漢史，馬續述天文，而蔡邕、譙周各有撰録。"又《志》引譙周説郡國所入十二次宿度甚詳。其學本之京房、張衡。

譙周　災異志　記漢建武以來。

見《續漢書·五行志》。

董巴　災異志　魏給事中，記漢建武以來。

見《續漢書·五行志》。

魚豢　魏略八十九卷　京兆人，魏郎中，記事止明帝。

參《史通·正史篇》。又《題目篇》云："魚豢、姚察著《魏》、《梁》二史，巨細畢載，蕪累甚多，而俱膀之以略，考名責實，奚其爽與？"又《載文篇》："歷選衆作，求其穢累，王沈、魚豢是其甚焉。"《齊書·禮志》序："魏氏籍漢末大亂，舊章殄滅，侍中王粲、尚書衛顗集創朝儀，而魚豢、王沈、陳壽、孫盛並未詳也。"《百官志》序："今有魏氏《官儀》、魚豢《中外官》。"康按《御覽·職官部》引《魏略》多有叙百官品秩者，當即出此。又

《御覽》卷第十一引《魏略·五行志》，則是書固有志矣。《中外官》當亦志名，蓋易“百官”爲“中外”。而蕭子顯與陳壽並稱，意其所未成者，獨《禮志》耳。《梁書·止足傳》序云：“魚豢《魏略·知足傳》，方田、徐于管、胡，則其道本異。”《三國志考異》曰：“魚豢《魏略》今已不存，其諸傳標目多與他史異，如東里衮爲《游說傳》，董遇、賈洪、邯鄲淳、薛夏、隗禧、蘇林、樂詳七人爲《儒宗傳》，常林、吉茂、沐並、時苗四人爲《清介傳》，脂習、王脩、龐涓、文聘、成公英、郭憲、單固七人爲《純固傳》，孫賓碩、祝公道、楊阿若、鮑出四人爲《勇俠傳》，王思諸人爲《苛吏傳》，並見裴氏注。田疇、管寧、徐庶、胡昭諸人爲《知足傳》，見《梁書》。是也。王粲、繁欽、阮瑀、陳琳、路粹諸人合傳，焦先、扈累寒貧諸人合傳，當亦有目，今不可攷矣。若秦朗、孔桂之爲《佞倖傳》，則沿遷、固之舊目也。”康按《東夷傳》注及《世說》卷二注引《魏略·西戎傳》亦與班史微異，而《御覽》三百七十八則稱《魏略·西域傳》，不作“西戎”。杭世駿《諸史然疑》曰：“《唐書》志藝文稱魚豢《魏略》有五十卷，並不言有《典略》，《隋志》則并《魏略》亦無，《三國志》注引《魏略》又引《典略》，即一書也，《太平御覽》直稱《魏典略》焉。”康按《隋志》無《魏略》而有《典略》，杭氏以并《典略》志之，要其合二書爲一則確論也，裴注及《御覽》引此書甚多，《史記索隱》、《前》、《後漢書》注皆屢引之。輯之尚可衰然成帙。

張温　三史略二十九卷

徐整　三五歷紀二卷

蕭吉《五行大義》卷五引之云：“天皇十三頭，地皇十一頭，號地皇。”《藝文類聚》卷一引之云：“天地混沌如雞子，盤古生其中，萬八千歲，天地開闢。陽清爲天，陰濁爲地，盤古在其中。一日九變，神於天，聖於地，天日高一丈，地日厚一丈，盤古日長一丈,如此萬八千歲,天數極高,地數極深,盤古極長,後乃有三皇,數起於一,立於三,成於五,盛於七,處於九,故天去地九萬里。"又卷十一引云:"歲起攝提,元氣肇,有神靈一人,有十三頭,號天皇。"又卷九十二引云:"天地之初,有三白鳥,主生衆鳥。"餘見《御覽》引者甚多。"紀"或作"記"。

徐整　通曆二卷　雜曆五卷

《御覽》屢引徐整《長曆》,又卷八百七十三、九百十五引徐整《正曆》,疑即此二書之異名也。《通志·藝文略》於《通曆》、《雜曆》之外,又別出《長曆》十四卷。

韋昭　洞紀三卷　記庖犧以來,至建安二十七年。

《史通·表曆篇》:"韋昭《洞紀》、陶弘景《帝代年曆》皆因表而作用成,其書非國史之流。"《莊子·說劍篇》音義引《洞紀》云:"周赧王十七年,趙惠文王之元年。"《五行大義》卷五引《洞紀》云:"人皇分治九州,古語質,故以頭數言之。"《御覽·皇王部》三引《洞紀》曰:"古人質,以頭爲數,猶今數鳥獸以頭記也。若云十頭鹿,非十頭也。"《樂部》十引韋昭《洞曆記》曰:"紂無道,比干知極諫必死,作秣馬金闕之歌。"又見《初學記》卷十五。

起居注類

漢獻帝起居注五卷

《唐六典》:"漢獻帝及西晉以後諸帝皆有起居注,皆史官所録。"康按此書《隋志》不著撰人,《後漢書》及《續漢書志》、《三國志》諸注屢引之。《魏文帝紀》注引一條云:"建安十五年,爲司徒趙溫所辟,太祖表溫,辟臣子弟選舉,故不以實,使侍中守光禄勳郗慮持節奉策免溫官。"稱曹操爲太祖,則此書成於魏時也。

職官類

荀攸　魏官儀一卷

《初學記》二十一卷引《魏官儀》云："尚書郎缺，試諸郎故孝廉能文案者。先試一日，宿召會都坐，給筆墨以奏。未知出荀書、出衛書也。

衛覬　魏官儀　　凡數十篇。

何晏　官族傳十四卷

劉劭　爵制

《續漢書・百官志》五劉昭注引之。

常道鄉公　咸熙百官名

《唐六典》卷十引之云："有著作佐郎三人。"

丁孚　漢官儀式選用一卷　　吳太史令。

《漢書・宣帝紀》、《後漢・章帝紀》、《續漢書・百官志》諸注皆引之，或稱《漢官》，或稱《漢儀》，或稱《漢儀式》，皆省文也。孚官、名見《吳志・薛瑩傳》。

韋昭　官儀職訓一卷

康按《後漢書・曹節傳》、《北堂書鈔・設官部》、《藝文類聚》、《太平御覽・職官部》俱引韋昭《辨釋名》，皆攷論官制，則《官儀職訓》疑即在《辨釋名》中。而本傳稱各一卷，《隋志》亦分錄，豈當時本自別行耶？《宋書・百官志》引韋昭亦出此書。　又按《唐六典》卷五引魏甲辰令輔國將軍第三品、游騎將軍第四品，卷十引魏甲辰儀祕書令史品第八，其次序皆在晋官品以前，則曹魏時書也。然他別無所見，又未知是專記官制之書否，故不著錄，而附志其名於此。

儀注類

譙周　禮儀志

《續漢書·禮儀志》注引謝承書曰："太傅胡廣,博綜舊儀,立漢制度,蔡邕因以爲志,譙周後改定,以爲《禮儀志》。"

譙周　祭志

《宋書·禮志》四引譙周《祭志》稱："禮,身有喪,則不爲吉祭。緦麻之喪,於祖考有服者,則亦不祭,神不饗也。"《通典》四十八引蜀譙周《禮祭集志》云："四時,各於其廟中,神位奧西牆下東嚮,諸侯廟木主在尸之南,爲在尸上也。東嚮以南爲上。"又四十九卷引云："天子之廟,始祖及高、曾、祖、考,皆月朔加薦,以像平生朔食也,謂之月祭。二祧之廟,無月祭也。凡五穀所熟,珍物新成,天子以薦宗廟。禮,未薦不敢食新者,敬之道也。其月朔薦及膡薦、薦新,皆奠,無尸。故羣廟皆一日之閒盡畢。"

董巴　大漢輿服志一卷

劉昭注《續漢書》八《志》序云："車服之本,即依董蔡所立。"康按《隋書·禮儀志》,《後漢書·光武紀》、《明帝紀》、《臧宮傳》論、《宦者傳》序諸注,《史記·李將軍傳》索隱,《初學記·器用》、《服食》兩部,《北堂書鈔·衣冠》、《儀飾》兩部,《藝文類聚·禮部》、《雜文部》,《御覽·服章部》、《車部》俱引此書。《後漢·宦者傳》叙注引云："禁門曰黃闥,中人主之,故曰黃門。"亦見劉昭注《百官志》三但稱董巴,又《宋·百官志》下、《初學記·職官部》引董巴《漢書》與此文略同,疑《漢書》字誤。《索隱》引云："黃門丞至密近,使聽察天下,謂之中貴人使者。"其事皆與輿服無涉,蓋又有所旁及也。

何晏　魏明帝諡議二卷

高堂隆　魏臺雜訪議三卷

《宋書·禮志》、《隋書·禮儀志》及唐、宋人諸類書皆引之。

刑法類

諸葛亮　　蜀科　　與法正、劉巴、李嚴、伊籍共造。

魏主奏事十卷　　存疑。

《史記·陳豨傳》、《漢書·高祖紀》十年、《後漢書·光武紀》更始二年、《西羌傳》論諸注俱引《魏武奏事》，《御覽》一百八十一引《魏公奏事》。

魏廷尉決事十卷　　存疑。

康按以上二書未知是魏人撰否，姑存之。《御覽》七百六十三引《廷尉決事》曰："廷尉高文惠上：'民傅晦詣民籍牛場上盜黍，爲牛所覺，以斧擲，折晦脚，物故。依律，牛應棄市。'監棄超議：'晦既夜盜，牛本無殺意，宜減死一等。'"必出此書也。文惠，高柔字也，黃初四年爲廷尉。《御覽》六百四十六亦引《廷尉決事》，然無以定其爲魏。

魏法制新律十八篇　　劉劭、庾嶷、荀詵等撰。

《晉·刑法志》："魏明帝下詔改定刑制，命司空陳羣、散騎常侍劉劭、給事黃門侍郎韓遜、議郎庾嶷、中郎黃休、荀詵等刪約舊科，傍采漢律，定爲《魏法制新律》十八篇，①《州郡令》四十五篇，《尚書官令》、《軍中令》，合百八十餘篇。"《唐六典》卷六："陳羣採漢律爲魏律十八篇，增漢蕭何律劫掠、詐偽、毀亡、告劾、繫訊、斷獄、請賕、驚事、償贓等九等也，依古義制爲

---

① 整理者按，此處侯康斷句有誤，致使標目亦誤，參姚振宗《三國藝文志》"魏律十八篇"條。

五刑。其大辟有三,髡刑有四,完刑、作刑各三,贖刑十一,罰
金六,雜抵罪七,凡三十七名。"

劉劭　律略論五卷

《御覽》六百三十八引劉劭《律略》曰:"删舊科,採漢律爲魏
律,懸之象魏。"

雜傳類

諸葛亮　貞潔記一卷

陳術　益部耆舊雜傳記二卷

康按《隋志》有《續益部耆舊傳》三卷,《唐志》有《益州耆舊雜傳
記》二卷,皆無撰人。考《蜀志・李譔傳》稱"時又有漢中陳
術,字申伯,博學多聞,著《益部耆舊傳》及《志》"。《華陽國
志・漢中士女讚》亦同。則此書陳術撰也。《隋志》"續"字疑衍。
《楊戲傳》稱《益部耆舊雜記》載王嗣、常播、衛繼三人,劉焉、
先主、楊洪、楊戲諸傳注皆引《益部耆舊雜記》,或稱《耆舊傳
雜記》,雖不系以陳術,大約皆術書。"陳壽亦有《益部耆舊傳》,然《楊戲
傳》中必不自引其書,裴注引陳壽書多稱《耆舊傳》,此數條獨稱《雜記》,與《楊戲傳》
合,故知皆術書也。則此書又名《雜記》,《唐志》之名本於此也。《史
記・曆書》"巴落下閎運算轉曆"注引陳術云:"微士巴郡落下閎也。"

魏文帝　海內士品錄三卷

魏明帝　甄表狀

《聖賢羣輔錄》云:"魏文帝初爲丞相,魏王所旌表二十四賢,
後明帝乃述撰其狀,見《文帝令》及《甄表狀》。"又云:"潁川陳
實,實子紀,紀弟諶,並以高名,號曰三君。見《甄表狀》。"又
云:"北海公沙穆五子並有令名,京師號曰'公沙五龍,天下無
雙',穆亦名士也。見明帝《甄表狀》。"康按魏文帝所旌表二十

四賢，備在《羣輔錄》，無公沙穆、陳實父子，而《甄表狀》有之，蓋又有所推廣矣。二十四賢中之徵士樂安冉璆，《後漢書‧陳蕃傳》作“周璆”，未詳孰是。

海內先賢傳四卷　魏明帝時撰。

《世說》注、《後漢書》注、《藝文》、《御覽》俱引之。其中記申屠蟠事，本傳注。許劭事，《世說‧賞譽篇》注。足補史傳之闕；記王允死難事，《御覽》六百五十二。與史不同；記李膺宗陳穉叔、荀淑、鍾皓三君，嘗言荀君清識難尚，陳、鍾至德可師，《世說‧德行篇》注。比史傳多穉叔一人。皆足以備參考者也。

曹植　列女傳頌一卷

蘇林　陳留耆舊傳一卷

康按漢圈稱亦有此書，後人引《陳留耆舊傳》者甚多，未知爲圈書爲蘇書矣。惟《御覽》卷二百六十九引蘇林《廣舊傳》，蓋廣圈稱之書而作，故以廣舊名。《玉海‧藝文》亦云魏蘇林《廣舊傳》一卷。引書者又省陳留二字，觀所記者，爲仇香事。仇正，陳留人也，其稱香字季和，與范史異，或傳寫偶誤。又稱香學通三經，則史所未詳也。

董巴　漢中宮傳　魏博士。

《御覽》卷二百三十引之云：“守宮禁內署令，秩千石，在省內用中人，省外士人。”

繆襲　列女傳讚一卷

周斐　汝南先賢傳五卷

諸書引者甚多。如周乘之器識，《世說‧賞譽篇》注。闞敞之貞廉，《藝文》卷六十六。黃浮、李宣之公正，《御覽》二百六十八、九。陳華、王恢之義烈，《御覽》二百六十八、四百二十一。李鴻、李先、殷煇之孝友，《御覽》四百十四。許嘉之志節，《御覽》三百四十三、六百四十九。郭亮之幼慧，《御覽》三百八十五。薛勤之知人，《御覽》四百四十四。史傳皆佚其事，且有不知姓名者，胥賴此書以傳。惟載及侯瑾、《藝文》八十。葛玄、《藝文》九十六。胡定、《御覽》四百二十六。劉巴《御覽》四百五十七。諸人事皆非汝南人，疑引書者輾轉傳訛也。

任城王舊事三卷

見《拾遺記》卷七，當時國史所撰也。

白起故事　何晏撰。

見《文選》注、《史記·白起傳》集解引"何晏論起坑趙卒"事，當出此書。

嵇康　聖賢高士傳贊八卷

《史通·採撰篇》："嵇康《高士傳》好聚七國寓言。"《浮詞篇》："《左傳》稱絳父論甲子隱言於趙孟，班書述楚老哭龔生，莫識其名氏。至嵇康、皇甫謐撰《高士記》，各爲二叟立傳，全采左、班之錄，而其傳論云：'二叟隱德容身，不求名利，避遠亂害，安於賤役。'夫探揣古意，而廣足新言，雖語多本傳事，無異説。"《品藻篇》："嵇康《高士傳》其所載者廣矣，而顔回、蘧瑗獨不見書。至如董仲舒、揚子雲與此何殊，而並可甄錄。夫回、瑗可棄，揚、董獲升，可謂識二五而不知十者也。"《雜説》下："嵇康《高士傳》取《莊子》、《楚辭》二漁父事合成一篇，夫以園吏之寓言、騷人之假説而定爲實錄，斯已謬矣。況此二漁父者，較年則前後別時，論地則南北殊壤，而輒併之爲一，豈非惑哉！"又云："莊周著書以寓言爲主，嵇康述《高士傳》多引其虛辭，至若神有混沌編諸首錄。苟以此爲實，則其流甚多。"康按此書《唐志》無"贊"字，《隋志》有致康兄喜作康傳，及《晋書》本傳皆稱爲傳贊，《水經·汝水篇》注："黄帝嘗遇牧童於襄城之野，故嵇叔夜讚曰：'奇矣，難測襄城小童，倦遊六合，來憩兹邦。"《世説·品藻篇》注引嵇康《高士傳·井丹贊》曰："井丹高潔，不慕榮貴，抗節五王，不交非類，顯讁輦車，左右失氣，披褐長揖，義陵羣萃。"《司馬相如贊》曰："長卿慢世，越禮自放，犢鼻居市，不恥其狀。託疾避官，蔑此卿相。乃賦《大人》，超然莫尚。"《初學記·人事部》上引嵇康《原憲贊》曰："原憲味道，財寡義豐。栖遲蓽門，安賤固窮。絃歌自樂，體逸心沖。進應子貢，邈有清風。"《御覽》卷五十六引嵇康《聖賢高士傳贊》曰："許由養神，宅於箕阿。德真體全，擇日登遐。"是康書實有贊，《水經注》、《初學記》雖不明言《高士傳》，然以文體例之，必出《高士傳贊》無疑也。皆四字協韻，《唐志》刪之，非矣。嵇喜稱此書自混沌至管寧，凡百一十九人，今載《御覽·逸民部》九、十兩卷者，至多凡三十五人，合之《御覽》他處，及諸書所引者，又數十人。原書雖佚，尚可得其大概也。

王基　東萊耆舊傳一卷

毌丘儉記三卷

《魏志·明帝紀》注引毌丘儉《志記》云："時以儉爲宣王副也。"宣王時伐遼東。當即出此書，未知爲儉記事之作，抑他人記儉事也。

謝承　會稽先賢傳七卷

《御覽》屢引之。所記凡闞澤、卷四、又三百六十、三百九十八。沈勳、二百十。茅開、二百五十三。淳于長、三百八十五。陳業、四百十六、四百二十一。又《初學記》十七。董昆、七百九。嚴遵九百六十四、九百六十六。諸人事多史傳之佚文，嚴遵二條足補《後漢書》本傳之闕；陳業二條足以證《吳志·虞翻傳》注，吉光片羽，皆可寶也。

徐整　豫章列士傳三卷

《御覽》凡五引之。無徐整名。一云："周騰，字叔達，爲御史。桓帝欲南郊，平明出，叔達仰首曰：'王者象星，今宮中宿，策馬，星不出動，帝何出焉？'四更皇子卒，遂止。"卷六。又云："孔恂，字巨卿，新淦人，爲別駕。車前後舊有屏星，如刺史車曲翳儀式。時刺史行，部發失旦，怒命去之。恂曰：'明使君發自晏，而欲撤去屏星，毀國舊儀，此不可行。別駕可去，屏星不可省。'即投傳而去。"卷二百六十三。又云："華茂爲功曹，病，被不覆軀，布衣不周身。郡將與大布被、袴皆不受。"卷二百六十四。又云："施陽，字季儒，爲舒令。經江夏，遇賊劫奪陽物，賊去後，車上有五千錢，遣人追與。賊聞知陽，悉還其物，以付亭長。"卷八百三十六。又《初學記》卷十七引徐整《豫章列士傳》曰："舒令施陽，字季儒，宜春人也。爲人沈重謐靜，清白絶俗，常以禮讓，先人後己，爲行稱爲賢者。"又曰："羊茂，爲東郡太守，出界買鹽豉。"卷八百五十五。皆史傳之佚文也。孔恂、羊茂，謝承《後漢書》有之。

徐整　豫章舊志八卷

《世說·規箴篇》注，《水經·廬江水》注俱引此書，而不系人名，同序廬俗一事，酈道元引《海內東經》以駁之。蓋地志類多附會，自古已然也。此書《隋志》作晉熊默撰，三卷；《唐志》作徐整撰，八卷。今從《唐志》，書似宜入地理類，而《隋》、《唐》二志俱入雜傳。原書既亡，無可攷核，自當仍舊爲正。

張勝　桂陽先賢畫讚五卷　吳左中郎。

《水經·汝水》注引一條，記張熹自焚求雨事。《御覽》引成武丁、卷三百四十五。羅陵、卷四百二十一。胡滕、卷六百六。蘇耽、卷八百二十四，又九百八十四。成子、卷八百四十。程曾卷八百六十三。諸人事中，惟胡滕一條見《後漢書·竇武傳》，餘多未見。程曾非《後漢書·儒林傳》之程曾，蓋別一人也。《御覽》三百六十七及九百七十又引《桂陽先賢傳》，核其文義，蓋即一書也。

趙母　列女傳解七卷　潁川人吳桐鄉令虞韙妻。

《世說·賢媛篇》注引《列女傳》曰："趙姬者，桐鄉令虞韙妻，潁川趙氏女也。才敏多覽，韙既没，大皇帝敬其文才，召入宮省，上自征公孫淵，姬上疏以諫。作《列女傳解》，號趙母注，數十萬言。赤烏六年卒。"

列女傳

見《世説·賢媛篇》注。稱孫權爲大皇帝，又爲上，則吳人撰也。

陸凱　吳國先賢傳五卷

《初學記》卷十七引《吳先賢傳·故揚州別駕從事戴矯讚》曰："猗猗茂才，執節雲停。志勵秋霜，冰潔玉清。"《奮武將軍顧承讚》曰："於鑠奮武，奕奕全德。在家必聞，鴻飛高陝。"《上虞令史胄讚》曰："猗猗上虞，金鋻玉貞，鳳立鷔時，邈矣不傾。"據此知是書體例，每傳必有讚也。

陸胤　廣州先賢傳七卷

《續漢書·五行志》注引之，載養奮對策。《初學記》、《藝文》、《御覽》屢引之，載丁密、猗頓、丁茂、黄豪、鄧盛、徐徵、董正、羅威、尹牙、疎源、申朔、唐頌諸人。其中丁茂、黄豪爲交趾人，尹牙爲合浦人，皆交州屬郡，與廣州無涉。然廣州仍有合浦北部尉。又廣州之高涼郡，本分合浦置；高興郡，分交趾置。意諸人郡望，據未分郡以前言之。若既分郡後，實當屬廣州也。

曹瞞傳一卷　吳人作。

《魏志·武帝紀》注、《袁紹》、《吕布》、《荀彧傳》注俱引之。《世説·假譎篇》注、《水經·渭水篇》注、《後漢書·獻紀》、《袁紹》、《吕布傳》注亦引之，不出裴注之外。書出敵人之口，故於曹操奸惡備載無遺。世所傳操爲夏侯氏子，及破壁收后等事皆出此書。其中築沙城以渡渭一事，司馬建公舉操爲北部尉一事，裴松之頗有疑辭而終不敢斥爲非，蓋其書紀事多實也。《藝文》、《御覽》又屢引《曹操別傳》，所稱"人中有吕布，馬中有赤兔"一條，《御覽》卷四百九十六。與此書合；發梁孝王冢一條，《藝文》卷八十三。《文選·檄豫

州》注正作《曹瞞傳》,則一書而異名耳。《御覽》又引《魏武別
傳》,卷四百三十一。稱操爲武皇帝,并載操子中山王袞事,或亦
本一書而後人易其稱乎?

趙雲別傳

本傳注屢引之。

費禕別傳

本傳注屢引之。《御覽》卷九百四十六引一條,事見本傳,故
注反不載也。

曹植別傳

《御覽》卷四百五十九引之,其事已見本傳。

邊讓別傳

《御覽》卷六百九十三引之云:"讓,字文禮,才辨俊逸。孔融
薦讓於武帝曰:'邊讓爲九州之被則不足,爲單衣襜褕則有
餘。'"其事范書本傳不載,稱曹操爲武帝,則非漢人撰也。

楊彪別傳

《御覽》卷四百九十一引之云:"魏文帝令彪著布單衣,待以賓
客之禮。"稱曹丕爲文帝,則亦魏人撰也。

華陀別傳

陳、范兩書本傳注引之。

荀彧別傳

見本傳注。書中稱曹操爲太祖,司馬懿爲宣王,則非漢、晉人
作明矣。

邴原別傳

本傳注引之甚詳,而《世説·賞譽篇》注、《御覽》卷二百九、"邴
原"誤作"邴吉"。五百三十二所引有出本傳注之外者。又本傳稱
"原同郡劉政,有勇略雄氣,遼東太守公孫度畏惡欲殺之,盡
收捕其家"。《藝文》卷八十三引《別傳》"劉政"作"劉攀"。《御.

覽》卷八百十一又作“劉舉”。又謂“攀圖奪公孫度，度覺之”。叙事亦小異，皆足備參攷也。

管寧別傳

《御覽》引之，無甚異也。

潘勗別傳

《御覽》卷四百三引之曰：“勗寬賢容衆，與天下人等休戚、同有無，不以家財爲己有。”

劉廙別傳

見本傳注。

桓階別傳

《御覽》引之云：“階爲尚書令，文帝嘗幸其第，見諸少子無襌，文帝搏手笑曰：‘長者子無襌。’乃抱與同乘。是日拜三子爲郎，使黄門齎衣三十囊賜曰：‘卿兒能趨，可以襌矣。’卷二百二十一、四百八十五。又云：“上已平荆州，引爲主簿，每有深謀疑事，常與君籌之。或日昃忘食，或夜坐徹旦，擢爲趙郡太守，會郡寮送之。上曰：‘北邊未靖，以卿威能震敵，德懷遠人，故用相煩。’是亦寇恂河内之舉。階在郡時，俸盡食醬豉，上聞之，數戲之曰：‘卿家作醬頗得成不？’詔曰：‘昔子文清儉，朝不謀夕，而有脯糧之秩；宣子守約，簞食魚飧，而有加粱之賜。豈況光光大魏，富有四海，棟宇大臣而有蔬食，非吾所以禮賢之意也。其賜射鹿師二人，并給媒弩。’”卷二百六十二、四百三十一。又云：“階爲趙郡太守，期月之間，增户萬餘。路有遺粟一囊，耕者得之，舉以繫樹，數日其主聞，還取之。”卷八百二十二、八百四十。數事皆不見《魏志》。據本傳稱階由主簿“遷趙郡太守，魏國初建，爲虎賁中郎將”。是階守趙郡在魏國未建以前，而別傳有“光光大魏”之語者，蓋未徵爲虎賁中郎將時也。趙郡正在魏國十郡之内，故魏國初建，階即爲魏臣，不爲漢臣矣。

任嘏別傳

見《王昶傳》注。

傅巽別傳

《御覽》卷三百二十二引之云："衛臻領下當有"選"字。舉傅巽爲
冀州刺史。文帝曰：'巽，吾腹心臣也，不妨與其籌算帷幄之
中，決勝千里之外，不可授以遠任。'"康按巽名見《傅嘏傳》，嘏
伯父也。

王朗、王肅家傳一卷

《朗傳》注引《朗家傳》兩條。

吳質別傳

《王粲傳》注引之。《藝文類聚》卷六十八又引一條云："質爲
北中郎將，朝京師。上歡喜其到，比至家，問訊相續，詔將軍
列鹵簿，作鼓吹，望闕而止。"

孫資別傳

見本傳及《賈逵傳》注。裴松之稱資之別傳，出自其家。今攷
所載，多諛詞，而於資誤國之罪，絕不言及，誠未可據爲定
論也。

劉曄傳

見《文選》注。

曹肇別傳

《御覽》卷三百八十六引之云："肇之弟纂，字德思，力舉千鈞，
明帝寵之，寢止恒同，嘗與戲賭衣物，有所獲，輒入御帳取而
出之。"康按肇、纂皆曹休子，此事《休傳》不載。

何晏別傳

《初學記》引之云："晏方年七八歲，慧心天悟，形貌絕美。出
遊行，觀者盈路，咸謂神仙之類"卷十九。《御覽》引之云："何
晏，南陽人，大將軍進之孫。進遇害，魏武納晏，小養於魏宮。

至七八歲，惠心天悟，形貌絕美。武帝雅奇之，欲以爲子。每挾將遊觀，令與諸子長幼相次。晏微覺之，於是坐則專席，止則獨立，或問其故，答曰：‘禮，異姓不相貫伍。’”卷三百八十、三百九十三。又云：“晏時小養魏宮，七八歲便慧心天悟，衆無愚知，莫不貴異之。魏武帝讀兵書，有所未解，試以問晏，晏分散所疑，無不冰釋。”卷三百八十五。

程曉別傳

見本傳注。

鍾會母傳鍾會撰。

見《會傳》注。

虞翻別傳

見本傳注。書中直稱孫策、孫權名，則非吳人撰，然亦當三國時人也。

陸績別傳

《御覽》卷二百六十四引之云：“績字公紀，吳郡人也。太守王朗命爲功曹，風化肅穆，郡内大治。”其事本傳不載。又卷四百五引一條，則本傳載之。直稱孫策之名，亦非吳人撰也。

胡綜別傳

《藝文類聚》引之云：“時有掘地得銅匣，長二尺七寸，以琉璃爲蓋，布雲母於其上。開之，得白玉如意，所執處皆刻螭、蟬等形，時人莫知其由。吳大帝以綜多識，乃問之。綜答云：‘昔秦始皇東遊，以金陵有王者氣，乃鑿諸山岡起處，埋寶物以當王者之氣。此抑是乎？’”卷七十八、十三。其事本傳不載。

孟宗別傳

《御覽》引之云：“宗爲豫章太守，人思其惠，路有行歌。故時

人之生子以孟爲名。"①卷二百六十一。又云："宗爲光禄勳，大
會。醉，吐麥飯，察者以聞。詔問食麥飯意，宗答：'臣家足，
有米麥飯，直愚臣所安，是以食之。'"卷八百五十。康按孟宗，《吳
志》無傳，《孫皓傳》："建衡三年，司空孟仁卒。"即宗更名也。
注載宗事甚詳，而獨無《別傳》此二事。

樓承先别傳

《御覽》引之云："樓玄到廣州，密求虞仲翔故宅處，遂徘徊躑
躅，哀咽悽愴不能自勝。"卷一百八十。又云："昔山越民反，所過
殘毀，至婁氏之里，往中庭顧見釜甑尚著於竈，曰：'恐他遠寇
取之。'仍爲取洗，沈著井中而去。婁家後還，皆盡得之。"卷七
百五十五。其事皆不見本傳。

董正别傳

正名不見於史，惟《廣州先賢傳》載其字伯和，番禺人。見《御覽》
四百九。則在陸胤以前。《御覽》卷八百二十二引《別傳》一條，
不載正事，而載劉廙事，殊不可曉。

地志類

來敏　本蜀論

《水經注》二十七引來敏《本蜀論》云："秦惠王欲伐蜀，而不知
道，作五石牛，以金置尾下，言能屎金。蜀王負力令五丁引之
成道。秦使張儀、司馬錯尋路滅蜀，因曰'石牛道'。"又卷三
十三引來敏《本蜀論》曰："荊人鼈令死，其尸隨水上，荊人求
之不得，令至汶山下，復生，起見望帝。望帝者，杜宇也，從天
下女子朱利自江源出爲宇妻，遂王于蜀，號曰'望帝'。望帝

---

①　"子"字原闕，據中華書局影印《太平御覽》補。

立以爲相，時巫山峽，而蜀水不流，帝使令鑿巫峽通水，蜀得
陸處。望帝自以德不若，遂以國禪，號曰'開明'。"據此兩條，
則是地記之書也。《太平寰宇記》益州條下亦引。

譙周　三巴記一卷

《續漢書·郡國志》巴郡下屢引之。

譙周　蜀本紀

《蜀志·秦宓傳》注引譙周《蜀本紀》曰："禹本汶山廣柔縣人
也，生于石紐，其地名刳兒坪。"《先主傳》注亦引之，其文與揚
雄《蜀王本紀》同，則無以定其必爲譙書也。

譙周　益州志

《文選·蜀都賦》注引譙周《益州志》云："成都織錦既成，濯于
江水，其文分明，勝于初成。他水濯之，不如江水也。"

譙周　異物志

《文選·蜀都賦》注引譙周《異物志》曰："涪陵多大龜，其甲可
以卜。其緣中又似瑇瑁，俗名曰靈龜。"又曰："滇池在建寧
界。有大澤水，周二百餘里，水乍深廣，乍淺狹，似如倒池，故
俗云滇池。"

水經三卷

《四庫全書總目》曰："《水經》作者，《唐書》題曰'桑欽'。然班
固常引欽説與此經文異，道元注亦引欽所作《地理志》，不曰
《水經》。觀其涪水條中稱'廣漢'已爲'廣魏'，則決非漢時。
鍾水條中稱'晋寧'仍曰'魏寧'，則未及晋代，推尋文句，大抵
三國時人。今得道元原序，知並無桑欽之文，據以削去。"《通
典·州郡》四："《水經》，不知何代之書，云'濟水過壽張'，則
前漢壽良縣，光武更名。又'東北過臨濟'，則狄縣，安帝更
名。'荷水過湖陸'，則湖陵縣，章帝更名。'汾水過永安'，則
彘縣，順帝更名。故知順帝以後纂序也。"施廷樞曰："《水經》

全用後漢地名，上曲陽稱中山，河關屬隴西，知《水經》爲東京之作。"康按杜氏、施氏意在辨《水經》非桑欽作，故退而系之後漢，不如《四庫總目》系之三國爲尤當。蓋壽張、臨濟、湖陸、永安諸名，及上曲陽之屬中山，河關之屬隴西，至魏時猶然，杜氏、施氏所引證固與《四庫總目》之説無礙，至王伯厚所稱"武侯壘"，歐陽圭齋所稱"永安宮"諸條，則是傳文羼入之故，非經文也。

楊元鳳　桂陽記

《梁書·劉杳傳》："杳云：'桂陽程鄉有千里酒，飲之至家而醉。'任昉曰：'吾自當遺忘，實不憶此。'杳云：'出楊元鳳所撰《置郡事》。元鳳是魏代人，此書仍載其賦，云："三重五品，商溪擦里。"'時即檢楊記，言皆不差。"

阮籍　宜陽記

《御覽》卷四十二引之。

康泰　吳時外國傳 _{吳中郎。}

《南史·海南諸國傳》序："吳孫權時，遣宣化從事朱應、中郎康泰通焉。其所經過及傳聞，則有百數十國，因立記傳。"《御覽》卷七百八十九："吳時康泰爲中郎，表上《扶南土俗》曰：'利正東行，極崎頭海邊有居人，皆有尾五六寸，名蒲羅中國，其俗食人。'"康按《水經注》、_{卷一、卷三十六。}《御覽》屢引康泰《扶南傳》，《藝文類聚》、《御覽》屢引《吳時外國傳》而不名，惟《御覽》三百五十九一條系以康泰。竊意泰偏歷百數十國，必不止專記扶南一方，其大名當是《吳時外國傳》，而《扶南傳》則其中之一種。《扶南土俗》又《扶南傳》之別名也。

朱應　扶南異物志一卷　_{吳宣化從事。}

康按《南史》稱朱應經過傳聞百數十國，因立紀傳。而《隋志》獨載此書者，意他卷盡亡而此卷廑存也。又《梁書·劉杳傳》

稱："長頸是毗騫王，朱建安《扶南以南記》云：'古來至今不死。'"疑即此書，然無確証。

朱育　會稽土地記一卷

《世説・言語篇》注引《會稽土地志》曰："長山靡迤，而長縣因山得名。"又曰："邑在山陰，故以名焉。"此書《隋志》入地理類，《唐志》删土地二字，入雜傳記類，今從《隋志》。《通志・藝文略》兩收之，似複矣。

萬震　南州異物志一卷　吳丹陽太守。

《藝文類聚》、《御覽》屢引之。其中有用四字韻語者，如云："乃有大貝，奇姿難儔。素質紫飾，文若羅珠。不磨而瑩，采耀光流。思雕莫加，欲琢靡踰。在昔姬伯，用免其拘。"《藝文》卷八十四。又云："玄犀疑脱兩字。處自林麓。食惟棘刺，體兼五肉。或有神異，表靈以角。含精吐烈，望若華燭。置之荒野，禽獸莫觸。"《藝文》卷九十五。又云："合浦之人，習水善游。俛視增潭，如猿仰株。入如沈黿，出如輕鳧。蹲泥剖蚌，潛竊明珠。"《御覽》卷三百九十五。又云："扶南海隅，有人如獸。身黑若漆，齒白如素。隨時流移，居無常處。食唯魚肉，不識禾稼。寒無衣服，以沙自覆。時或屯聚，猪犬雞當衍一字。雜糅。雖忝人形，無踰六畜。"《御覽》卷七百九十。又云："象之爲獸，形體特詭。身倍數牛，目不逾豨。鼻爲口役，望頭若尾。馴良承教，聽言則跪。素牙玉潔，載籍所美。服重致遠，有如邱徙。"《御覽》卷八百九十。竊意此書體例，每物各爲一讚語，而別以散文詳釋其形狀，如戴凱之《竹譜》之例。諸書或引散文則無韻，或引讚語則有韻。《御覽》引扶南海隅一條有小注，蓋即取其散文附注各韻之下也。

萬震　巴蜀異物志

見《文選注》。

薛瑩　荆揚已南異物志

見《文選·吳都賦》注。

譜牒類

宋均　注帝譜世本七卷

康按諸書引《世本》宋衷注者多，宋均注者少。今據王謨《世本》輯本引出者，凡五條，云："女媧，黃帝臣也。"原注下同《北堂書鈔》，又見《文選注》。"祝融，顓頊臣，爲高辛氏火正。"《初學記》。"翠，武飾也。"《莊子》釋文。"暴辛，平王時諸侯，作塤，有三孔。"《文選注》。"蘇成公，平王時諸侯。"《北堂書鈔》。

管寧　氏姓論

見本傳注引《傅子》。"論"字作"歌"字，疑誤，今據《玉海》卷五十訂正。

目録類

鄭默　魏中經

《初學記·職官部》引王隱《晋書》曰："鄭默，字思元，爲祕書郎，删省舊文，除其浮穢，著《魏中經簿》。中書令虞松謂默曰：'而今而後，朱紫別矣。'"

補三國藝文志卷四

　　子之類十有三：一曰儒家，二曰法家，三曰名家，四曰兵家，五曰農家，六曰道家，七曰雜家，八曰天文，九曰曆算，十曰五行，十一曰醫方，十二曰雜藝，十三曰小說。

儒家類

諸葛亮　集誡二卷　女誡一卷

　　康按《女誡》疑即《集誡》中之一卷，然《隋志》總集內別出之，故今亦分錄。

李譔　太玄指歸

譙子法訓八卷　　譙周撰。

　　《御覽》屢引此書。卷四百六引一條稱《譙子齊交》，疑其中篇名也。《世說·任誕篇》注、《藝文類聚》卷二十一俱引之。

譙子五教志五卷　　譙周撰。

魏文帝　典論五卷

　　《抱樸子·論仙篇》："魏文帝躬覽洽聞，自呼於物無所不經，謂天下無切玉之刀、火浣之布，及著《典論》，嘗據言此事，其間未期二物畢至。帝乃歎息，遽毀斯論。"康按《魏志·齊王芳紀》注亦載此事，但云無火浣布，不及切玉刀也。毀《論》在齊王芳時，不在文帝時，與此亦異。又按《文選》有《典論·論文》，《魏志·文帝紀》注引《典論·自序》，《魏志·方技傳》注、《後漢書·方術傳》注俱引《典論》論郤儉等事，《意林》引《典論·太子篇》序。據此，則是書各有篇名，又據《後漢書·

獻帝紀》注、《袁紹傳》注及《魏志》袁紹、劉表兩傳注，知其書
兼有記事體，據卞蘭《贊述太子表》見《藝文類聚》卷十六。知其書成
于爲太子時。

徐幹　中論六卷　目一卷

王粲　去伐論集三卷

王肅　太玄經注七卷　王子正論十卷　家語解二十一卷

張融　當家語二卷

周生子要論一卷　録一卷　周生烈撰。

《意林》引《周生烈子》五卷。《唐志》亦作五卷。序云："六蔽鄙夫
燉煌周生烈，字文逸。張角敗後，天下潰亂，哀苦之間，故著
此書。以堯舜作幹植，仲尼作師誡。"《宋書・大且渠蒙遜
傳》："獻《周生子》十三卷。"

張茂　要言　字彦林，沛人，魏太子舍人。

見《明帝紀》注引《魏略》。

曹羲　書三篇　陳驕淫盈溢之致禍敗，以戒曹爽。

《晉書・王接傳》："魏中領軍曹羲作《至公論》。"蓋即其中之
一篇。論載《藝文類聚》卷二十二。

杜恕　體論四卷

《御覽》二百七十一卷引數條，皆《意林》所不載，專論兵事。
考裴注引《杜氏新書》載此書，大旨有"勝殘去殺，莫善于用
兵"之語，宜其論兵事者多也。《藝文類聚》卷十七引一條，《意林》亦無。

杜恕　興性論一篇

杜恕　家戒

見《邴原傳》。

王昶　治論　二十餘篇。

王昶　家誡

見《藝文類聚》卷二十三。又昶本傳載其戒兄子及子書，其文

與《類聚》所引不同,要皆是《家誡》中語也。

程曉　女典篇

見《藝文類聚》卷二十三。

嵇康　家誡

本集有之。

王基　新書五卷

虞翻　太玄經注十四卷

翻別傳曰:"翻以宋氏解《玄》頗有錯謬,更爲立法,并著明揚釋宋,以理其滯。"

陸績　太玄經注十二卷

績自述曰:"昔嘗見同郡鄒邠,字伯岐,與邑人書。歎揚子雲所述《太玄》連推求玄本不能得也。鎮南將軍劉景升,遣梁國成奇修好鄱州,奇將玄經自隨,時維幅寫一通。年尚暗稚,甫學《書》、《毛詩》,王誼人事,未能深索玄道真,故不爲也。後數年,專精讀之,半歲間,粗覺其意。于是草創注解,未能也。章陵宋仲子爲作解詁,後奇復銜命尋盟,仲子以所解付奇與安遠將軍彭城張子布,績得覽焉。仲子之思慮誠爲信篤,然玄道廣遠淹廢,歷載師讀斷絕,難可一備,故往往有違本錯誤,績智意豈能宏裕?顧聖人有所不知,匹夫誤有所達,竊緣先生詢于芻蕘之義,故遂卒有所述,就以仲解爲本,其合于道者,因仍其說,其失者,因釋而正之。所以不復爲一解,欲令學者瞻覽彼此,論其曲直,故合聯之耳。夫《玄》之大義,撲著之謂。而仲子失其指歸,休咎之占靡所取定。雖得文間異說,大體乖矣。《書》曰:'若網在綱,有條而弗紊。'今綱不正,欲弗紊不可得也。績不敢苟好著作以虛譽也,庶合道真,使《玄》不爲後世所尤而已。"范望曰:"子雲著《玄》,宋衷、陸績各以淵通之才,窮核道真,爲十篇,解釋之文字繁猥。"

陸凱　太玄經注十三卷

顧子新言二十篇，吳顧譚撰。

《隋志》作《新語》十二卷，《唐志》作《新論》五卷，今從本傳。《御覽》七百六十九引顧譚《新言》曰："蓬蒿生于太山之上，豫章長于窮藪之中。良匠造舟，興工建廟，必不取太山之陋質，而弃窮藪之美材明矣。"又曰："奔車失轄，泛舟無檝，欲以不覆，未之有也。"九百三十二引桓譚《新言》曰："吳之飯水若魚鱉，蜀之便山若禽獸。"又四百六十七、八百六十一俱引顧子，當皆出《新言》。惟七百五十五引《顧子義訓》，未知是一書否？

周子九卷　吳中書郎周招撰。潁川人，字恭遠。

"招"，《步騭傳》作"昭"。傳稱"潁川周昭著書稱步騭及嚴畯等"。《抱朴子‧正郭篇》引中書郎周恭遠《論郭林宗》、《御覽》四百三引周昭《新撰》，當皆出此書。

陸景　典語十卷　字士仁，吳中夏督陸抗子。　**典語別二卷**

《史通‧自叙篇》："夫開國承家，立身行事，一文一武，或出或處，雖賢愚壤隔，善惡區分，苟無品藻，則理難銓綜，故陸景《典語》生焉。"《初學記》卷九引陸景《典語》曰："神農嘗草別穀，蒸民乃粒食。"《御覽》三百五十一引陸景《典語》曰："戈刀雖備于執事，而無所揚其鋒。"又三百五十八引云："周世以膏腴之沃壤，豐鎬之實地，大啓封境以封秦。釋鞍授鞚，假驥他人，欲無陵已，其可得乎？"又五百八十五引云："所謂文者，非徒執卷于儒生之門，攄筆于翰墨之采，乃貴其造化之淵，禮樂之盛也。"七百七十一引云："孤將與水軍一萬，從風舉帆，朝發海島，暮至沓渚。"七百七十三引云："吳朝貢歲，或犯道背理，彫車麗服，橫陵市路。車服雖侈，人不爲榮；宮室雖美，士不過門。"又云："顯臣以車服，天下莫不瞻其榮。"又云："飛

車策馬,橫騰超邁,來如霧合,去若雲散,得志則進,失意
則退。"

殷基　通語八卷　<small>雲陽人,吳無難督。</small>

<small>康</small>按《七録》有"《通語》十卷,晋尚書左丞殷興撰"。《唐志》則
作《文體通語》十卷,殷興續。是必先有其書,而興續之,蓋即
續殷基之書,而二書遂合爲一,故《七録》直以爲興撰也。裴
松之注《費禕傳》、《顧邵傳》、《朱據傳》、《孫和傳》俱引殷基
《通語》。《意林》載《通語》八卷,不署名,疑亦引殷基書。《御
覽》六百十四引殷典《通語》,此"典"字必"興"字之誤。

法家類

劉廙　政論五卷

<small>康</small>按廙有《先刑後禮論》,見《陸遜傳》,當出此書,即本傳所謂
"與丁儀共論刑禮傳于世者也。"<small>李善注《三都賦》序引劉廙《答丁儀刑
禮書》。</small>

劉劭　法論十卷

桓範　世要論二十卷　<small>抄撮《漢書》中雜事,自以意斟酌之。</small>

《御覽·兵部》二、四、《人事部》九十八、《學部》五、《刑法部》
二、《資產部》十四、十六俱引之,或稱《要集》,或稱《論》,或稱
《世論》,皆一書也。

阮子正論五卷　<small>魏清河太守阮武撰。字文業,陳留人,書凡十八篇。</small>

見《杜恕傳》注引《杜氏新書》及《世説·賞譽篇》注引《陳留
志》,《意林》引《阮子》四卷云:"漁人張網于淵,以制吞舟之
魚;明主張法于天下,以制强梁之人。立法以隄民,百姓不能
干;立防以隄水,江河不能犯。防而可犯,則江河成災;法而
可干,則百姓成害。不樹者死無棺,不蠶者身無帛,不績者凶

無繇。君子暇豫則思義，小人暇豫則思邪。高鳥相木而集，
智士擇土而翔。一盜不誅，害在穿窬；脩譽不誅，害在詞主。"
餘見《御覽》三百四十六、三百四十八、四百六、六百三十八、
八百二，凡五條，多《意林》所未載。惟六百三十八卷一條同《意林》。

陳子要言十四卷　吳豫章太守陳融撰。

名家類

魏文帝　士操一卷

劉劭　人物志三卷

盧毓　九州人士論一卷

鍾會　道論二十篇

姚信　士緯新書十卷

《世說·品藻篇》注、《藝文類聚·人部》、四、六。《意林》、卷四。
《太平御覽·人事部》、四十二、六十、八十八。《禮儀部》三十五。俱
引之。

姚氏新書二卷與《士緯》相似。

兵家類

諸葛亮　兵法五卷

《通典》一百五十六引諸葛亮《兵法》，一百五十七引諸葛亮
《兵要》、《御覽·兵部》亦屢引諸葛亮《兵法》、《兵要》，大約即
一書而異名耳。《崇文總目》又作《兵機法》，《宋志》又作《行兵法》。《御覽》
復引諸葛亮《軍令》，當亦出此書。《通志·藝文略》又載《武
侯十六策》、《將苑平朝陰府二十四機》、《六軍鏡心訣》及後世
所傳《新書》，皆出依託，今不取。

魏武帝　太公陰謀解三卷　司馬法注

《司馬法注》見《文選注》。

魏武帝　孫子兵法注一卷

自序云："操聞上古有弧矢之利。《論語》曰：'足食足兵。'《洪範》八政，'曰師'。《易》曰：'師貞，丈人吉。'《詩》云：'王赫斯怒，爰整其旅。'黃帝、湯、武咸用干戈以濟世也。《司馬法》曰：'人故殺人，殺之可也。'用武者滅，用文者亡，夫差、偃王是也。聖賢之用兵也，戢而時動，不得已而用之。吾觀兵書戰策多矣，孫武所著深矣，審計重舉，明畫深圖，不可相誣，而但世人未之深亮訓説，況文煩富行于世者，失其旨要，故撰爲《略解》焉。"杜牧曰："武書大略用仁義使機權，曹公所注解，十不釋一，蓋惜其所得自爲新書耳。"《郡齋讀書後志》云："《孫子兵法》八十二篇，魏武所注止十三篇。杜牧以爲武書數十萬言，魏武削其繁剩，筆其精粹，成此書云。"又云："唐李筌以魏武所解多誤，陳皞以曹公注隱微。"《文選·魏都賦》注引魏武《孫子注》曰："賞不以時，但留費也。"

孫子兵法一卷　魏武王凌集解。

魏武帝　兵書接要十卷

本紀注引孫盛《異同雜語》及《文選·魏都賦》注引皆作《接要》，與《隋志》同。《唐志》作《捷要》，《御覽》又作《輯要》。其文云："孫子稱司雲氣，非雲非烟非霧，形似禽獸，客吉主人忌。"卷八。又云："大軍將行，雨濡衣冠，是謂洒兵，其師有慶。"又云："三軍將行，其旗蟄然若雨，是謂天露，三軍失徒。將陣，雨甚，是謂浴屍，先陣者敗亡。"又云："大將始行，雨而薄，不濡衣冠，是謂天泣，其將大凶，其卒敗亡。"並卷十一。

魏武帝　兵法接要三卷　續孫子兵法二卷　兵法一卷

魏文帝　兵書要略十卷

《隋志》作魏武帝《兵書略要》九卷,今從《唐志》。《御覽》卷三
百五十七引與《唐志》同。其文曰:"銜枚毋讙譁,唯令之從。"

魏郡臣表伐吳策一卷　諸州策四卷　軍令八卷

《隋志》在亡書內,三書相承,未知下兩部亦是魏人書否。然
《通典》一百四十九引魏武《軍令》、《船戰令》、《步戰令》,《御
覽·兵部》亦引之。又有《魏書曹公令》,疑即所謂《軍令》八
卷者也。

賈詡　鈔孫子兵法一卷　注吳起兵法一卷

王昶　兵書　十餘篇。

沈友　孫子兵法注二卷　字子正,吳郡人,吳處士。

友事見《吳主傳》注引《吳錄》。

道家類

鍾繇　老子訓

見《世說·言語篇》注引《魏志》。《魏志》今無此文,當是《魏
書》之訛。

任子道論十卷　任嘏撰。字昭先,樂安人,魏河東太守。凡三十八篇。

嘏事見《王昶傳》注引《嘏別傳》,稱其"著書三十八篇,凡四萬
餘言",當即此書也。《初學記》卷十七引任嘏《道德論》曰:
"夫賢人者,積禮義於朝,播仁風於野,使天下欣欣然歌舞
其德。"

董遇　老子訓注

王肅　玄言新記道德二卷

何晏　老子道德論二卷　講疏四卷

管輅曰:"何平叔說《老》、《莊》則巧而多華,說《易》生義則美
而多偽。"裴徽曰:"吾數與平叔共說《老》、《莊》及《易》,常覺

其辭妙于理，不能折之。"並見《管輅傳》注引《輅別傳》。

張揖　老子注

見《文選注》。

孟子注老子二卷 或云孟康。

孟子注莊子十八卷 存疑。

康按二書皆見《釋文·叙録》。陸德明于注《老》之孟子，疑是孟康，注《莊》之孟氏，則云不詳何人。竊意即注《老子》之人也，故并録之。

桓威　渾輿經一卷 魏安成令，下邳人。

嵇康　養生論三卷

鍾會　注老子二卷

鍾會　四本論

《世説·文學篇》："鍾會撰《四本論》始畢，甚欲使嵇公一見，置懷中既定，畏其難，懷不敢出。于户外遙擲，便回急走。"注："《魏志》曰：會論才性同異，傳于世《四本》者，言才性同，才性異，才性合，才性離也。尚書傅嘏論同，中書令李豐論異，侍郎鍾會論合，屯騎校尉王廣論離，文多不載。"康按据《世説》注，則會、傅之論才性同異即《四本論》也。《傅嘏傳》稱嘏常論才性同異，鍾會集而論之，故《四本論》雖四人分撰，而獨系之鍾會。

荀融　論老子義

見《荀彧傳》注引《荀氏家傳》。

王弼　注老子二卷　老子指略一卷　注道略論

虞翻　注老子二卷

虞翻　注參同契

《周易》釋文：虞翻注《參同契》云："易字從日下月。"

葛僊公　老子道德經序訣二卷 名玄，吳時學道得仙。

玄事見《晋書·葛洪傳》及《抱朴子》。《初學記》卷廿三引《道
德經序訣》曰：“周時復託神，李母剖左腋而生，生即皓然，號
曰老子。”《御覽》六百六十七引《道德經序訣》曰：“尹喜知紫
氣西邁，齋戒想見道真，及老子度關，授二篇經義。”《玉海·
藝文》引葛玄序：“老子西游天下，關令尹喜曰：‘大道將隱
乎？願爲我著書。’于是作《道》、《德》二篇，五千文，上下經。”
《史記·老子傳》索隱引葛玄曰：“李氏女所生，因母姓也。”又
云：“生而指李樹，因爲姓焉。”

唐子十卷　吴唐滂撰，字惠澗。

康按《意林》引《唐子》有“大晋應期，一舉席卷”之語，則滂已入
晋。《意林》又稱滂生于吴太元二年，下距吴亡時年僅三十。
其入晋宜也。而《隋志》仍系之吴，豈其入晋未仕，猶當爲吴
人耶？今姑從《隋志》。《藝文》卷二十一、《御覽》卷七十六及
三百七十一、七百五十八俱引《唐子》，皆《意林》所不載。《文選
注》亦引之。

雜家類

吕雅　恪論十五篇[①]　南陽人，吕乂子。
陳術　釋問七篇
皇覽六百八十卷　魏文帝命王象、繆卜等撰。

《魏略》云：“桓範以有文學，與王象等典集《皇覽》。”《曹爽傳》注。
又云：“王象字羲伯。受詔撰《皇覽》，使象領祕書監。象從延
康元年始撰集，數歲成，藏于祕府，合四十餘部，部有數十篇，
通合八百餘萬字。”《楊俊傳》注。《御覽》六百一引《三國典略》

①　“恪”，《三國志·吕乂傳》、姚振宗《三國藝文志》均作“格”。

曰："祖珽等上言，昔魏文帝命韋誕諸人撰著《皇覽》，包括羣言，區分義別。"《史記索隱》卷一云："《皇覽》記先代冢墓之處，宜皇王之省覽，故曰《皇覽》。"康按《御覽·禮儀部》三十九引《皇覽·冢墓記》二十餘條，《水經注》引《皇覽》十三條，言冢墓者十之九。《冢墓》蓋即四十餘部中之一。《御覽》卷五百九十又引《皇覽·記陰謀》，疑亦書中篇名也。《論語·三省章》釋文稱《皇覽》引魯讀六事，則兼及經義，此《魏文帝紀》所謂"撰集經傳，隨類相從"者。蓋後世類書之濫觴，[①]故無所不包矣。

續尸子九篇　黄初中續。

王粲書數十篇。

《金樓子》："王仲宣昔在荊州，著書數十篇，荊州壞，盡焚其書，今存者一篇，知名之士咸重之。"

任嘏書三十八篇

見《王昶傳》注引《嘏別傳》。

孫炎書十餘篇。

蔣子萬機論八卷　蔣濟撰。

《書錄解題》云："案《館閣書目》，《蔣子萬機論》十卷，五十五篇。今惟十五篇，恐非全書也。"《玉海》引《書目》云："《蔣子萬機論》十卷，凡五十五篇，雜論立政、用人、兵家之説，及考論前賢故事雜問。"康按《蜀志》許靖、龐統兩傳注，《世説·品藻篇》注俱引之。《通典》引一條駁《禮記》"嫂叔無服"之誤。何晏、夏侯泰初難之，濟復申其説，蓋亦援經據典之書。餘見《御覽》引者尤多。

杜恕　篤論四卷

---

①　"類"原誤作"謂"，據《二十五史補編》本改。

《意林》引數條中有云："杜畿，字伯侯，《魏書》有傳。恕子預，字元凱，《晋書》有傳。"此後人校注之詞，誤入正文者也。《藝文聚類》卷八十二、卷八十七。《御覽》卷三百七十六、卷六百三十七。引之，皆《意林》所無。

鍾會　芻蕘論五卷

《文選·魏都賦》注、《御覽》卷一百九十一，又四百二、六，又八百十三、八百七十一。俱引之。中載東方《朔與公孫弘書》，後人編朔集者，即從此采出。

裴玄　新言五卷　字彥黃，下邳人，吳大鴻臚。

玄事見《嚴畯傳》，稱"官至太中大夫"，今從《隋志》。《文選·羊叔子讓開府表》注引裴氏《新語》曰："若薦其君，將有所乞，請申謝言：'臣誠惶誠恐，頓首死罪。'"《藝文類聚》卷四引裴玄《新語》曰："正朝，縣官殺羊，懸其頭于門，又磔雞以副之，俗説以厭癘氣。玄以問河南伏君，伏君曰：'是土氣上升，草木萌動，羊齧百草，雞啄五穀，故殺之以助生氣。'"《御覽》八百十四引裴玄《新言》曰："五月五日集五綵繒，謂之辟兵。不解，以問伏君，伏君曰：'青赤白黑爲之四面，黃居中央，名曰襞方，綴之于複，以示婦人養蠶之功也，傳聲者誤以爲辟兵。'"康按據此三條，皆攷證故事。其體例與《風俗通》、崔豹《古今注》略同，亦有用書也。餘見《御覽》引者尚多，或稱《新語》，或稱《新言》，或稱《新書》。

諸葛子五卷　吳諸葛恪撰。

張儼　默記三卷　字子節，吳人，大鴻臚。

《史通·直書篇》："張儼發憤，私存《嘿記》之文。"康按儼事見《三嗣主傳》注引《吳錄》、諸葛亮《後出師表》。裴氏謂亮集所無，出張儼《默記》。又《亮傳》注引《默記·述佐篇》論亮與司馬宣王書。《初學記》卷九引張儼《默記》兩條，皆記漢光武事。

張儼　晉論三十卷

范慎　矯非論二十篇　字孝敬，廣陵人，吳太尉。

　　見《孫登傳》注引《吳録》。

劉廙　新義十八卷　吳太子中庶子。

秦子三卷　吳秦菁撰。

　　《意林》載《秦子》二卷所引數條中有顧彥先難語。彥先者，顧
　　榮之字。榮仕吳爲黃門郎，後及事晉元帝。秦菁與之同時，
　　亦吳末人也。《藝文》、《御覽》屢引此書，多《意林》所無。

薛瑩　新議八篇

天文類

陸績　渾天圖一卷

　　《晉書·天文志上》：“精于陰陽者，張平子、陸公紀之徒，咸以
　　爲推步七曜之道，度曆象昏明之證候，校以四八之氣，考以漏
　　刻之分，占晷景之往來，求形驗于事情，莫密于渾象者也。”又
　　云：“陸績造渾象，其形如鳥卵，然則黃道應長于赤道矣。績
　　云‘天東西南北徑三十五萬七千里’，然則績亦以天形正圓
　　也，而渾象爲鳥卵，則爲自相違背。”

姚信　昕天論一卷

　　《禮記·月令》疏：“昕天，‘昕’讀爲‘軒’，言天北高南下，若車
　　之軒，是吳時姚信所説。”康按晉、宋《天文志》俱引《昕天論》，
　　沈約謂“應作‘軒昂’之‘軒’，而作‘昕’，所未詳也”。不知
　　“昕”、“軒”聲相近，故可通用。《御覽》卷二引此論，有出晉、
　　宋二《志》之外者。

王蕃　渾天象注一卷

　　《晉書·天文志上》：“吳時，中常侍廬江王蕃善數術，傳劉洪

《乾象曆》，依其法而制渾儀，立論考度。"《宋書・曆志下》：
"祖沖之曰：鄭玄、闞澤、王蕃、劉徽，並綜數藝，而每多疏舛。"
《天文志一》："王蕃言《虞書》稱'在璇璣玉衡，以齊七政'，則
今渾天儀日月五星是也。"《隋書・天文志上》："蕃以古製局
小，以布星辰，相去稠概，不得了察。張衡所作，又復傷大，難
可轉移。蕃今所作，以三分爲一度，周一丈九寸五分、四分分
之三。張古法三尺六寸五分、四分分之一，減衡法亦三尺六
寸五分、四分分之一。"

陳卓　天文集占十卷　吳太史令。　四方宿占四卷　五星占一卷　石氏星經七卷　天官星占十卷

《隋書・天文志上》："三國時，吳太史令陳卓，始列甘氏、石
氏、巫咸三家星官，著于圖録。并注占贊，總有二百五十四
官，一千二百八十三星，并二十八宿及輔官，附坐一百八十
二，總二百八十三官，一千五百六十五星。"康按此志稱卓爲吳
太史令，而《經籍志》則稱爲晋太史令，疑諸書皆卓在吳時作，
入晋後不改舊官，故《經籍志》以所終之官言之。《晋書・天
文志》稱"武帝時太史令陳卓"亦其例也。而下文又云"魏太
史令言郡國所入宿度，今附而次之"云云，此"魏"字乃"晋"字
之訛。又據晋《天文志》，愍帝建興五年，懷帝永嘉三年，陳卓
尚存。則仕晋甚久，特以著書在吳時，故系之三國耳。

小說類

魏文帝　列異傳三卷

裴氏注《三國志》凡兩引此書：《華歆傳》引一條，記歆自知當
爲公；《蔣濟傳》引一條，記濟亡兒爲泰山録事。惟濟于齊王
時始徙領軍將軍，而書中已有濟爲領軍之語，則非出自文帝。

又《御覽》卷七百七引一條,景初時事;卷八百八十四引一條,甘露時事,皆在文帝後。豈後人又有增益耶? 又据《史記·封禪書》索隱引一條,記秦穆公獲陳寶;《水經·渭水》注、《後漢書·光武紀》注引一條,記秦文公時梓樹化爲牛,則所載不獨時事也。

邯鄲淳　笑林三卷 一名竺,字子叔,潁川人,魏給事中。

淳事見《王粲傳》注引《魏略》。章懷《後漢書·文苑傳》注引《笑林》云:"葛龔善爲文奏,或有請龔奏以干人者,龔爲作之。其人寫之,忘自載其名,并寫龔名以進之。故時人爲之語曰:'作奏雖工,宜去葛龔。'"歐陽詢《藝文類聚》卷八十五引《笑林》曰:"沈珩弟峻,字叔山,有名譽,而性儉恡。張温使蜀,入内良久,出語温曰:'向擇一端布,欲以送卿,而無麤者。'温嘉其能顯非。"二人皆唐初人,所引當出淳書,若他書所引,容有出何自然《笑林》者也。 何自然《笑林》三卷,見《唐志》,當是唐人。

右《補三國藝文志》四卷,國朝番禺侯康君謨撰。按是書義例與《補後漢書藝文志》同。三國人文不減於東漢,是亦宜亟補者也。裴松之註《三國志》已極詳贍,杭大宗補之,孝廉復補其闕,錄爲一卷,《學海堂二集》刻之,洵史才也。鄭氏《孝經註》,《補後漢志》已定爲鄭康成撰,而是書又屬之小同,似作騎牆之見,然案語已云"姑備一説"矣。又如《困學紀聞》稱"謝承父嬰,爲尚書侍郎,每讀高祖及光武之後將相名臣策文通訓,條在南宮,祕於省閣,惟臺郎升複道取急,因得開覽。漢尚書作詔文。尚書郎乃今中書舍人"一條,則謝承撰《後漢書》所本也。又稱"學如牛毛,成如麟角,出《蔣子萬機論》",集證《萬機論》宋末猶存二卷,今佚。又按《北史·文苑傳》序:"及明皇御曆,文雅大盛,學者如牛毛,成者如麟角。"《抱朴子·極言篇》:"爲者如牛毛，獲者如麟角。"皆本《萬機論》一條，均未採入。又陳承祚原以魏爲正統，故首魏次蜀次吳，則傳志宜亦同。乃是書易類，則李譔書先於王朗，猶人臣也；春秋類，則李譔先於高貴鄉公；刑法類，則諸葛亮先於魏主；雜傳類，則諸葛亮、陳術先於文帝、明帝；儒家類，則諸葛亮、李譔、譙周先於文帝；兵家類，則諸葛亮先於武帝，或孝廉微旨歟？至《曹瞞傳》載《列女傳》、《先賢傳》後，則書出敵人之口，於曹操奸惡備載無遺，益無所用，其推崇者矣。道光庚戌中秋前二日，南海伍崇曜謹跋。

侯康補三國藝文志補

〔清〕陶憲曾　撰

陳錦春　整理

底本:清光緒三十一年陶氏家塾刻《靈華館叢稿》本

侯康補三國藝文志補

曹彥　字義訓音六卷　古今字苑十卷

《魏志》諸曹傳曰：“曹真字子丹，太祖族子也，封靈壽亭侯，進封邵陵侯，薨，諡曰元侯，子爽嗣。帝追思眞功，悉封眞五子羲、訓、則、彥、皚皆爲列侯。”謝啓昆《小學攷》曰：“按《七録》稱曹侯彥撰，蓋以彥爲列侯也。”

張晏　漢書注　字子博，中山人。

見《漢書·叙例》。

洪亮吉《曉讀書齋初録》曰：“張晏《漢書注》於地理最詳。”

韋誕　散騎書五十篇　一名《大魏書》。

《御覽》七百四十七引《三輔決録》曰：“韋誕字仲將，除武都太守，以書不得之郡，轉侍中，典作《魏書》，號《散騎書》，一名《大魏書》，凡五十篇。”憲曾案《三輔決録》爲後漢趙岐撰，不應載誕事，豈出摯虞注與？又案《隋志》地理類有《三輔故事》二卷，《唐志》故事類有《韋氏三輔舊事》一卷，則“決録”或係“故事”、“舊事”之譌。

韋昭　魯論解

原注：《爾雅翼》卷八引韋昭《魯論解》曰：“莠草似稷無實。”憲曾案《論語》無“莠”字，余蕭客《古經解鉤沈》采此條，以爲“秀而不實”之注，豈《魯論》作“莠”耶？沈濤《銅熨斗齋隨筆》云：“案《國語·魯語》云‘馬饩不過稂莠’，注云：‘莠草似稷而無實。’是羅氏所引，乃韋昭《魯語解》也，傳寫誤爲‘論’字。”然則余氏、侯氏皆承其誤矣。

賈逵別傳

《御覽》卷七百六十三引之云："逵廟一柏樹,有人竊來斫伐,投斧數下,斧刃乃折於樹中。"

諸葛恪別傳

見本傳注。

馬鈞別傳

《御覽》七百五十二引之,其事與《杜夔傳》注引傅玄所載同。

葛仙公別傳

《御覽》七百五十九、八百六十八並引。

張晏　地理記

^{憲曾}案《西山經》"鳥鼠同穴之山"郭璞注引張氏《地理記》云:"不爲牝牡也。"《水經》卷四十引作張晏,是張氏即晏也。又《南山經》"句餘之山"注:"今在會稽餘姚縣南,句章縣北,故此二縣因以爲名云。見張氏《地理志》。"《海內南經》"三天子鄣山在閩西海北",注引張氏《土地記》曰:"東陽永康縣南四里有石城山,上有小石城,云黃帝曾遊此,卽三天子都也。"或稱《地理志》,或稱《土地記》,要皆卽一書耳。

虞仲翔　川瀆記

《太平寰宇記·江南東道》引虞仲翔《川瀆記》曰:"太湖東通長洲松江水,南通鳥程霅溪水,西通義興荆溪水,北通晉陵滆湖水,東通嘉興韭溪水,凡五通,謂之五湖。"

韋昭　三吳郡國志

《太平寰宇記·江南東道》引韋昭《三吳郡國志》曰:"孔老墩昔有孔氏婦,少寡,有子八人,訓以義方。漢哀平間,俱爲郡守,因名之。亦名八子墩。"又王象之《輿地碑記目》曰:"《吳興錄》,韋昭撰。"未知是一書否。

顧啓期　婁地記一卷

《文選》謝靈運《遊赤石詩》注：“浪山海中，南極之觀嶺，窮髮之人，舉帆揚越，以爲標的。”《藝文類聚·草部》：“婁門東南有華墩坡，中生千葉蓮花。”《太平御覽·地部》：“太湖東小山名洞庭山，東頭北面一穴，西頭南面一穴，西北一穴，僂乃得入。”並引顧啓期《婁地記》。

諸葛亮　哀牢夷圖譜

張介侯曰：“《華陽國志》‘哀牢夷生民以來，未嘗通中國，南中昆明祖之，諸葛亮爲其《國譜》’，今《志》作“圖譜”，譌。張彥遠《名畫記》亦引作‘圖譜’。”憲曾案《南中記》又云：“諸葛亮爲夷作圖譜，先畫天地、日月、君長城府，次畫神龍，龍生夷及牛馬羊，後畫部主吏乘馬幡蓋，巡行安岉，又畫牽牛負酒齎金寶詣之之象，以賜夷，夷甚重之。”是亮作夷譜，實繪圖與之，故謂之圖譜。因爲夷所作，故云“爲其國譜”。張氏乃欲作“國譜”，而疑“圖譜”之譌，亦失考矣，故今著錄仍作“圖譜”。

顧子新言二十篇　　吳顧譚撰。

原注：《御覽》七百六十九引顧譚《新言》，又四百六十七、八百六十一引《顧子》，皆當出《新言》。惟七百五十五引《顧子義訓》，未知是一書否。憲曾案《顧子新言》與《顧子義訓》非一書也。《隋志》：“《顧子新語》十二卷，吳太常顧譚撰，又梁有《顧子》十卷，晉揚州主簿顧夷撰，亡。”《唐志》：“《顧子新語》五卷，顧譚撰。《顧子義訓》十卷，顧夷撰。”

王圖　道機經五卷

《抱朴子·金丹篇》曰：“余周旋徐、豫、荆、襄、江、廣數州之間，閱見流俗道士數百人矣，無一人不有《道機經》，唯以此爲至祕，乃云是尹喜所撰。余告之曰：‘此是魏世軍督王圖所撰耳，非古人也。’圖了不知大藥，正欲以行氣入室求僊，作此

《道機經》，謂道畢於此，復是誤人之甚者也。"憲曾案《抱朴子·遐覽篇》有《道機經》五卷，當即圖所撰是書也。

任嘏書三十八篇

原注：見《王昶傳》注引《嘏別傳》。憲曾案前道家類已著《任子道論》十卷，注云："凡三十八篇。"此疑重出。

闞澤　乾象曆三卷　乾象曆注五卷

《晉書·律曆志》中："吴中書令闞澤受劉洪乾象法於東萊徐岳，又加解注。"《宋書·曆志》下祖沖之曰："鄭玄、闞澤、王蕃、劉徽並綜數藝，而每多疏舛。"

吴範　曆術一卷　案《御覽》八引吴範《占侯風氣祕訣》，未知何書。

吴範　黄帝四神曆一卷　《隋志》五行。

管輅　周易通靈訣二卷　見《隋志》五行。　周易通靈要訣一卷　見《隋志》五行。　周易林四卷　見《新唐志》五行。　鳥情逆占一卷　見《新唐志》五行。《隋志》有此書，不著撰人名。

虞翻　周易集林律曆一卷　周易集林律曆一卷　見《隋志》五行。

高堂隆　雜忌曆二卷　張掖郡玄石圖一卷　見《隋志》五行。

高堂隆　相牛經　《隋志》五行注。

吕博　玉匱鍼經　八十一難經注

《御覽》卷七百二十四引《玉匱鍼經序》曰："吕博少以醫術知名，善診脈論疾，多所著述。吴赤烏二年，爲太醫令，撰《玉匱鍼經》，及注《八十一難經》，大行于代。"

吴普　本草六卷

孫星衍《校定神農本草經序》曰："《嘉祐本草》云：'普修《神農本草》，成四百四十一種。《唐·經籍志》尚存六卷，今廣内不復存，惟諸書多見引據。其説藥性寒温五味最爲詳悉。'是普書宋時已佚。今其文惟見掌禹錫所引《藝文類聚》、《初學記》、《事類賦》諸書，《太平御覽》引據尤多，足補大觀所缺。"

吴普　華佗方十卷　<small>《隋志》醫方。</small>

葛仙公狐剛子萬金決二卷　<small>《隋志》醫方。</small>

魏文帝　皇博經一卷

《隋志》作《皇博法》一卷，不著撰人，今從《唐志》。

邯鄲淳　藝經

《文選・博奕論》注引之，云：“棊局縱橫，各十七道，合二百八
十九道，[①]白黑棊子各一百五十枚。”《文選》曹子建《白馬篇》
注引邯鄲淳《藝經》云：“馬射左邊爲月支三枚，馬蹄二枚。”又
見《赭白馬賦》注。

程申伯　相印法一卷　<small>魏征東將軍。</small>

<small>憲曾</small>案程申伯名喜，見《魏志・杜恕傳》。

薛珝　異物志

釋玄應《一切經音義》卷二引薛珝《異物志》云：“鱕鱛有橫骨
在鼻前，狀如斧斤，江東呼斧斤爲錯，故謂之鱕鱛也。此類有
二十種，各異名，如鋸鱛等，齒利如鋸，即名鋸鱛也。”

---

① “合”，原作“各”，據胡克家刻《文選》改正。

三國藝文志

〔清〕姚振宗 撰

朱莉莉 整理

底本：民國五年張氏刻《適園叢書》本

校本：1955 年中華書局影印《二十五史補編》本

三國藝文志敘例

　　三國自魏黃初辛丑以迄吳天紀庚子之歲,首尾凡六十年,其閒爭戰紛紜,人文輩出,尋繹舊史,亦有可觀者焉。凡所撰著,陳承祚皆附見於本志,而記注弗詳。證以《五代史志》及諸傳記,其所遺漏者多矣。當承祚時,魏《中經》已具有成編,晉《新簿》則始完。《汗簡》以爲此之所略,可取證於彼。至裴氏注書,詳述事蹟,而於此亦從其略,有云歷注經傳,頗傳於世。餘所著述見晉武帝《中經簿》而不舉書名者,見《魏志·王肅傳》及注。初不意此二書後將散佚,而無從取證也。今可攷見者,惟《經典叙錄》、《隋》、《唐志》數書。番禺侯康君謨嘗撰《補三國藝文志》,南海伍氏釐爲四卷,刊入《嶺南遺書》。其書至子部小説家而止,而農家、曆算、五行、醫方、雜藝五類有錄無書。農家本無書,故今亦不具。集部則未嘗措手,故略甚多,蓋亦如所輯《後漢志》,並草創未就之藁,非完書也。余既輯《後漢志》訖事,因續加采獲,并成是志。爰舉其例,約有數端。侯氏隸書皆先以蜀人,次魏人,次吳人。此本東晉習鑿齒《漢晉春秋》、南宋紫陽《綱目》爭正閏之説也。彼以時際偏安,故各寓微意,以示尊大。今但錄存遺籍,於當時之是非曲直,初無容論其短長,亦奚事過爲軒輊?故悉仍陳《志》原編舊第,以魏、蜀、吳爲先後,閒有書宜在前者,則不拘此例。如易類以吳虞翻爲首,詩類以蜀杜瓊爲首,春秋類以吳士燮爲首之類是也。又侯氏《志》以人類書,今依《隋志》之例以書類人。蓋傳記之體以人爲重,簿錄之體自當以書爲重也。魏人以卒於黃初改元之後、咸熙禪晉之前爲斷,蜀人以卒於章武之後、炎興之前爲斷,吳人以卒於黃武之後、天紀之前爲斷。其前當歸後漢,其後則宜入晋代。然如王粲、張紘並卒於獻帝遜位之前，而粲之《樂歌》、紘之《紀頌》皆爲魏、吴兩朝之故實。故録其他書入後漢，而此數袠不能不録之於此。見經部樂類、史部雜史類。又如鄭默、楊偉皆身入晋代，實爲晋臣，而默之《魏中經》、偉之《景初曆》則爲魏一代典章，亦不能不列之於此。見史部簿録、子部曆算兩類中。至如蜀之譙周、郤正，吴之薛瑩，皆入晋未久而卒，而陳《志》爲立傳，并載其書，則自不容略。又如劉徽入晋，卒年不可攷，而相承稱爲魏人。吴之遺老若范望、閔鴻、楊泉諸人，亦不容遐棄。是皆變通其例，不可以人代拘攣焉。是歲孟冬之月，姚振宗又記。

三國藝文志卷一

經之類十有一：曰易，曰書，曰詩，曰禮，曰樂，曰春秋，曰孝經，曰論語，曰五經總義，曰小學，曰讖緯。

虞翻　周易注十卷

《吳志》本傳："翻字仲翔，會稽餘姚人也，太守王朗及孫策並命爲功曹。出爲富春長。策薨，後州舉茂才，漢召爲侍御史，曹公爲司空辟，皆不就。翻與少府孔融書，并示以所著《易注》。融答書曰：'聞延陵之理，樂覷吾子之治《易》，乃知東南之美者，非徒會稽之竹箭也。又觀象雲物，察應寒溫，原其禍福，與神合契，可謂探賾窮通者也。'孫權以爲騎都尉。翻數犯顏諫爭，權不能悦，又性不協俗，多見謗毁，坐徙丹陽涇縣。後得釋。又以性疏直，數有酒失。權積怒非一，遂徙翻交州。雖處罪放，而講學不倦，門徒常數百人。在南十餘年，年七十卒。歸葬舊墓，妻子得還。"按傳注引《翻別傳》：孫權稱尊號，翻上書言"全宥九載"，則被放。在魏文帝黃初二年又言"臣年耳順"，至年七十，當卒於吳赤烏二年，在南凡十九年也。裴松之注引《翻別傳》：翻初立《易注》，奏上曰："臣高祖父故零陵太守光，少治孟氏《易》。曾祖父故平輿令成，纘述其業，至臣祖父鳳爲之最密。臣先考故日南太守歆，受本于鳳，最有舊書，世傳其業，至臣五世。前人通講多玩章句，雖有祕説，於經疏闊。臣生遇世亂，長於軍旅，習經於枹鼓之間，講論於戎馬之上，蒙先師之説，依經立注。又臣所覽諸家解不離流俗，義有不當實，輒悉改定，以就其正。孔子曰：'乾元用九而天下治。'聖人南面，蓋取諸離。斯誠天子所宜協陰陽致麟鳳之道矣。謹正書副上，惟不罪戾。"按此奏稱聖人天子，蓋上之漢朝而并示孔融。考孔融被殺在獻帝建安十三年，則奏上此書及奏論荀諝、馬融、鄭玄、宋忠《易注》得失，又奏鄭玄解《尚書》違失事，因及玄注五經違義，諸章奏皆在建安十三年之前。

《釋文・叙錄》："《周易虞翻注》十卷，字仲翔，會稽餘姚人，後漢侍御史。"《隋書・經籍志》："《周易》九卷，吳侍御史虞翻注。"《唐・經籍志》："《周易》九卷，虞翻注。"《藝文志》："《周易虞翻注》九卷。"按《隋志》稱吳侍御史，本傳不載爲是官。詳見集部本集條下。

平湖孫堂輯本序曰："《三國志》本傳載其五世傳《易》，獻帝時作《易注》奏上之，其書久佚。《集解》所錄，以經文準之，殆不能半。然虞之大義，至今未泯者，不可謂非李氏之功。今以《集解》爲主而更采他書附益之，釐爲十卷。"

武進張惠言《周易虞氏義》序曰："虞氏之學既，世又具見馬、鄭、荀、宋氏書，考其是否，故其義爲精。又古書亡，而漢、魏師説可見者十餘家，惟鄭、荀、虞三家略有梗概可指説，而虞又較備。然則求七十子之微言，田何、楊叔、丁將軍之所傳者，舍虞氏之注，其何所自焉？故求其條貫，明其統例，釋其疑滯，信其亡缺，爲《虞氏義》九卷。"

姚信　周易注十二卷

《釋文・叙錄》："《周易姚信注》十卷。字德祐，《七錄》云十二卷，字元直，吳興人，吳太常卿。"《隋書・經籍志》："《周易》十卷，吳太常姚信注。"《唐・經籍志》："《周易》十卷，姚信注。"《藝文志》："姚信注十卷。"

秀水朱彝尊《經義考》曰："阮孝緒云姚信，字元直。陸德明云信字德祐。"按《吳志・陸績傳》注引《姚信集》有表請賜績女鬱生以義姑之號。又《陸遜傳》姚信"以親附太子，枉見流徙"。又《孫和傳》："寶鼎二年十二月，遣守丞相孟仁、太常姚信等備官僚中軍步騎二千人，以靈輿法駕，東迎神於明陵。"

又《晋書·范平傳》：“平研覽《墳》、《索》，徧該百氏，姚信、賀邵之徒皆從受業。”又《南史·姚察傳》察讓選部書曰：“臣九世祖信，名高往代云云。”按《陸遜傳》云：“遜外生顧譚、顧承、姚信，並以親附太子，枉見流徙。”似與二顧並爲遜之外生孫，權時嘗爲太子和官屬。孫皓即位，謚父和爲文皇帝，改葬明陵。時信以太常奉使迎神云。

張惠言《易義別録》輯本序曰：“《吳興志》有《德祐文集》。輯《易注》一卷，明人爲之，甚疏略，今補而正之。其言乾坤致用、卦變旁通、九六上下則與虞氏之注若應規矩。元直豈仲翔之徒與？抑孟氏之傳在吳，元直亦得有舊聞歟？”

歷城馬國翰輯本序曰：“其説《易》與荀、虞相似，故《九家集解》有之，今佚。《釋文》、《正義》及《李氏集解》引四十餘節，輯爲一卷。”又平湖孫氏《漢魏廿一家易注》亦輯存一卷。

右孟氏易二家二部。

王朗　易傳

《魏志》本傳：“朗字景興，東海郡人也。錢大昕《廿二史攷異》曰“郡”當爲“郯”。師太尉楊賜，以通經，拜郎中，除菑丘長。漢帝在長安，拜朗會稽太守。孫策渡江略地，朗與戰，敗績，乃詣策。太祖表徵之，積年乃至。拜諫議大夫，參司空軍事。魏國既建，以軍祭酒領魏郡太守，遷少府、奉常、大理。文帝即王位，遷御史大夫。及踐祚，改爲司空。明帝即位，進封蘭陵侯，轉爲司徒。太和二年薨，謚曰成侯。子肅嗣。朗著《易傳》，傳於世。”注引《魏略》曰：“朗本名嚴。”

《魏志·齊王紀》：“正始六年十二月辛亥，詔故司徒王朗所作《易傳》，令學者得以課試。”

《魏志·王肅傳》：“肅撰定父朗所作《易傳》，列於學官。”

侯氏《志》曰：《齊王芳紀》詔王朗《易傳》，學者得以課試。則當時甚重其書。又《北魏書·闞駰傳》稱：“駰注王朗《易傳》，學者藉以通經。"則其學并行於數百年後矣。

按朗之原本與所作《春秋》、《孝經》、《周官傳》當時或合爲一袠,其後肅取以重訂,遂別出一本而歸之肅。《隋》、《唐志》所載是也。闞駰所注或猶是朗之原書。

董遇　周易章句十卷

《魏志》王肅附傳:"明帝時,大司農弘農董遇等,亦歷注經傳,頗傳於世。"按此稱董遇等者,裴注引《魏略·儒宗傳》以遇及賈洪、邯鄲淳、薛夏、隗禧、蘇林、樂詳等凡七人。又附見嚴苞一人,而賈洪、薛夏亦不言其著書,此亦陳《志》與裴注紀載弗詳之一證也。

裴注引《魏略·儒宗傳》曰:"遇字季直,性質訥而好學。建安初,郡舉孝廉,稍遷黃門侍郎。是時,漢帝委政太祖,遇旦夕侍講,爲天子所愛信。至二十二年,許中百官矯制,遇雖不與謀,猶被録詣鄴,轉爲冗散。按本志《武紀》:"二十三年春正月,漢太醫令吉本與少府耿紀、司直韋晃等反,攻許,燒丞相長史王必營,必與潁川典農中郎將嚴匡討斬之。"注引《山陽公載紀》曰"王聞王必死,盛怒,召漢百官詣鄴"云云。《魏略》稱被録詣鄴者,似即指此事。蓋二十三年,非二十二年也。黃初中,出爲郡守。明帝時,入爲侍中、大司農。數年,病亡。"《釋文叙録》:"董遇《章句》十二卷。字季直,弘農華陰人,魏侍中、大司農。《七志》、《七録》並云十卷。"《隋書·經籍志》:"梁有魏大司農卿董遇注《周易》十卷,亡。"《唐·經籍志》:"《周易》十卷,董遇注。"《藝文志》:"董遇注十卷。"

張惠言《易義別録》輯本序曰:"攷《集解》不引董遇,則遇書亡於唐初蓋可知。遇著書在王肅前,故無與肅合者,其於鄭、荀則多同義,雖不可攷,要之爲費氏《易》也。"

馬國翰輯本序曰:"《七志》、《七録》並十卷。"陸德明《序録》云十二卷。後之卷數反增於前,以篇有分合故也。今其章句佚矣。《正義》引二節,《釋文》引二十餘節,輯爲一卷。"又孫氏《漢魏廿一家易注》輯本一卷。

王弼　周易注六卷

《魏志》鍾會附傳:"初,會弱冠與山陽王弼並知名。弼好論儒道,辭才逸辯,注《易》及《老子》,爲尚書郎,年二十餘卒。"

裴松之曰:弼字輔嗣。何劭爲其傳曰:弼少爲裴徽、傅嘏所知。於時曹爽專朝政,何晏爲吏部尚書。正始中,黃門侍郎累缺。晏議用弼,而爽用王黎、王沈,以弼補臺郎,遂不得在門下,晏爲之歎恨。弼通儻不治名高,在臺既淺,事功亦雅非所長,益不留意。其注《易》往往有高麗言。太原王濟好談《易》、《老》、《莊》,嘗云:"見弼《易注》,所悟者多。"然弼爲人淺而不識物情,初與王黎、荀融善,後恨黎奪其黃門郎,與融亦不終。正始十年,曹爽廢,以公事免。其秋,遇癘疾,亡,時年二十四。無子,絶嗣。弼之卒也,晋景王聞之,嗟歎者累日,其爲高識所惜如此。裴注引《博物記》曰:"初,王粲與族兄凱俱避地荆州,劉表以女妻凱。凱生業,業即劉表外孫也。蔡邕有書近萬卷,末年載數車與粲,粲亡後,相國掾魏諷謀反,粲子與焉,既被誅,邕所與書悉入業。業字長緒,位至謁者僕射。子宏字正宗,司隸校尉。宏,弼之兄也。"《魏氏春秋》曰:"文帝既誅粲二子,以業嗣粲。"據此則弼爲粲之族孫,其父嘗得蔡邕家書者。

裴注引孫盛曰:"《易》之爲書,窮神知化,非天下之至精,其孰能與此?世之注解,殆皆妄也。況弼以附會之辯而欲籠統玄旨者乎?故其叙浮義則麗辭溢目,造陰陽則妙賾無閒,[1]至於六爻變化,羣象所效,日時歲月,五氣相推,弼皆擯落,多所不關。雖有可觀者焉,恐將泥夫大道。"

《釋文·叙錄》:"王弼注《易》上、下經六卷。"其《繫辭》以下不注,相承以韓康伯注續之。《隋書·經籍志》:"魏尚書郎王弼注六十四卦六卷。"《宋史·藝文志》:"《周易》上、下經六卷。"

---

①　"閒",原作"聞",據《二十五史補編》本、清乾隆武英殿本(以下稱"殿本")《三國志》改。

失注撰人。又《釋文·叙録》引《七志》云注《易》十卷。并《略例》及韓康伯《繫辭注》
爲一袠者。

《四庫提要》曰：“弼之説《易》，源出費直。直《易》今不可見，
然苟爽《易》即費氏學，李鼎祚書尚頗載其遺説。大抵究爻位
之上下，辯卦德之剛柔，已與弼注略近。但弼全廢象數，又變
本加厲耳。平心而論，闡明義理，使《易》不雜於術數者，弼深
爲有功。祖尚虛無，使《易》竟入於老莊者，弼亦不能無過。
瑕瑜不掩，是其定評。諸儒偏好偏惡，皆門户之見，不足據
也。”又曰：“《易》本卜筮之書，末派寖流於讖緯。王弼乘其極
敝而攻之，遂能排擊漢儒，自標新學。”

王肅　周易注十卷

《魏志》王朗附傳：肅字子雍。黄初中，爲散騎黄門侍郎。太
和三年，拜散騎常侍。領祕書監、崇文館祭酒。正始元年，出
爲廣平太守，徵拜議郎。頃之，爲侍中，遷太常。坐宗廟事
免。後爲光禄勳。徙河南尹。遷中領軍，加散騎常侍。甘露
元年薨，贈衛將軍，謚曰景侯。初，肅善賈、馬之學，而不好鄭
氏，采會同異，爲《尚書》、《詩》、《論語》、三《禮》、《左氏》解，及
撰定父朗所作《易傳》，皆列於學官。

《釋文·叙録》：“《周易王肅注》十卷，字子邕，東海蘭陵人。
魏衛將軍、太常、蘭陵景侯。”《隋書·經籍志》：“《周易》十卷，
魏衛將軍王肅注。”《唐·經籍志》：“《周易》十卷，王肅注。”
《藝文志》：“王肅注十卷。”《宋史·藝文志》：“王肅《傳》十一
卷。”《經義攷》胡一桂曰：“王肅注《周易》十卷。《崇文總目》乃十一卷，題王肅傳，
云後人纂。陸德明《釋文》所取者附益之，非肅本書。”按此所云，則後人輯肅所作《周
易音》一卷附於書後，故十一卷也。

張惠言《易義别録》輯本序曰：“肅著書務排鄭氏，其託於賈、
馬以抑鄭而已。故於《易》義馬、鄭不同者則從馬，馬與鄭同
則并背馬。然其訓詁大義則出於馬、鄭者十七。《易注》本其

父朗所爲，肅更撰定。疑其出於馬、鄭者，朗之學也。其掊擊馬、鄭者，肅之學也。自馬、鄭注行而費氏《易》興，諸家皆廢。荀、宋雖費氏，而宗之者不及馬、鄭。以馬、鄭主於人事而不及易家動變之説也。王朗父子竊取馬、鄭而棄其言禮、言卦氣爻辰之精切者。"

馬國翰輯本序曰："肅注在魏立學，頗著盛名，文字解説雖與康成殊異，要皆有據。朱子《本義》每稱王肅本，蓋深有所取也，今就《正義》、《釋文》、《集解》、《文選注》、《御覽》諸書所引輯爲二卷。"

李譔　古文易注解

《蜀志》本傳："譔字欽仲，《釋文·叙録》春秋家作仲欽。梓潼涪人也，父仁，與同縣尹默俱游荆州，從司馬徽、宋忠等學。譔具傳其業，[①]又從默講論義理，五經諸子，無不該覽，博好技藝，算術、卜數、醫藥、弓弩、機械之巧，皆致思焉。始爲州書佐、尚書令史。延熙元年，後主立太子，以譔爲庶子，遷僕射。轉中散大夫、右中郎將，著古文《易》、《尚書》、《毛詩》、三《禮》、《左氏傳》，皆依準賈、馬，異於鄭玄。與王氏殊隔，初不見其所述，而意歸多同。景耀中卒。"

常璩《梓潼人士贊》："李仁，字德賢，涪人也。益部多貴今文，而不崇章句，仁知其不博，乃游學荆州，從司馬德操、宋仲子受古學。仁子譔，少受父業，著古文《周易》、《尚書》、《毛詩》、三《禮》、《左氏注解》。"

右費氏易凡五家，五部。

鍾繇　周易訓

《魏志》本傳：繇字元常，潁川長社人也。舉孝廉，除尚書郎，

---

① "譔"，原作"撰"，據《二十五史補編》本改。

爲陽陵令，辟三府，爲廷尉正、黄門侍郎。是時，漢帝在西京，
李傕、郭汜等亂長安中，天子得出長安，繇有力焉。拜御史中
丞，遷侍中尚書僕射。太祖以關右爲憂，乃表繇以侍中守司
隸校尉，持節督關中諸軍，委之以後事。魏國初建，爲大理，
遷相國。文帝踐祚，爲廷尉，遷太尉。明帝即位，進封定陵
侯，遷太傅。太和三年薨，①謚曰成侯。

《魏志·鍾會傳》注：會爲其母傳曰：“夫人明於教訓，會雖童
稚，觀見規誨。年四歲授《孝經》，十一誦《易》，十四誦成侯
《易記》，十五使入太學。”按《易記》疑“記”爲“説”、“訓”、“注”等字之譌。

《世説·言語篇》注引《魏志》曰：“繇字元常，家貧好學，爲《周
易》、《老子》訓。”

侯《志》曰：“《世説》注引《魏志》曰：‘繇爲《周易》、《老子》訓。
今《魏志》無此文，當是《魏書》或《魏略》之訛。”

何晏　周易説

《世説·言語篇》注引《魏略》曰：“何晏字平叔，南陽宛人，漢
大將軍進孫也。或曰何苗孫也。爲司馬宣王所誅。”按晏父咸。

《魏志·曹爽附傳》：“南陽何晏有聲名，進趣於時，明帝以其
浮華，抑黜之。及爽秉政，乃復進叙，任爲腹心。以晏爲尚
書，典選舉。正始十年，太傅司馬宣王收爽、晏等，皆伏誅。
晏，何進孫也。母尹氏，爲太祖夫人。晏長於宮省，又尚公
主，少以才秀知名，好老、莊言。《魏志·武文世王公傳》：“尹夫人生范陽
閔王矩。”《曹爽傳》注：“晏尚金鄉公主，沛王太妃杜夫人出也。”《魏》本傳以晏同母
妹，非也。

《魏志·曹爽附傳》注：《魏略》曰：“太祖爲司空時，納晏母并
收養晏，而晏黄初時無所事任。及明帝立，頗爲冗官。至正

---

① “三”，《二十五史補編》本同，殿本《三國志》作“四”。

始初，曲合於曹爽，亦以才能，故爽用爲散騎侍郎，遷侍中尚書，又前以尚主，得賜爵爲列侯。"按《論語集解》上奏署"尚書駙馬都尉關内侯"，蓋終於是官也。

《世説·規箴篇》注引《管輅別傳》曰："冀州刺史裴徽舉輅秀才，謂曰：'何尚書神明清徹，殆破秋毫，君當慎之。自言不解《易》中九事，必當相問。比至洛，宜善精其理。'輅至洛陽，果爲何尚書問九事，九事皆明。何曰：'君論陰陽，此世無雙也。'"

《魏志·管輅傳》注引《輅別傳》曰："裴使君問：'何平叔一代才名，其實何如？'輅曰：'其説《易》生義，美而多僞，僞則神虛。輅以爲少功之才也。'裴使君曰：'吾數與平叔共説《老》、《莊》及《易》，常覺其辭妙於理，不能折之。又時人吸習，皆歸服之焉，益令不了。相見得清言，然後灼灼耳。'"

侯《志》曰：《南齊書·張緒傳》："緒常云：'何平叔所不解《易》中七事，諸卦中所有時義，是其一也。'"《梁書·儒林傳》："伏曼容云：'何晏疑《易》中九事，以吾觀之，晏了不學也，故知平叔有所短。"王應麟曰："晏以《老》、《莊》談《易》，係小子觀朵頤，所不解者，豈止七事哉？"七事、九事傳説不一，當從《魏志》及《世説》注。

馬國翰輯本序曰："其《易》不傳，書名及卷數並未詳。《册府元龜》有何晏《周易私記》二十卷、《周易講疏》十三卷，乃"何妥"之譌。《隋志》傳寫偶誤，沿習不覺。按《經義考》亦沿此誤。兹從孔穎達《正義》、李鼎祚《集解》、房審權《義海》輯録四節，題曰《周易何氏解》，取以備魏《易》一家之數，且以著漢學之變自王弼者，晏實爲之倡也。

管輅　易傳一卷

《魏志》本傳："輅字公明，平原人也。冀州刺史裴徽辟爲文學掾，遷治中別駕。正始九年舉秀才。正元二年八月，爲少府丞。明年二月卒，年四十八。"

裴注引《輅別傳》曰："輅父爲瑯琊即丘長，時年十五，來至官舍讀書。始讀《詩》、《論語》及《易》本，便開淵布筆，辭義斐然。於時黌上有遠方及國内諸生四百餘人，皆服其才也。"又引《别傳》曰："利漕民郭恩，字義博，有才學，善《周易》、《春秋》。輅就義博讀《易》，數十日中，意便開發，言難踰師。學未一年，義博反從輅問《易》。"又曰："輅與列人令鮑子春論《易》，又與安平太守王基、尚書何晏、魏郡太守鍾毓、平原太守劉邠等論難《易》義。"

《玉海·藝文》引《中興書目》曰："管輅《易傳》一卷，訓解名義，不盡流於卜筮。"

《宋史·藝文志》著龜類："管輅《易傳》一卷。"蓋即《中興書目》所載之本也。

劉邠　易注

《魏志·管輅傳》："平原太守劉邠使輅筮。"《輅别傳》曰："故郡將劉邠字令元，清和有思理，好《易》而不能精。與輅相見，意甚喜歡，自說注《易》向訖。"又曰："邠依《易·繫辭》諸篇之理以爲注，不得其要。輅尋聲下難，事皆窮析。"又曰："邠自說注《易》八年，用思勤苦，歷載靡寧。又自言數與何平叔論《易》及老、莊之道。

裴注引《晋諸公讚》曰："邠本名炎，犯晋太子諱，改爲邠。位至太子僕。"

按邠，沛國相人，劉真長曾祖也。真長名惔，《晋書》有傳。[①]

---

① "惔"，《二十五史補編》本同。殿本《三國志》作"恢"。

荀煇周易注十卷

《魏志·荀彧傳》注引《荀氏家傳》曰："彧第四兄諶，諶子閎，閎從孫煇_{按當作"煇"}。字景文，太子中庶子，亦知名。與賈充共定音律，又作《易集解》。"《經義考》引《魏志》_{煇官至虎賁中郎將，乃彧子煇，非此煇也。}

《釋文·叙録》張璠《集解》序云："荀煇，字景文，潁川潁陰人。晋太子中庶子，爲《易義》。《七志》云注《易》十卷。"《隋書·經籍志》："梁有魏散騎常侍荀煇注《周易》十卷，亡。"《唐·經籍志》："《周易》十卷，荀暉注。"《藝文志》："《周易荀煇注》十卷。"

侯《志》曰："《釋文·叙録》引張璠《集解》序稱煇爲晋太子中庶子，而《隋志》稱魏散騎常侍。豈注《易》在仕魏時耶？故今仍從《隋志》著録。"

按劉邠、荀煇兩人其卒年皆不可攷，《經義攷》並列之魏代。侯《志》從而著録，今姑仍之。

右不知家數凡五家五部

鍾毓　難管輅易義二十餘事

《魏志·鍾繇附傳》："毓字稚叔。年十四爲散騎侍郎，遷黄門侍郎，徙侍中，出爲魏郡太守。入爲御史中丞、侍中、廷尉、尚書。又爲青州刺史，加後將軍，遷都督徐州諸軍事，假節，又轉都督荆州。景元四年薨，贈車騎將軍，謚曰惠侯。"又《鍾會傳》云："會兄毓，以四年冬薨，會竟未知問。會兄子邕，隨會與俱死。會所養兄子毅及峻、辿等下獄，當誅。司馬文王表天子，下詔特原峻、辿兄弟，官爵如故。惟毅及邕息伏法。或曰，毓曾密啟司馬文王，言會挾術難保，不可專任，故宥峻等。"

《魏志·管輅傳》："始輅過魏郡太守鍾毓，共論《易》義。"《輅別傳》曰："魏郡太守鍾毓，清逸有才，難輅《易》二十餘事，自以爲難之至精也。輅尋聲投響，言無留滯，分張爻象，義皆殊妙，毓謝焉。"

荀融　論易義

《魏志·荀彧傳》注引《荀氏家傳》曰："彧第三兄衍，字休若。衍子紹，位至太僕。紹子融，字伯雅，與王弼、鍾會俱知名，爲洛陽令，參大將軍軍事，與弼、會論《易》、《老》義，傳於世。"_按此云《易》、《老》義者，《周易》義、《老子》義也。

《魏志·鍾會傳》注引《王弼別傳》云："潁川人荀融難弼《大衍義》，弼答其意，爲書以戲之。"又曰："弼爲人淺而不識物情，初與王黎、荀融善，後恨黎，與融亦不終。"

王肅　周易音

《釋文·叙錄》："爲《易音》者三人，王肅、李軌、徐邈。"

張惠言《易義別錄》曰："《釋文》云王肅《易注》十卷，又云作《易音》而無卷數。《隋·經籍志》有《易注》而無《易音》，或《音》與《注》合爲十卷也。"

馬國翰輯本序曰："《釋文》既叙其《注》又叙其《音》，陸氏所見定爲兩書。兹就《釋文》所引別輯一卷，附肅注之後。"

虞翻　周易日月變例六卷　與《後漢藝文志》互見。

《隋書·經籍志》："梁有《周易日月變例》六卷，虞翻、陸績撰，亡。"張惠言《易義別錄》曰："《隋·經籍志》陸績又與虞翻同撰《日月變例》六卷，亡。"

按《釋文》卷首虞翻注《參同契》云："易字從日下月。"當是虞注引《參同契》文，謂易字從日、從月也。陸所引疑出是書。

孫炎　周易例

《魏志》王肅附傳："樂安孫叔然，_{臣松之按叔然與晋武帝同名，故稱其字。}授學鄭玄之門，人稱東州大儒。徵爲祕書監，不就。作《周易》、《春秋例》。"

《經義攷》曰：“按《訪碑録》載，淄川長山縣西南三十里長白山東有孫炎碑，碑陰有門徒姓名，係甘露五年立，惜今不可得見矣。”

吳縣余蕭客《古經解鉤沈》曰：“《宋史》二百六十七張洎對狀引孫炎《例》云：‘初九爲元士，九二爲大夫，九三爲諸侯。’”

王弼　易略例一卷

唐邢璹注書序曰：“略例者，舉釋綱目之名，統明文理之稱。略不具也；例舉並也。輔嗣以先儒注二十餘家，雖小有異同，而迭相雜述推比，所見特殊。故作《略例》，以辨諸家之惑。錯綜文理，略録之也。”

《釋文·叙録》：“王弼《注》七卷，字輔嗣，山陽高平人。魏尚書郎，年二十四卒，注《易》上、下經六卷，作《易略例》一卷。”

《隋書·經籍志》：“魏尚書郎王弼注《六十四卦》六卷，又撰《易略例》一卷。”《唐·經籍》：“《周易》七卷，王弼注。”《藝文志》：“王弼《注》七卷。”按此皆合上、下經《易注》六卷言之。《宋史·藝文志》：“王弼《略例》一卷。”

王弼　周易大衍論三卷

《魏志·鍾會傳》注引《弼別傳》云：“潁川人荀融難弼《大衍義》。”《唐書·經籍志》：“《周易大演論》一卷，王弼撰。”《唐·藝文志》：“王弼注《周易》七卷，又《大衍論》三卷。”

王弼　周易窮微論一卷
王弼　易辯一卷

《通志·藝文略》：“《周易窮微論》一卷，王弼撰。”

《宋史·藝文志》：“王弼《易辯》一卷”。

《經義攷》：國史志曰：“王弼《論易》一卷。大類《略例》而不及。”

陳振孫《書録解題》：“《周易窮微》一卷，稱王輔嗣凡爲論五篇。《館閣書目》有王弼《易辯》一卷。其論彖論象,亦類《略例》,意即此書也。又言弼著此書已亡,至晋得之,王羲之承詔録藏於祕府,世莫得見。未知何所據而云。”

按《宋志》有宋咸《劉牧〈王弼易辯〉》二卷。蓋劉牧辯王弼之辯,宋咸又從而辯之也。陳《志》意《易辯》即《窮微論》,然亦未有碻證,今仍别出之。《册府元龜》有《周易義》一卷,似即《易辯》。

阮籍　通易論一卷

《魏志》王粲附傳:“陳留阮瑀,字元瑜,爲丞相倉曹掾屬,建安十七年卒。子籍,才藻豔逸,而倜儻放蕩,行己寡欲,以莊周爲模則。官至步兵校尉。”

《晋書》本傳:“籍字嗣宗,陳留尉氏人也。志氣宏放,任性不羈,太尉蔣濟辟之,謝病歸,復爲尚書郎,少時又以病免。及曹爽輔政,召爲參軍。宣帝爲太傅,命爲從事中郎。復爲景帝大司馬從事中郎。高貴鄉公即位,封關内侯,徙散騎常侍。籍少有濟世志,屬魏晋之際,天下多故,名士少有全者,籍由是不與世事,遂酣飲爲常。聞步兵廚營人善釀,有貯酒,乃求爲步兵校尉。遺落世事。景元四年冬卒,年五十四。”

《宋史·藝文志》:“阮嗣宗《通易論》一卷。”

侯《志》曰:胡一桂曰:“阮嗣宗《易通論》一卷,凡五篇。”按《百三家·阮步兵集》載此論,僅一篇,幾三千言。未知爲後人合并爲闕佚矣。

嵇康　周易言不盡意論一篇

《魏志》王粲附傳:“時又有譙郡嵇康,文辭壯麗,好言老、莊而尚奇任俠。至景元中,坐事誅。”

《晋書》本傳:“康字叔夜,譙國銍人也。其先姓奚,會稽上虞人,以避怨,徙焉。銍有嵇山,家於其側,因而命氏。康學不師受,博覽無不通,與魏宗室婚,《魏志·沛穆王林傳》注引《嵇氏譜》云:

“嵇康妻林子之女也。”拜中散大夫。東平吕安服康高致，康友而善之。後安爲兄所枉訴繫獄，辭相證引，遂復收康。初，康居貧，常與向秀共鍛以自贍給。潁川鍾會往造焉，康不爲之禮，會憾之。及是言於文帝，曰：‘康、安等言論放蕩，非毀典謨，宜因釁除之。’帝既昵聽信會，遂并害之。康將刑東市，太學生三千人請以爲師，弗許。時年四十。海内之士，莫不痛之。”《魏志·王粲傳》注引《魏氏春秋》曰：“大將軍嘗欲辟康，康既有絶世之言，又從子不善，避之河東，或云避世。及山濤爲選曹郎，舉康自代，康答書拒絶，因自説不堪流俗，而非薄湯、武。大將軍聞而怒焉。”此鍾會譖康言論放蕩、非毀典謨所由來，固已遭時忌矣。又《魏晋世語》曰：“毋丘儉反，康有力，且欲起兵應之，以問山濤。濤曰：‘不可。’儉亦已敗。”有此一事，即不爲會所譖，亦必不能免矣。吕安死事，詳見别集類本集。

《玉海·藝文》曰：“嵇康作《言不盡意論》。”侯《志》曰：“嵇康《周易言不盡意論》一篇。”

鍾會　周易盡神論一卷
鍾會　易無互體論三卷

《魏志》本傳：“會字士季，或譌作“秀”。潁川長社人，太傅繇小子也。少敏惠夙成。及壯，有才數技藝，而博學精練名理，以夜續書，由是獲聲譽。正始中，以爲祕書郎，遷尚書中書侍郎。高貴鄉公即尊位，賜爵關内侯。司馬文王爲大將軍輔政，會遷黄門侍郎，封東武亭侯，以中郎在大將軍府管記室事，爲腹心之任。遷司隸校尉。文王欲大舉圖蜀，景元三年冬，以會爲鎮西將軍，假節都督關中諸軍事。及蜀平五年正月十八日，以謀反爲胡烈等所殺，時年四十。會嘗論《易》無互體云。”《晋書·荀顗傳》：“難鍾會《易無互體》，見稱於世。”《册府元龜》作“玄體”，亦甚有義，似論王輔嗣之《易》也。然多作“互體”，不能定。

《釋文·叙録》：“張璠《集解》序云：‘鍾會字士季，潁川人，魏鎮西將軍，爲《易無互體論》。’”

《隋書·經籍志》：“《周易盡神論》一卷，魏司空鍾會撰，梁有《周易無互體論》三卷，鍾會撰，亡。”《唐·經籍志》：“《周易》四卷，鍾會撰。”《藝文志》：“鍾會《周易論》四卷。”

右難義音例并雜論凡九家，一十三部。

右易類凡四門，綜二十一家，二十五部。 侯《志》有何晏《周易私記》二十卷、《周易講疏》十三卷，乃隋何妥書。馬竹吾《輯書》言之詳矣。今本《隋志》又誤作何安，今不錄。又有吳程秉《周易摘》，今并入五經類中。

田瓊　韓益　尚書釋問四卷

《隋書·經籍志》：“梁有《尚書釋問》四卷，魏侍中王粲撰。”《唐·經籍志》：“《尚書釋問》四卷，鄭玄注，王粲問田瓊。”按此有敚文。《藝文志》：“《釋問》四卷，王粲問，田瓊、韓益正。”按原文云鄭玄注《古文尚書》九卷，又注《釋問》四卷，稱又注者非也，故節去之。

侯《志》曰：“按王粲《尚書問》二篇載粲集中，後田瓊、韓益答其義，因成《釋問》四卷。《隋志》但稱王粲撰、似未合。田瓊者，康成弟子，見《鄭志》。韓益，魏大長秋，見《隋志》春秋類。”

烏程嚴可均《全三國文編》曰：“田瓊，鄭康成弟子，建安黃初間爲博士。”《通典》六十九至一百一引瓊《四孤議》一篇、《答劉德問》六篇、《皇后降服》一篇、《公子降服》一篇、《大夫子降服》一篇、《諸侯大夫妻及大夫士女降服》一篇、《貴不降服》一篇。按此所引，並是瓊言禮之文，不知出何書。又曰：“韓蓋，建安末博士。”《太平御覽》五百二十六引韓蓋奏議臨甾侯求祭先王一篇。按“韓蓋”乃“韓益”之誤，據《御覽》載曹植《求祭先王表》知其時在延康元年之秋，獻帝猶未遜位也，故韓氏以爲建安末。又按《鄭學錄》，韓益亦鄭氏弟子。

王肅　尚書傳十一卷　肅始末見易類。

《魏志·高貴鄉公紀》：“甘露元年夏四月丙辰，帝幸太學，講《尚書》。帝問曰：‘鄭玄云“稽古同天，言堯同於天也”。王肅云“堯順考古道而行之”。二義不同，何者爲是？’博士庾峻對曰：'賈、馬及肅皆以爲"順考古道"，肅義爲長。'錢大昕《考異》曰："按肅卒於是年，而其説已爲博士所習，進講人主之前，蓋肅兼通諸經，强辯求勝。又以三公之子早登顯要，易爲人所信從也。"

《釋文·叙録》："肅又注《尚書》。"又曰："王肅亦注今文，而解大與古文相類。或肅私見孔《傳》而祕之乎？"又曰："《尚書王肅注》十卷。"《隋書·經籍志》："《尚書》十一卷，王肅注。"唐日本國人佐世《見在書目》："今文《尚書》十卷，王肅注。"《唐·經籍志》："古文《尚書》十卷，王肅注。"《藝文志》："王肅《注》十卷。"

馬國翰輯本序曰："肅之學專與鄭爲難，鄭《贊》謂孔子撰《書》，乃尊而命之《尚書》。尚者，上也。肅序謂：'上所言，史所書，故曰《尚書》也。'開卷已自立異。王氏鳴盛《尚書後案》云：'王注之存於今者，按之皆與馬融及僞孔合。僞孔之出於肅乃情事之所有者。'今輯録二卷，所注亦今文二十九篇，亦馬、鄭本同。百篇之序，亦有注，別輯一篇附後。"

侯《志》曰："陸德明云：'王肅解大與古文相類，或肅私見孔《傳》而祕之。'惠棟、江聲皆疑僞孔《傳》即王肅撰。"

王肅　尚書駮議五卷

《隋書·經籍志》："《尚書駮議》五卷，王肅撰。"《唐·經籍志》："《尚書釋駮》五卷，王肅撰。"《藝文志》："《尚書王肅注》十卷，又《釋駮》五卷。"

王肅　尚書答問三卷

《隋書·經籍志》："梁有《尚書義問》三卷，鄭玄、王肅及晋五經博士孔晁撰，亡。"《唐·經籍志》："《尚書答問》三卷，王肅注。"《藝文志》："《王肅孔安國問答》三卷。"

侯《志》曰："《唐志》又有《王肅孔安國問答》三卷。《經義考》

謂當即《隋志》《義問》是也。蓋孔晁誤爲孔安國耳。”

按是書以《隋》、《唐志》所載參攷之，似王肅答孔晁問鄭義之書。《舊唐志》題《尚書答問》近得其實，今從之。

李譔　尚書注　<small>譔始末見易類。</small>

《蜀志》本傳：“譔著古文《易》、《尚書》，皆依準賈、馬，異于鄭玄。與王氏意歸多同。”

《册府元龜·學較部·注釋類》：“李譔爲中散大夫、右中郎將，著古文《易》、《尚書》。”

范順　尚書王氏傳問二卷

劉毅　尚書義答二卷

《吳志·孫登傳》：“黃龍元年，權稱尊號，立登爲皇太子，以范慎爲賓客。”《吳錄》曰：“慎字孝敬，廣陵人。後爲侍中，出補武昌左部督。孫皓移都武昌，以爲太尉，鳳凰三年卒。”<small>劉毅，不知何許人，《晉書》有劉毅字仲雄，東萊掖人，仕魏。入晉，官至尚書左僕射、光禄大夫，太康時卒。豈即其人乎？</small>

《隋書·經籍志》：“梁有《尚書王氏傳問》二卷、《尚書義》二卷，范順問，吳太尉劉毅答，亡。”

侯《志》曰：“《隋志》當云：‘吳太尉范順問，劉毅答。’《吳志·孫皓傳》有太尉范慎。又見《孫登傳》注，即其人也。順、慎古通。”

按《册府元龜》云劉毅爲太尉譔《尚書答》。蓋亦據《隋志》之誤，以太尉屬劉毅也。然則《隋志》此誤自宋初已然矣。

右書類凡五家七部。<small>按侯《志》有程秉《尚書駁》，今并入五經總義類。</small>

杜瓊　韓詩章句

《蜀志》本傳：“瓊字伯瑜，蜀郡成都人也。少受學於任安，精究安術。劉璋時，辟爲從事。先主定益州，領牧，以瓊爲議曹從事。後主踐祚，拜諫議大夫，遷左中郎將、大鴻臚、太常。

年八十餘,延熙十三年卒。著《韓詩章句》十餘萬言。"

王肅　毛詩注二十卷　<small>肅始末見易類。</small>

《釋文·叙録》:"鄭玄作《毛詩箋》,申明毛義,難三家,於是三家遂廢。魏太常王肅更述毛非鄭。"又曰:"《王肅注》二十卷。"《隋書·經籍志》:"《毛詩》二十卷,王肅注。梁有《毛詩》二十卷,鄭玄、王肅合注,亡。"《唐·經籍志》:"《毛詩》二十卷,王肅注。"《藝文志》:"王肅《注》二十卷。"

侯《志》曰:"《釋文·叙録》云:'魏太常王肅述毛非鄭。'按肅雖述毛,然亦有不得毛旨者。如《正義》摘出《召南·采蘋》、《邶風·擊鼓》諸條。亦有改毛以濟其私者,如《經義雜記》摘出'以慰我心'、'古之人無斁'、'維此文王'、'每懷靡及'諸條是也。"

馬國翰輯本序曰:"《隋志》云:'梁有《毛詩》二十卷,鄭玄、王肅合注。'蓋魏晋人取肅注次鄭箋後,以便觀覽,非肅別有注也,今輯録四卷,其説申述毛旨,往往與鄭不同。"

王肅　毛詩義駁八卷

《隋書·經籍志》:"《毛詩義駁》八卷,王肅撰。"《唐·經籍志》:"《毛詩雜義駁》八卷,王肅撰。"《藝文志》:"王肅《雜義駁》八卷。"

馬國翰輯本序曰:"肅注《毛詩》,以鄭《箋》有不合於毛者,因復爲此書。曰義駁者,駁鄭氏義也。今輯録凡十二節,鄭氏訓義優洽,未易擿撰,自有此駁。而王基、孫毓、陳統之徒,反覆辯難,門户各爭,則景侯爲之倡也。"

王肅　毛詩奏事一卷

《隋書·經籍志》:"《毛詩奏事》一卷,王肅撰。"

馬國翰輯本序曰:"肅既撰《毛詩義駁》,專攻鄭氏,此則取鄭氏之違失,條奏於朝,故題奏事也。今從《正義》輯得四節。

康成大儒，先通魯、韓二家，後箋《毛詩》，其與毛不盡同者，意在兩存其是。肅必欲盡廢鄭説，駁之不已，復陳諸奏，何見疾之深乎？”

王肅　毛詩問難二卷

《隋書·經籍志》：“有《毛詩問難》二卷。按“有”上敚“梁”字。[1] 王肅撰，亡。”《唐·經籍志》：“《毛詩問難》二卷，王肅撰。”《藝文志》：“王肅《問難》二卷。”《四庫提要》曰：“自鄭《箋》既行，齊、魯、韓三家遂廢，然《箋》與《傳》義亦時有異同。魏王肅作《毛詩注》、《毛詩義駁》、《毛詩奏事》、《毛詩問難》諸書，以申毛難鄭。”

馬國翰輯本序曰：“肅於《毛詩注》外有《議駁》、有《奏事》皆攻擊鄭氏。此之《問難》大抵亦申毛以難鄭也。《隋志》云：‘梁有二卷，亡。’《唐志》復著録二卷，今佚。從《正義》輯録七節，與《注》及《駁》、《奏》相比次，王氏一家之學萃於兹矣。”

王基　毛詩駁五卷

《後漢·鄭玄傳》：“其門人東萊王基著名於世。”章懷太子曰：“基字伯輿，魏鎮南將軍、安樂鄉侯。”

《魏志》本傳：“基字伯輿，東萊曲城人也，年十七入琅邪界游學。黄初中，察孝廉，除郎中、青州別駕。後召爲祕書郎，擢中書侍郎。明帝時，散騎常侍王肅著諸經傳解，改易鄭玄舊説，而基據持玄義，常與抗衡。歷安平太守、大將軍曹爽從事中郎、安豐太守、尚書、荆州刺史。毌丘儉、文欽作亂，以基爲行監軍，假節領許昌軍。欽等平，遷鎮南將軍，都督豫州諸軍事，領豫州刺史，進封安樂鄉侯。諸葛誕反，基以本官行鎮東將軍，都督揚、豫諸軍事。轉征東、征南將軍，都督揚州、荆州

---

① “有上”，原誤倒，據《二十五史補編》本乙正。

諸軍事。景元二年薨，贈司空，謚曰景侯。"按基字伯輿、伯輿，未詳孰是。

《釋文·叙録》："鄭玄作《毛詩箋》，王肅更述毛非鄭。荆州刺史王基駁王肅申鄭義。"按基爲荆州刺史，在正始中。《隋書·經籍志》："《毛詩駁》一卷，魏司空王基撰，殘缺。"《唐·經籍志》："《毛詩駁》五卷，王伯興撰。"《藝文志》："王基《毛詩駁》五卷。"

《四庫提要》曰："王肅作《毛詩問難》諸書以申毛難鄭，王基作《毛詩駁》以申鄭難王。"

馬國翰輯本序曰："基以策敵立功，掌統方任，而善爲撰述。常據持鄭義與王肅抗衡。其書唐初尚有完帙，今佚。從《正義》、《釋文》輯録十五節。其説依鄭駁王，具有根柢。"

侯《志》曰："按基説之載於孔《疏》者，如'采采芣苢'一條，駁王肅'出於西戎'之説。'充耳以素'一條，駁王肅'玄紞無五色'之説。'侵鎬及方'一條，駁王肅'鎬京'之説。'不自爲政'一條，駁王肅'人臣不顯諫'之説，皆極精當。惜全書久佚，可攷見者無多也。"

孫炎　毛詩注　炎始末見易類。

《魏志·王肅附傳》："樂安孫叔然作《周易》、《春秋例》、《毛詩》諸注。"

侯《志》曰："叔然注今絶無傳，其旁見《爾雅》注者，多與毛《傳》合。蓋毛公本以《雅》訓釋《詩》者也。"

劉璠　毛詩義四卷

劉璠　毛詩箋傳是非二卷

《隋書·經籍志》："梁又有《毛詩義》四卷、《毛詩箋傳是非》二卷，並魏祕書郎劉璠撰，亡。"

李譔　毛詩注　譔始末見易類。

《蜀志》本傳："譔著古文《易》、《尚書》、《毛詩》。"

常璩《梓潼人士贊》："譔著古文《周易》、《尚書》、《毛詩》注解。"

韋昭 朱育等 毛詩答雜問七卷

《吳志》："韋曜字弘嗣，吳郡雲陽人也。曜本名昭，史爲晋諱，改之。少好學，能屬文，從丞相掾，除西安令，還爲尚書郎，遷太子中庶子。太子和廢後，爲黃門侍郎。孫亮即位，爲太史令。孫休踐祚，爲中書郎、博士祭酒。孫皓即位，封高陵亭侯，遷中書僕射，職省，爲侍中，常領左國史。鳳皇二年，收付獄誅。"華覈上疏救曜云："曜年已七十，餘數無幾，乞赦其一等之罪。"則死時年七十也。

《吳志·虞翻傳》注引《會稽典録》曰："孫亮時，有山陰朱育，仕郡門下書佐。後仕朝，常在臺閣，爲東觀令，遙拜清河太守，加位侍中，推刺占射，文藝多通。"按育字嗣卿。見兩《唐志》小學類。推刺占射者，善推逆刺占候及射覆之術也。

《隋書·經籍志》："梁又有《毛詩答雜問》七卷，吳侍中韋昭、侍中朱育等撰，亡。"《唐書·經籍藝文志》："《毛詩雜答問》五卷。"並不著撰人，蓋即是書之殘本。

馬國翰輯本序曰："兹從《正義》及《藝文類聚》、《初學記》、《太平御覽》等書輯録十三節，内有《御覽》引韋輝光《毛詩問》一節，《正義》引薛綜答韋昭一節。"

侯《志》曰："《御覽》八百十六引韋輝光《毛詩問》一條。攷韋昭字弘嗣，不字輝光。然輝光與昭，字義合，書名又同，或弘嗣有兩字乎？"

徐整 毛詩譜三卷

《釋文·叙録》："徐整字文操，豫章人，吳太常卿。"又曰："鄭玄《詩譜》二卷，徐整暢。"《隋書·經籍志》："《毛詩譜》三卷，吳太常卿徐整撰。"

金谿王謨《漢魏遺書鈔·叙録》曰:"吳射慈《喪服變除圖》今見於《通典》所載者凡三十餘條,其中徐整與慈問答者十二,整自爲立論者一。整蓋亦爲禮服之學者。而《隋志》但載整《詩譜》二卷、《孝經》一卷,不知其於禮服有論著也,故表而出之。"

馬國翰《玉函山房·叙録》曰:"吳射慈《喪服變除圖》與徐整答問爲多,整當是慈之門人。"

侯《志》曰:"《釋文·叙録》引徐整云:'子夏授高行子,高行子授薛倉子,薛倉子授帛妙子,帛妙子授河間人大毛公,毛公爲《故訓傳》於家,以授趙人小毛公。'即此書中語也。《叙録》又謂:'鄭玄《詩譜》二卷,徐整暢,太叔裘隱。'太叔裘,不知何時人。《隋志》、《經義攷》俱系於徐整下,今未敢必爲三國時,故不著録。"

陸璣　毛詩草木鳥獸蟲魚疏二卷

《釋文·叙録》:"陸璣《毛詩草木鳥獸蟲魚疏》二卷,璣字元恪,吳郡人,吳太子中庶子、烏程令。"《隋書·經籍志》:"《毛詩草木蟲魚疏》二卷,烏程令吳郡陸機撰。"《唐·經籍志》:"《毛詩草木鳥獸魚蟲疏》,陸機撰。"失載卷數,又"璣"並誤爲"機"。《藝文志》:"陸璣《草木鳥獸魚蟲疏》二卷。"《宋史·藝文志》同。

《四庫提要》曰:"陸璣《疏》二卷,原本久佚,此不知何人所輯。末附四家《詩》源流四篇,而《毛詩》特詳,蟲魚草木今昔異名,年代迢遥,傳疑彌甚。璣去古未遠,所言猶不甚失真,《詩正義》全用其説,陳啟源作《毛詩稽古編》,其較正諸家,亦多以璣説爲據。講多識之學者,固當以此爲最古焉。"

按書中引魏博士濟陰周元明説,不知何人何書。

王肅　毛詩音

《釋文·叙録》:"爲《詩》音者九人:鄭玄、徐邈、蔡氏、孔氏、阮侃、王肅、江惇、干寶、李軌。"

按《隋・經籍志》云："梁有《毛詩音》十六卷，徐邈等撰，亡。"

王肅《詩音》當在此十六卷中。

右詩類凡韓詩一家，毛詩八家，綜一十四部。侯《志》有魏劉楨《毛詩義
問》十卷，今改入《後漢藝文志》。

王朗　周官傳　朗始末具易類。

《魏志》本傳："朗著《易》、《周官傳》，咸傳於世。"

按本傳："朗上疏有云：《周禮》六官，内官百二十人，而諸經常
説，咸以十二爲限。"此亦略見其治經之緒餘矣。

王肅　周官禮注十二卷

《釋文・叙録》："王肅注《周官》十二卷。"《隋書・經籍志》：
"《周官禮》十二卷，王肅注。"《唐・經籍志》同。《藝文志》：
"王肅注《周官》十二卷。"余蕭客《古經解鉤沈》曰："《通典》五
十五引王肅《注》二條。"

按本傳："肅上疏陳政本曰：六卿亦典事者也。《周官》則備
矣，五日視朝，公卿大夫並進，而司士辨其位焉。其《記》曰：
坐而論道，謂之三公。作而行之，謂之士大夫。"此肅引《記》
以釋經，亦其遺説之一節也。

右《周禮》二家二部。《古經解鉤沈》有孫炎《周禮注》引陳祥道《禮書》"鑄大鐘"
一條爲據。按前史皆不言炎注《周禮》，陳祥道宋人，所引或炎他書中語，單文孤證，
未便指實，故不録。

王肅　儀禮注十七卷

《隋書・經籍志》："《儀禮》十七卷，王肅注。"《唐・經籍志》
同。《藝文志》："王肅注《儀禮》十七卷。"侯氏謂《唐志》但有肅《喪服
注》無《儀禮注》者，殊不然也。

按本傳言肅注三《禮》，隋、唐三《志》亦各有肅《儀禮注》十七
卷，而《釋文・叙録》云自馬融以下，如王肅等九人，云並注
《喪服》。不言肅注《儀禮》，與隋、唐《志》異，豈陸氏未見其本

耶？抑肅實止注《喪服》，《隋》、《唐志》誤列其目耶？又余氏輯《古經解鉤沈》，罔羅古注，大抵略具，其《儀禮》卷中除《喪服篇》而外無一條爲肅他篇之注者。何其泯沒無徵歟？疑不能明也。

王肅　喪服經傳注一卷

《晋書·禮志》曰：“《喪服》一卷，卷不盈握，而争説紛然。三年之喪，鄭云二十七月，王云二十五月。改葬之服，鄭云服緦三月，王云葬訖而除。繼母出嫁，鄭云皆服，王云從乎繼寄育乃爲之服。無服之殤，鄭云子生一月哭之一日，王云以哭之日易服之月。如此者甚衆。《喪服》本又省略，必待注解事義迺彰。其傳説差詳，世稱子夏所作。鄭、王祖經宗傳，而各有異同，天下並疑，莫知所定。”

《釋文·叙録》曰：“肅又注《禮容服》。”又曰：“馬融、王肅並注《喪服》。”《隋書·經籍志》：“《喪服經傳》一卷，王肅注。”《唐·藝文志》：“王肅注《喪服紀》一卷。”

馬國翰輯本序曰：“肅有《儀禮注》，《隋志》別出《喪服經傳》一卷，王肅注。《唐志》作《注喪服紀》，今久佚。從賈公彦《疏》、陸德明《釋文》、杜佑《通典》所引輯録一卷，賈《疏》于馬、鄭所不言者，依王義以釋經。”

按《釋文·叙録》曰：“《喪服》一篇又別行於世。《隋·經籍志》云其《喪服》一篇，子夏先傳之，諸儒多爲注解，今又別行。按子夏《喪服傳》，亦云《禮服傳》，自漢以來有馬南郡、鄭司農二家之注，王氏又從而注之，或以爲即《喪服變除》者，似不然也。”

王肅　喪服變除

《晋書·禮志》：“太康初，尚書郎摯虞表請增損《新禮》曰：‘至於《喪服》，世之要用，而特易失旨。故子張疑高宗諒陰三年，子思不聽其子服出母，子游謂異父昆弟大功，而子夏謂之齊衰,及孔子没而門人疑於所服。此等皆明達習禮,仰讀先典,俯師仲尼,漸漬聖訓,講肄積年,及遇喪事,猶尚若此,明喪禮易惑,不可不詳也。況自此以來,篇章焚散,去聖彌遠,喪制詭謬,固其宜矣。是以《喪服》一卷,卷不盈握,而争説紛然。臣以爲今宜依準王景侯所撰《喪服變除》,使類統明正,以斷疑争。'"按《王肅傳》注引《世語》曰:"肅女適司馬文王,即文明皇后,生晋武帝、齊獻王攸。"蓋以帝之外王父,故虞稱其諡而不名。

按《喪服變除》始於大戴氏,其後鄭氏亦有是作,詳見《後漢藝文志》。前史與《喪服經傳》皆分别著録,或以爲此即《經傳注》之異名,似不然。

王肅　喪服要記一卷

《隋書·經籍志》:"《喪服要記》一卷,王肅注。"《唐·經籍志》:"《喪服要記》一卷,王肅注。"《藝文志》:"王肅《喪服要記》一卷。"

《經義攷》曰:"王氏《喪服要記》,孔氏《正義》、杜氏《通典》多引之,其《魯哀公葬父》一篇,酈善長《水經》謂肅此證近於誣。"

侯《志》曰:"《水經·汾水》注引一條,頗譏其誣。今據《經義攷》所輯《魯哀公葬父》一篇,語多誕妄。道玄之譏,可云有識矣。"

馬國翰輯本序曰:"肅注《喪服經傳》又引伸《喪服》之義作《要記》,《隋》、《唐志》並以一卷著録,今佚。《水經注》、《藝文類聚》、《太平御覽》諸書皆引魯哀公祖載其父,孔子問以設表門菰廬等。《繹史》删合爲一節。又《通典》引十三節,合録一裘。"

按此於《經傳注》、《變除》而外又雜記《喪服》,如外傳之類,别爲是編。本傳有云:"其所論駮朝廷典制以及喪紀、輕重,凡百餘篇。"此一卷即百餘篇中之一類歟？

蔣琬　喪服要記一卷

《蜀志》本傳："琬字公琰，零陵湘鄉人也，以州書佐隨先主入蜀，除廣都長，免爲什邡令。先主爲漢中王，琬入爲尚書郎。後主建興元年，丞相亮開府，辟爲東曹掾。舉茂才，遷爲參軍、長史，加撫軍將軍。亮卒，爲尚書令，俄而加行都護，假節，領益州刺史，遷大將軍，録尚書事，封安陽亭侯。開府，加爲大司馬。延熙九年卒，謚曰恭。"

《隋書·經籍志》："《喪服要記》一卷，蜀丞相蔣琬撰。"《册府元龜》作《要義》。

譙周　喪服圖

《蜀志》本傳："周字允南，巴西西充國人也。耽古篤學，誦讀典籍，研精六經。建興中，丞相亮領益州牧，命周爲勸學從事。亮卒，大將軍蔣琬領刺史，徙爲典學從事，總州之學者。後主立太子，以周爲僕，轉家令。徙中散大夫，遷光禄大夫。景耀六年冬，魏鄧艾克江由，長驅而前。後主從周策降。時晋文王爲魏相國，以周有全國之功，封陽城亭侯。又下書辟周，周發至漢中，困疾不進。晋室踐阼，累下詔所在發遣周。周遂輿疾詣洛，泰始三年至。以疾不起，就拜騎都尉，周乃自陳無功而封，求還爵土，皆不聽許。六年秋，爲散騎常侍，疾篤不拜，至冬卒。"時年七十一。《續漢·五行志》注引《蜀志》云："蜀亡，魏徵不至。"蓋周以魏亡兩年之後始至洛陽也。又按晋武帝泰始六年，吳歸命侯皓建衡二年也。後十年吳乃亡。

侯《志》曰："《御覽》五百四十引譙周《喪服圖》。又《通典》八十一引譙周《縗服圖》，蓋即一書。《喪服》，其大名，《縗服》則其中之一也。《通典》凶禮門中屢引譙周。又九十四卷引譙周《喪服集圖》，必皆出此書矣。"按亦似在周作《五經然否論》中。

余蕭客《古經解鉤沈・叙録》曰："晋譙周《喪服集圖》，《通典》引之。"馬國翰《玉函山房・叙録》曰："周經説長於禮服。"

射慈 喪服圖
射慈 喪服變除

《吴志・吴主孫休傳》："休年十三，從中書郎射慈受學。"又《齊王孫奮傳》："及諸葛恪誅，奮下住蕪湖，欲至建業觀變。傅相謝慈等諫奮，奮殺之。坐廢爲庶人。"裴松之曰："慈字孝宗，彭城人，見《禮論》，撰《喪服圖》及《變除》行於世。"《廣韻・四十禡》"射"字注云："射，又姓。"《三輔決録》云："漢末大鴻臚射咸，本姓謝名服。天子以爲將軍出征，姓謝名服不祥，改之爲射氏名咸。"故《吴志》或稱射慈，或稱謝慈。

《隋書・經籍志》："梁有《喪服變除圖》五卷，吴齊王傅射慈撰，亡。"《唐・經籍志》："《喪服天子諸侯圖》二卷，謝慈撰。"《藝文志》："射慈《喪服天子諸侯圖》一卷。"

嚴可均《全三國文編》曰："射慈字孝宗，彭城人，一作謝慈，爲中書郎，領齊王奮傅，以諫被殺。有《喪服圖》及《變除》五卷，又曰《喪服變除》，今見於《通典》者凡二十條。"

馬國翰輯本序曰："裴松之注云：'撰《喪服圖》及《變除》行於世。'蓋二書也，《七録》合之云《喪服變除圖》五卷，《唐・藝文志》有《喪服天子諸侯圖》一卷，已非梁時之舊本，今佚。從杜佑《通典》采得二十七節，又從《御覽》、《南史》、《禮記》、《正義》各采一節，合而録之。與徐整答問爲多，整當是慈之門人。其書體例亦《鄭志》之類。"

右儀禮之屬凡四家八部。按《册府元龜・學校部》有孫炎《儀禮注》二十九卷，乃《禮記注》之誤，今不録。又侯《志》别出射慈《喪服天子諸侯圖》一卷，蓋即慈《喪服圖》，今不複出。

王肅 禮記注三十卷

《釋文・叙録》："王肅注《禮記》三十卷。"《隋書・經籍志》："《禮記》三十卷，王肅注。"《唐・經籍志》同。《藝文志》："王

蕭注《小戴禮記》三十卷。"《日本國見在書目》:"《禮記》廿卷,
魏衛軍王肅注。"

《經義攷》曰:"朱子謂王肅議《禮》必反鄭玄。按肅注《禮》,以
《月令》爲周公所作。"

馬國翰輯本序曰:"肅説《詩》好與鄭異,注《禮》亦然。而其所
用之《禮》本又往往與鄭本不同,不知所據何本。《隋》、《唐
志》並三十卷,今輯爲三卷。"

孫炎　禮記注三十卷 炎始末具易類。

《魏志·王肅附傳》:"樂安孫叔然作《周易例》、《毛詩》、《禮
記》諸注。"《釋文·叙録》:"孫炎注《禮記》二十九卷。"《隋
書·經籍志》:"《禮記》三十卷,魏祕書監孫炎注。"《唐·經籍
志》:"《禮記》三十卷,孫炎注。"

《藝文志》:"孫炎注《禮記》三十卷。"

《舊唐書·元行沖傳》:"尚書左丞相張説奏曰:《禮記》是前漢
戴德、戴聖所編録,至魏孫炎始改舊本,以類相比,有同鈔書,
先儒所非,竟不行用。貞觀中,魏徵因孫炎所修,更加整比,
兼爲之注。"又行沖撰《釋疑》曰:"鄭學之徒,有孫炎者,雖挾
玄義,乃易前編。"

《經義攷》曰:"按唐張燕公駁魏鄭公《類禮》云:'《禮記》傳習
已向千載。至魏,孫炎始改舊本,以類相比。'則炎所注《禮
記》不用小戴原本可知。"

馬國翰輯本序曰:"《禮記孫氏注》佚説寥寥,僅從《釋文》、《正
義》、《大戴禮注》、《史記·樂書》集解、索隱、《通典》諸書采得
三十餘節,録爲一卷。"

按《小戴記》四十九篇,本在劉中壘所録二百十四篇中,故馬、
盧、鄭諸家注本各有去取互異之處。王子雍之三十卷,今雖
無由攷見,亦未必與諸家同。至孫氏以類編次,不復拘定四

十九篇之舊第，是又異之異者，然其文終不越二百十四篇之外。同爲仲尼弟子及後學者所記，既大、小戴可以删存，則後儒無不可以取裁，各行其是，何足相非。張燕公駁《類禮》并詆孫叔然之書非通論也宜，元行沖作《釋疑》以自解焉。

鄭小同　禮義四卷

《後漢書·鄭玄傳》："玄惟有一子益恩，孔融在北海，舉孝廉。及融爲黃巾所圍，益恩赴難隕身。有遺腹子，玄以其手文似己，名之曰小同。"《魏氏春秋》曰："小同，高貴鄉公時爲侍中，嘗詣司馬文王，文王有密疏，未之屏也，如廁還，問之曰：'卿見吾疏乎？'答曰：'不見。'文王曰：'寧我負卿，卿無負我。'遂酖之。"

《魏志·高貴鄉公紀》注："魏文帝以小同爲郎中，長假在家，年踰三十，太尉華歆表薦之。高貴鄉公正元二年，以侍中講《尚書》，終受賜。甘露三年，以關內侯爲五更。"又《玄別傳》曰："小同以丁卯日生，而玄以丁卯歲生，故名曰小同。"《隋書·經籍志》："梁有《禮義》四卷，魏侍中鄭小同撰，亡。"《唐·經籍志》："《禮記義記》四卷，鄭小同撰。"《藝文志》："鄭小同《禮記義記》四卷。"

杜寬　删集禮記

《魏志·杜畿傳》："畿，京兆杜陵人也，子恕，幽州刺史。"《杜氏新書》曰："恕弟理，年二十一而卒。子寬，字務叔，清虛玄静，敏而好古。以名臣門户，少長京師，而篤志博學，絕於世務，其意欲探賾索隱，由此顯名，當塗之士多交焉。舉孝廉，除郎中。年四十二而卒。經傳之義，多所論駁，皆草刱未就，惟《删集禮記》今存於世。"按《世系》："畿三子恕、理、寬，寬字務叔，孝廉、郎中。"又按恕字務伯，理字務仲，寬字務叔，寬實爲恕之弟。《杜氏新書》當云畿小子寬，此所引有敓文。

射慈　禮記音一卷

《釋文·叙録》:"射慈字孝宗,彭城人,吳中書侍郎,齊王傅,《禮記音》一卷。"《隋書·經籍志》:"《禮記音義隱》一卷,謝氏撰。"又曰:"梁有鄭玄、王肅、射慈、射貞、孫毓、繆炳《音》各一卷,亡。"《唐·經籍志》:"《禮記音》二卷,謝慈撰。"《藝文志》:"射慈《小戴禮記音》二卷。"《通志·藝文略》:"《禮記音義隱》二卷,謝慈撰。"

侯《志》曰:"謝氏《音義隱》、《困學紀聞》引作射氏。《通志略》及《經義攷》皆以《音義隱》爲慈書,其果爲一書與否,則無以證之矣。

王謨輯本序曰:"《經典·序録》《禮記音》十三家内有射慈《禮記音》,無'義隱'字。《隋志》有謝氏《禮記音義隱》一卷,又有射慈《音》一卷,則謝氏與射慈當爲二人,其爲《禮記音》與《音義隱》亦當爲二書也,《經義攷》竟作射慈《音義隱》,今從之。而以《正義》、《釋文》所引《隱義》並鈔入焉,凡二十八條。"

馬國翰輯本序曰:"唐時射《音》尚在,故《正義》及引之。然引稱謝兹,謝兹即射慈。其所説'下室之饋,'音兼乎義。此又謝氏即射慈之一證也。《唐志》二卷之《音》,即《隋志》一卷之《音義隱》。《唐志》標題書目多與《隋志》不合,幸存射慈之名,猶可尋繹而參攷之也。今從《釋文》、《正義》輯録爲卷。"

薛綜　五宗圖一卷

《吳志》本傳:"綜字敬文,沛郡竹邑人也。少依族人避地交州,從劉熙學。士燮既附孫權,召綜爲五官中郎,除合浦、交阯太守。還都,守謁者僕射。出爲建昌侯慮長史,入守賊曹尚書,遷尚書僕射,徙選曹,爲太子少傅,領選職如故。赤烏六年春,卒。凡所著數萬言,又定《五宗圖》,皆傳於世。"

《隋書·經籍志》:"梁有《五宗圖》一卷。"不著撰人,疑即是書。

嚴可均《全三國文編》曰:"《通典》卷七十三引薛綜述鄭氏《禮

五宗圖》。"余蕭客《古經解鈎沈·叙録》曰："薛綜述鄭氏《禮
五宗圖》，《通典》引之。"

右禮記之屬凡六家六部。

李譔　三禮注　譔始末具易類。

《蜀志》本傳："著古文《易》、《尚書》、《毛詩》、三《禮》皆依準
賈、馬，異於鄭玄，與王氏意歸多同。"

《册府元龜·學校部》注釋文："李譔爲中散大夫、右中郎將，
著古文《易》、《尚書》、《毛詩》、三《禮》。"

王肅　三禮音三卷

《釋文·叙録》曰："王肅三禮《音》各一卷，《七録》惟云撰《儀
禮音》。"按《七録》有王肅《儀禮音》，《隋志》未見，蓋《隋志》之於《七録》亦有不盡
載者，或佚敚在鄭玄《音》二卷之後歟？

《隋書·經籍志》："梁有王肅《禮記音》一卷，亡。"合鄭玄、射慈、射
貞、孫毓、繆炳六家音，云各一卷。《唐·經籍志》："《儀禮音》二卷。"蒙
上文王肅撰。《藝文志》："王肅注《儀禮》十七卷，《音》二卷。"

右三禮總義之屬二家，二部。

右禮類凡四門，綜一十八部。侯《志》有王肅《明堂議》、蔣濟《郊丘議》、繆襲
《祭儀》，今析入子部儀制類。

杜夔　鐘律法

《魏志》本傳："夔字公良，河南人也。以知音爲雅樂郎，中平
五年，疾去官。州郡司徒禮辟，以世亂奔荆州。後劉琮降太
祖，以夔爲軍謀祭酒。夔善鐘律，聰思過人。黄初中，爲太樂
令，協律都尉。漢鑄鐘工柴玉巧有意思，夔令玉鑄銅鐘，其聲
韻清濁多不如法，數毀改作。玉甚厭之，謂夔清濁任意，頗拒
捍夔。夔、玉更相白於太祖，太祖取所鑄鐘，雜錯更試，知夔
爲精而玉之妄也，於是罪玉。《武紀》注引《傅子》曰："桓譚、蔡邕善音樂，
而太祖與之埒。"文帝愛待玉，又嘗令夔與左顧等於賓客之中吹笙

鼓琴，夔有難色，由是帝意不悦，後遂黜免以卒。"

《世説·術解篇》注："《晋後略》曰：鐘律之器，自周之末廢，而漢成、哀之間，諸儒修而治之。按劉歆典領鐘律，有《鐘律書》。至後漢末，復隳矣。魏氏使協律知音者杜夔造之，不能攷之典禮，徒依於時絲管之聲，時之尺寸而制之，甚乖失禮度。"

《宋書·律志》："荀勖以魏杜夔所制律呂，檢校太樂、總章、鼓吹八音，與律乖錯。始知後漢至魏，尺度漸長於古四分有餘。夔依爲律呂，故致失韻。"

按《晋書·律志》云："今攷古律相生之次，及魏武以後言音律度量者，以志於篇。"則夔之律法已櫽括於其中。

杜夔　雅樂記

《魏志》本傳："夔以世亂奔荆州。州牧劉表令與孟曜爲漢王合雅樂。樂備，表欲庭觀之，夔諫而止。後表子琮降太祖，太祖以夔爲軍謀祭酒，參太樂事，因令刱制雅樂。夔善鐘律，絲竹八音，靡所不能，惟歌舞非所長。時散郎鄧靜、尹齊善詠雅樂，歌師尹胡能歌宗廟郊祀之曲，舞師馮肅、服養曉知先代諸舞，夔總統研精，遠考諸經，近采故事，教習講肄，備作樂器，紹復先代古樂，皆自夔始也。"

《晋書·律志》曰："漢末天下大亂，樂工散亡，器法堙滅。魏武始獲杜夔，使定樂器聲調。夔依當時尺度，權備典章。"

《晋書·樂志》："杜夔傳舊雅樂四曲，一曰《鹿鳴》，二曰《騶虞》，三曰《伐檀》，四曰《文王》，皆古聲辭。按《漢書·藝文志》樂家載《雅歌詩》四篇，疑此即是也。及太和中，左延年改夔《騶虞》、《伐檀》、《文王》三曲，更自作聲節，其名雖存，而聲實異。唯因夔《鹿鳴》全不改易。每正旦大會，太尉奉璧，羣后行禮，東廂雅樂常作者是也。後又改三篇之行禮詩。第一曰《於赫篇》，詠武帝，聲節與古《鹿鳴》同。第二曰《巍巍篇》，詠文帝，用延年所

改《騶虞》聲。第三曰《洋洋篇》，詠明帝，用延年所改《文王》
聲。第四曰復用《鹿鳴》，《鹿鳴》之聲重用，而除古《伐檀》。"
《宋書·樂志》云："魏雅樂四曲，一曰《鹿鳴》，後改曰《於赫》。二曰《騶虞》，後改曰
《巍巍》。三曰《伐檀》，後省除。四曰《文王》，後改曰《洋洋》。《騶虞》、《伐檀》、《文
王》並左延年改其聲，今謂之行禮曲。按《鹿鳴》本以宴樂爲體，無當於朝享，往時之
失也。"又《杜夔傳》云："自左延年等雖妙於音，咸善鄭聲，其好古存正莫及夔。"按左
延年似即左顗改名。

何晏等　樂懸一卷　晏始末詳易類。

《隋書·經籍志》："《樂懸》一卷，何晏等撰議。"

《通志·藝文略》樂類鐘磬門："《樂懸》一卷。"注云："《隋·藝
文志》。"按以《經籍志》爲《藝文志》，又不從《隋志》注"何晏等撰議"字，末詳其旨。
晏此書無由攷見，疑是隋何妥。

劉邵　樂論十四篇

《魏志》本傳："邵字孔才，廣平邯鄲人也。建安中，爲計吏，詣
許。辟御史大夫府，拜太子舍人，遷祕書郎。黃初中，爲尚書
郎、散騎侍郎。明帝即位，出爲陳留太守，徵拜騎都尉，遷散
騎常侍。邵以爲宜制禮作樂，以移風俗，著《樂論》十四篇，事
成未上，會明帝崩，不施行。正始中，執經講學，賜爵關內侯，
卒。"宋庠《人物志》跋曰："據今官書《魏志》作勉劭之劭，從力。他本或從邑，晉邑
之名。按字書此二訓外別無他釋，然俱不協孔才之義。《説文》則爲卲，音同上，但召
旁從卩耳，訓高也。李舟《切韻》訓美也，高、美又與孔才義符。揚子《法言》曰'周公
之才之卲，是也。"《四庫提要》曰："庠所辯精核，今從之。"

《玉海》音樂類："劉邵《樂論》二十四篇，《文選注》、《太平御
覽》並引之。"

嚴可均《全三國文編》曰："邵有《樂論》十四篇，見《魏志》本
傳，今亡。"

右樂律、樂論之屬凡三家四部。

魏三調歌辭

《晉書·樂志》曰："凡諸曲始皆徒歌，既而被之絃管。又有因

絲竹金石，造歌以被之，魏世三調歌辭之類是也。"

《宋書·樂志》："清商三調歌詩，曰平調，曰清調，曰瑟調。"

《隋書·何妥傳》："妥上表曰：至於魏、晉，皆用古樂。魏之三祖，並制樂辭。"

《文心雕龍·樂府篇》："至於魏之三祖，氣爽才麗，宰割辭調，音靡節平。觀其北上眾引《秋風》列篇，或述酣宴，或傷羈戍，志不出於淫蕩，辭不離於哀思。雖三調之正聲，實《韶》、《夏》之鄭曲也。"

魏相和歌曲十三篇

《晉書·樂志》："相和，漢舊歌也。絲竹更相和，執節者歌。本一部，魏明帝分爲二。更遞夜宿。本十七曲，朱生、宋識、列和等復合之爲十三曲。"《宋書·樂志》云："魏、晉之世，有朱生善琵琶，尤發新聲。宋識善擊節倡和。列和善吹笛。"

《宋書·樂志》："相和十三曲曰《氣出倡》，武帝詞。曰《精削》，武帝詞。曰《江南》，古辭。曰《度關山》，武帝詞。曰《東光乎》，古辭。曰《十五》，文帝詞。曰《薤露》，武帝詞。曰《蒿里行》，武帝詞。曰《對酒》，武帝詞。曰《雞鳴》，古辭。曰《烏生》，古辭。曰《平陵》，古辭。曰《陌上桑》。"文帝詞，《楚辭》鈔武帝詞。

按《唐·藝文志》有《三調相和歌辭》五卷。《唐·經籍志》總三卷。蓋後人集録漢、魏列朝曲辭爲之也。

魏鞞舞歌五篇

《宋書·樂志》："《鞞舞》，未詳所起，然漢代已施於燕享矣。傅毅、張衡所賦，皆其事也。"又曰："魏《鞞舞歌》五篇：一《明明魏皇帝》，二《太和有聖帝》，三《魏歷長》，四《天生烝民》，五《爲君既不易》。"

王粲　魏國登歌　粲始末已具《後漢藝文志》書類。

王粲　魏國安世歌

《宋書·樂志》:"太和初,侍中繆襲奏《安世歌》,本漢時歌名。今詩歌非往時之文,則宜變改。自魏國初建,故侍中王粲所作登歌《安世詩》,專以思詠神靈及鑒享之意。宜改《安世歌》曰《享神歌》,奏可。"又曰:"王粲所撰《安世詩》,今亡。"

王粲　魏國渝兒舞歌四篇

《晉書·樂志》:"漢《巴渝舞》之曲有《矛渝本歌曲》,《安弩渝本歌曲》,《安臺本歌曲》,《行辭本歌曲》,總四篇。其辭既古,莫能曉其句度。魏初,乃使軍謀祭酒王粲改枌其辭,粲問巴渝帥李管、种玉歌曲意,[①]試使歌,聽之,以攷校歌曲,而爲之改爲《矛渝新福歌曲》、《弩渝新福歌曲》、《安臺新福歌曲》、《行辭新福歌曲》,《行辭》以述魏德。"

《宋書·樂志》:"魏《俞兒舞歌》四篇。魏國初建所用,後於太祖廟並作之,王粲造。"又曰:"魏國初建,使王粲改作登歌及《安世》、《巴渝》詩。"

按《魏志·武紀》:"漢建安十八年,五月丙申,天子使御史大夫郗慮持節策命公爲魏公,加九錫。秋七月,始建魏社稷宗廟。十一月,初置尚書、侍中、六卿。《魏氏春秋》曰:'以王粲、杜襲、衛覬、和洽爲侍中。'"粲改作登歌、《安世》、《巴渝》詩皆作於是年。《巴渝》詩或二十年從征巴漢時作。

繆襲　鼓吹鐃歌曲十二篇

《魏志·劉邵傳》:"邵同時東海繆襲,官至尚書、光禄勳。《文章志》曰:'襲字熙伯。辟御史大夫府,歷事魏四世。正始六年,年六十卒。'"

《晉書·樂志》:"漢時有《短簫鐃歌》之樂,其曲列於鼓吹,多序戰陳之事。及魏受命,改其十二曲,使繆襲爲詞,述以功德

---

① "王",《二十五史補編》本同,殿本《晉書》作"玉"。

代漢。"

《宋書·樂志》:"魏鼓吹曲十二篇,繆襲造。第一曲《初之平》,言魏也。第二曲《戰滎陽》,言曹公也。第三曲《獲吕布》,言曹公東圍臨淮,生擒吕布也。第四曲《克官渡》,言曹公與袁紹戰,破之於官渡也。第五曲《舊邦》,言曹公勝袁紹於官渡,還譙收藏士卒死亡也。第六曲《定武功》,言曹公初破鄴,武功之定始乎此也。第七曲《屠柳城》,言曹公越北塞,歷白檀,破三郡烏桓於柳城也。第八曲《平南荆》,言曹公南平荆州也。第九曲《平關中》,言曹公征馬超,定關中也。第十曲《應帝期》,言曹文帝以聖德受命,應運期也。第十一曲《邕熙》,言魏氏臨其國,君臣邕穆,庶績咸熙也。第十二曲《太和》,言魏明帝繼體承統,太和改元,德澤流布也。"

《文心雕龍·樂府篇》:"軒岐鼓吹並入樂府,繆襲所致亦有可算焉。"

王肅　宗廟詩頌十二篇　肅始末見易類。

《宋書·樂志》:"散騎常侍王肅議高皇、太皇帝、太祖、高祖、文昭廟,皆宜兼用先代及《武始》、《太鈞》之舞。有司奏:'宜如肅議。'奏可。肅私造《宗廟詩頌》十二篇,不被歌。"

《玉海·音樂·樂舞篇》:"《齊志》云:魏王肅作《宗廟詩頌》十二篇,不入於樂。"

陳思王植　鞞舞歌五篇

《魏志》本傳:"陳思王植字子建,建安十六年,封平原侯,十九年,徙封臨菑侯。文帝即王位,與諸侯並就國。黄初二年,貶爵安鄉侯。其年改封甄城侯,三年,立爲王。四年,徙封雍丘王。太和元年,徙封浚儀。二年,復還雍丘。三年,徙封東阿,六年二月,以陳四縣封植爲陳王,邑三千五百户。發疾薨,時年四十一。"《明紀》:"太和六年十一月庚寅陳思王植薨。"

《宋書·樂志》："曹植《鞞舞歌》序曰：'漢靈帝《西園故事》，<small>按故事，《晋志》引作鼓吹，此似音聲之誤。</small>有李堅者，能《鞞舞》。遭亂，西隨將軍段煨。先帝聞其舊有伎，召之。堅既中廢，兼古曲多謬誤，異代之文，未必相襲，故依前曲作新歌五篇，不敢充之黄門，近以成下國之陋樂焉。'"

《宋志》又曰："魏陳思王《鞞舞歌》五篇，曰《聖皇篇》，《靈芝篇》，《大魏篇》，《精微篇》，《孟冬篇》。"

吴韋昭　鼓吹鐃歌曲十二篇 <small>昭始末見詩類。</small>

《晋書·樂志》："是時吴亦使韋昭製十二曲，名以述功德，受命。"

《宋書·樂志》："韋昭於孫休世上鼓吹鐃歌十二曲表曰：當付樂官善歌者習歌。"

《宋志》又曰："鼓吹曲十二篇，韋昭造。曰《炎精缺》者，言漢室衰，武烈皇帝<small>孫堅。</small>奮迅猛志，念在匡救，王跡始乎此也。曰《漢之季》者，武烈皇帝悼漢之微，痛卓之亂，興兵奮擊，功蓋海内也。曰《攄武師》者，言大皇帝<small>權。</small>卒武烈之業而奮征也。曰《烏林》者，言曹操既破荆州，從流東下。大皇帝命將周瑜逆擊之於烏林而破走也。曰《秋風》者，言大皇帝説以使民，民忘其死也。曰《克皖城》者，言曹操志圖兼并，令朱光爲廬江太守。上親征光，破之於皖城也。曰《關背德》者，言蜀將關雲長背棄吴德，心懷不軌，大皇帝引師浮江而禽之也。曰《通荆門》者，言大皇帝與蜀交好齊盟，終復初好也。曰《章洪德》者，言大皇帝章其大德，遠方來附也。曰《從歷數》者，言大皇帝從錄圖之符，而建大號也。曰《承天命》者，言上以聖德踐位，道化至德盛也。曰《玄化》者，言上修文訓武，則天而行，仁澤流洽，天下喜樂也。"

按《唐·藝文志》有漢、魏、吴、晋《鼓吹曲》四卷，《唐·經籍志》入總集類。蓋後人合四朝鼓吹辭爲一帙者。

吳拂舞歌詩五篇

《宋書·樂志》:"江左初,又有《拂舞》,舊云《拂舞》,吳舞也。楊泓《拂舞序》曰:'自到江南,見《白符舞》,或言《白鳧鳩舞》,云有此來數十年。察其詞旨,乃是吳人患孫皓虐政,思屬晋也。'"

《宋志》又曰:"《拂舞》歌詩五篇,曰《白鳩篇》、《濟濟篇》、《獨祿篇》、《碣石篇》、《淮南王篇》。"

吳白紵舞歌詩三篇

《宋書·樂志》:"又有《白紵舞》,按舞詞有巾袍之言,紵本吳地所出,宜是吳舞也。"

《宋志》又曰:"《白紵舞》歌詩三篇。"

右樂府歌曲之屬凡十家十二部。

右樂類凡二門,綜一十六部。宋《中興書目》有諸葛亮《琴經》一卷。陳振孫《書錄解題》曰:"託名諸葛亮,淺俚之甚,今不錄。"

士燮　春秋左氏經注十三卷

《吳志》本傳:"燮字威彦,蒼梧廣信人也。少游學京師,事潁川劉子奇,治《左氏春秋》。劉陶字子奇,有《中文尚書》、《春秋訓詁條例》,已錄入《後漢藝文志》。察孝廉,補尚書郎,免官。後舉茂才,除巫令,遷交阯太守。燮謙虛下士,中國士人往依避難者以百數。耽玩《春秋》,爲之注解。陳國袁徽與尚書令荀彧書曰:'交阯士府君既學問優博,又達於從政,處大亂之中,保全一郡,二十餘年疆場無事,民不失業,羈旅之徒,皆蒙其慶。官事小闋,輒玩習書傳,《左氏春秋傳》尤簡練精微,吾數以咨問傳中諸疑,皆有師説,意思甚密。又尚書兼通古今,大義詳備。聞京師古今之學,是非忿争,今欲條上《左氏》、《尚書》長義上之。'其見稱如此。漢以燮爲綏南中郎將,董督七郡,領交阯

太守如故。後以燮不廢職貢，復下詔拜安遠將軍，封龍度亭
侯。建安十五年，孫權加燮爲左將軍。建安末年，遷衛將軍，
封龍編侯。在郡四十餘歲，黄武五年，年九十卒。"

《釋文·叙録》："士燮字彦威，蒼梧人，吳衛將軍、龍編侯，注
《春秋經》十一卷。"《隋書·經籍志》："《春秋經》十三卷，吳衛
將軍士燮注。"《唐·經籍志》："《春秋經》十一卷，士燮撰。"
《藝文志》："士燮注《春秋經》十一卷。"

按《文獻·經籍攷》引眉山李氏《古經後序》曰："《春秋經》十
一卷者，本公羊，穀梁二家所傳，吳士燮始爲之注，隋氏載
焉。"又曰："士燮但注二家，不及《左氏》。"今按《隋志》實十三
卷。蓋古經十二卷，録一卷。《釋文》及《唐志》作十一卷者，
或有所合併。而《釋文》列之《左氏》學家則甚分明也，不知李
氏何以云爾。似因《漢志》古經十二篇與公、穀二家經十一卷合爲一條而誤會
也。《經義攷》誤作《春秋傳注》，亦云《隋志》十一卷。侯《志》
疑不能明，亦以爲《隋志》十一卷。輾轉沿誤，殆不可解。

周生烈　春秋左氏傳注

《魏志》王肅附傳："自魏初徵士，燉煌周生烈，明帝時大司農
董遇等，亦歷注經傳，頗傳於世。"

裴松之曰："此人姓周生，名烈。何晏《論語集解》有烈《義
例》，餘所著述，見晉武帝《中經簿》。"按《姓苑》引晉武《中經簿》云姓周
生，名烈，爲博士也。《意林》引《周生子自序》云："六蔽鄙夫燉煌周生烈字文逸。"

《釋文·叙録》："周生烈，燉煌人。《七録》云字文逢，本姓唐，
魏博士侍中。"又曰："魏徵士燉煌周生烈注解《左氏傳》。"

侯《志》引葛洪曰："周生烈學精而不仕。"

王朗　春秋左氏傳注十二卷　朗始末見易類。

《魏志》本傳："朗著《易》、《周官》、《春秋傳》，咸傳於世。"

《釋文·叙録》："魏司徒王朗，字景興，肅之父。注解《左氏

傳》。"《隋書·經籍志》："《春秋左氏傳》十二卷,魏司徒王朗撰。"《唐·經籍志》："《春秋傳》十卷,王朗撰。"《藝文志》："王朗注《左氏》十卷。"

王朗　春秋左氏釋駁一卷

《隋書·經籍志》："梁有《春秋左氏釋駁》一卷,王朗撰,亡。"

按自漢以來,駁左氏者如范升、李育、何休不一家。王氏此釋不知誰家駁義。

董遇　春秋左氏傳章句三十卷　遇始末具易類。

《釋文·敘錄》："魏大司農董遇注解《左氏傳》。"又曰："董遇章句三十卷。"《隋書·經籍志》："《春秋左氏傳》三十卷,董遇章句。"《唐·經籍志》："《春秋左氏經傳章句》三十卷,董遇注。"《藝文志》："董遇《左氏經傳章句》三十卷。"

馬國翰輯本序曰："魏董遇章句,《隋》、《唐志》並三十卷,今佚。從《正義》、《釋文》輯得十節,其本字多與杜異,而同於賈服、王肅。"

董遇　春秋左氏傳朱墨別異

《魏志》王肅附傳注:《魏略·儒宗傳》曰："初,遇善《左氏傳》,更爲作朱墨別異。人有從學者,遇不肯教,而云:'必當先讀百徧。'言'讀書百徧而義自見'。從學者云:'苦渴無日。'遇言:'當以三餘。'或問三餘之意,遇言:'冬者歲之餘,夜者日之餘,陰雨者時之餘也。'由是諸生少從遇學,無傳其朱墨者。"

按《隋志》有賈逵《春秋左氏經傳朱墨列》一卷,遇此作蓋本之賈氏。

王肅　春秋左氏傳注三十卷　肅始末詳見易類。

《釋文·敘錄》："《左氏王肅注》三十卷。"《隋書·經籍志》："《春秋左氏傳》三十卷,王肅注。"《唐·經籍志》同。《藝文志》:"王肅《注》三十卷。"馬國翰輯本序曰:"肅注《春秋左氏經傳》,《隋》、《唐志》並三十卷,今佚。輯錄《正義》、《史記集解》諸書爲一卷,其本字往往與杜氏殊異。"

王基　春秋左氏傳注　基始末具詩類。

《釋文·叙錄》:"魏荆州刺史王基注解《左氏傳》。"

《册府元龜·學校部·注釋門》[①]:"王基字伯輿,東萊人,爲荆州刺史,撰《毛詩駁》一卷,又注解《左氏傳》。"

杜寬　春秋左氏傳解　寬始末見禮類。

《魏志·杜恕傳》注:"《杜氏新書》曰:寬經傳之義多所論駁,皆草創未就,惟删集《禮記》及《春秋傳解》今存於世。"

張昭　春秋左氏傳解

《吳志》本傳:"昭字子布,彭城人也。少好學,從白侯子安受《左氏春秋》。漢末大亂,昭南渡江。孫策命爲長史、撫軍中郎將。後劉備表孫權行車騎將軍,昭爲軍師、綏遠將軍,封由拳侯。權稱尊號,更拜輔吳將軍,改封婁侯,食邑萬户。在里宅無事,乃著《春秋左氏傳解》。年八十一,嘉禾五年卒,謚曰文侯。"

李譔　春秋左氏傳指歸　譔始末見易類。

《蜀志》本傳:"譔著古文《易》、《尚書》、《毛詩》、三《禮》、《左氏傳》。"

《華陽國志》:"譔父仁,從司馬德操、宋仲子受古學。譔少受父業又講問尹默,默亦受學司馬徽、宋忠,專精《左氏春秋》。著古文《周易》、《尚書》、《毛詩》、三《禮》、《左氏注解》。"

《釋文·叙錄》:"梓潼李仲欽著《左氏指歸》。"

樂詳　左氏問七十二事

《魏志·杜恕傳》注:"《魏略·儒宗傳》曰:樂詳字文載,河東

---

① "校",原作"較",據《二十五史補編》本改,下同。

人,少好學。建安初,詳聞公車司馬令南郡謝該善《左氏傳》,乃從南陽步涉詣許,從該問疑難諸要。今《左氏樂氏問七十二事》,詳所撰也。所問既了,歸鄉里。時杜畿爲太守,署詳文學祭酒。黃初中,徵拜博士。太和中,轉拜騎都尉。正始中,以年老罷歸於舍。本國宗族歸之,門徒數千人。"

《魏志·杜恕傳》:"恕下廷尉當死,以父畿勤事水死,免爲庶人,徙章武郡,卒於徙所。甘露二年,河東樂詳年九十餘,上書訟畿之遺績,朝廷感焉。詔封恕子預爲豐樂亭侯,邑百户。"

按樂詳至魏末尚存,猶上書爲故君訟而元凱受封。元凱左氏學或亦嘗從問焉。其《左氏問七十二事》作於建安初,時年三十餘。謝氏之釋當亦録入此書。

糜信　春秋左氏傳説要十卷

《釋文·叙録》:"糜信字南山,東海人,魏樂平太守。"

《隋書·經籍志》:"《春秋説要》十卷,魏樂平太守糜信撰。"

《唐·經籍志》:"《春秋左氏傳説要》十卷,糜信撰。"《藝文志》:"糜信《左氏傳説要》十卷。"

按糜信不見於史,意即糜竺、糜芳之同族。竺,東海胸人。《册府元龜》云:"康信撰《春秋要》一卷。"並寫誤也。

高貴鄉公　春秋左氏傳音三卷

《魏志·本紀》:"高貴鄉公,諱髦,字彦士,文帝孫,東海定王霖子也。正始五年,封郯縣高貴鄉公。少好學,夙成。齊王廢,公卿議迎立公。嘉平六年十月庚寅即皇帝位,改元正元。正元三年夏六月丙午改元甘露。甘露五年夏五月己丑卒,年二十。"

裴注引《漢晉春秋》、《晉紀》、《魏氏春秋》、《魏末傳》諸書,略曰:"帝見威權日去,不勝其忿,乃自出討司馬昭。賈充逆帝戰於南闕下，令成濟、成倅抽戈犯蹕，刃出於背，帝倒車下崩。”
《釋文·叙録》：“魏高貴鄉公曹髦，字士彦，魏廢帝。《左氏
音》三卷。”《隋書·經籍志》：“梁有魏高貴鄉公《春秋左氏傳
音》三卷，亡。”《唐·經籍志》：“《春秋左氏傳音》三卷，高貴鄉
公撰。”《藝文志》：“高貴鄉公《左氏音》三卷。”

嵇康　春秋左氏傳音三卷　康始末見易類。

《釋文·叙録》：“嵇康字叔夜，譙國人，晋中散大夫。按稱晋非也。
《左氏音》三卷。”《隋書·經籍志》：“《春秋左氏傳音》三卷，魏
中散大夫嵇康撰。”

馬國翰輯本序曰：“嵇氏《音》，《唐志》不著録，佚已久。陸德
明《釋文》引五節，《史記索隱》引一節，並據采輯，比於《廣陵
散》云。”

右春秋左氏學凡一十三家，一十五部。

唐固　春秋公羊傳注

《吳志》闞澤附傳：“澤州里先輩丹陽唐固亦修身積學，稱爲儒
者，著《國語》、《公羊》、《穀梁傳》注，講授常數十人。權爲吳
王，拜固議郎，自陸遜、張温、駱統等皆拜之。黄武四年爲尚
書僕射，卒。”裴松之曰：“《吳録》曰：固字子正，卒時年七十餘
矣。”按《册府元龜》云固字世正。或音聲之誤，或唐人避諱改爲子正。

《唐書·宰相世系表》：“唐雎七世，至漢中郎將蒙，蒙生臨邛
令都，都孫尚書令林，王莽時封建德侯。林六世至翔爲丹陽
太守，因家焉。翔二子固、溽。固吳尚書僕射。”按固弟溽著子書，
見子部道家。

徐欽　春秋公羊答問五卷

《隋書·經籍志》：“梁有《春秋公羊傳問答》五卷，荀爽問，魏
安平太守徐欽答，亡。”《唐·經籍志》：“《春秋公羊答問》五
卷，荀爽問，徐欽答。”《藝文志》：“荀爽、徐欽《答問》五卷。”

按荀爽《公羊問》編入《新書》，見《後漢書》本傳。徐欽始末未詳，蓋深於《公羊》者。其及見荀慈明相往復乎？抑從後取荀氏書而答之也。《册府元龜》作徐凱，未詳孰是。又以庾翼、王愆期《問答》之二卷爲徐氏書，則誤讀《隋志》上下文之失也。

糜信　注何氏春秋漢議十一卷　信見前。

《唐書·經籍志》："《何氏春秋漢議》十一卷，何休撰，鄭玄駁，糜信注。"《藝文志》："何休《春秋漢議》十卷，糜信注，鄭玄駁。"

按《唐·經籍志》，似糜信取何氏之議、鄭氏之駁而并爲之注。據《唐·藝文志》，則又似糜信但注何氏議而附以鄭玄駁。

糜信　理何氏漢議二卷

《隋書·經籍志》："糜信《理何氏漢議》二卷，魏人撰。"

按《隋志》有鄭玄《駁何氏漢議》二卷，此似魏人據糜信説以申理何氏之議而附以己説。蓋從何、鄭、糜三家書中析出，別爲是編。又或是兩《唐志》之糜氏注。

右春秋公羊家學凡三家，四部。

唐固　春秋穀梁傳注十三卷　固見前。

《釋文·叙錄》："唐固《穀梁注》十二卷，吳尚書僕射。"《隋書·經籍志》："《春秋穀梁傳》十三卷，吳僕射唐固注。"《唐·經籍志》："《春秋穀梁傳》十二卷，唐固注。"《藝文志》："唐固注《穀梁》十二卷。"

糜信　春秋穀梁傳注十二卷

《釋文·叙錄》："糜信《穀梁注》十二卷，字南山，東海人。魏樂平太守。"《隋書·經籍志》："《春秋穀梁傳》十二卷，魏樂平太守糜信注。"《唐·經籍志》："《春秋穀梁傳》十二卷，糜信注。"《藝文志》："糜信注《穀梁》十二卷。"

王謨輯本序曰："糜信於《禮記》並無注解，而《月令》正義於

'反古無聲'句下引糜信説。《太平御覽》又引作'糜信難曰'，文亦互異，不知其何所據也。今並無攷，唯從《穀梁傳疏》鈔出糜氏注本二十二條、《釋文》七條、《史記》注一條。"

馬國翰輯本序曰："楊士勛《疏》引或作'糜信'，《禮記正義》引其説反舌事又作'糜信'，《册府元龜》'糜信'外復出'康信'，《太平御覽》引《穀梁注》作'庾信'，並誤也。信注《穀梁》十二卷，今佚。從楊《疏》、《釋文》及《御覽》輯録爲一卷。"

侯《志》曰："按《穀梁疏》于范注之略者，每引糜注補之，其文當較范爲詳。故晋泰元立穀梁博士用糜注，至齊猶然。見《南齊書·陸澄傳》。"

余蕭客《古經解鉤沈·序録》曰："《釋文》引糜信《穀梁音》。"按此《音》陸氏不明著於録，似附入本注。不別爲編，故今亦置不復出。

右春秋穀梁家學凡二家二部。

孫炎　春秋例　炎始末具易類。

孫炎　春秋三傳注

《魏志·王肅附傳》："樂安孫叔然作《周易》、《春秋例》、《毛詩》、《禮記》、《春秋》三傳諸注。"《册府元龜》引此文皆以爲王肅所撰，殊爲舛誤。

韓益　春秋三傳論十卷　益始末見易類。

《隋書·經籍志》："《春秋三傳論》十卷，魏大長秋韓益撰。"《唐·經籍志》："《春秋三傳》十卷，韓益撰。"《藝文志》："韓益《三傳論》十卷。"

右春秋三傳凡二家，三部。

右春秋類凡四門，綜二十四部。 侯《志》有王肅、孫炎、虞翻、唐固、韋昭《國語注》，今析入史部雜史類。顧啟期《春秋世族譜》析入譜系類。丁正等《平正春秋决事》析入子部法家類。

王朗　孝經傳　朗始末見易類。

《魏志》本傳："朗著《易》、《春秋》、《孝經》、《周官傳》，咸傳於世。"

宋均　孝經皇義一卷

《隋書·經籍志》："梁有《孝經皇義》一卷，宋均撰。"又《讖緯篇》曰："宋均魏博士。"

《唐會要》："開元七年，左庶子劉知幾議曰：'宋均於《詩緯》序云我先師北海鄭司農，則均是玄之傳業弟子也。"

《册府元龜·學校部·注釋門》："宋均撰《孝經皇義》一卷，後爲河內太守。"_{按後漢顯宗時，南陽宋均爲河內太守，范《書》有傳，非此宋均，《册府》誤也。又南陽宋均之"宋"實"宗"字之誤。}

按此《孝經皇義》舊在孝經緯中，《經義攷》亦互見於悉緯類。

鄭俙　孝經注

《魏志·文紀》："漢延康元年五月，封王子叡爲武德侯。"《魏略》曰："以侍中鄭俙爲武德侯傅，令曰：'俙篤學大儒，勉以經學輔侯，宜旦夕入侍，曜明其志。"_{武德侯即明帝也。}

《公羊·昭十五年》注引《孝經》"資于事父以事君而敬同"，徐彦《疏》云："何氏之意，以資爲取。言取事父之道以事君，所以得然者，而敬同故也。以此言之，則何氏解《孝經》與鄭俙同，與康成異矣。"

儀徵阮元《校勘記》："丁杰云：《孝經》鄭注，據此處疏文，非康成，亦非小同，當是鄭俙。孫志祖云：徐彦《疏》云與鄭俙同，與康成異。則俙與康成爲二家明矣。"按此孫氏説是也。

按鄭俙魏初爲侍中、武德侯傅，僅見《魏略》所云。又《續漢輿服志》注有侍中鄭俙答魏武帝問金輅一事，其注《孝經》亦惟徐氏《公羊疏》一言爲據，別無他證。

蘇林　孝經注一卷

《魏志·劉邵傳》注：《魏略·儒宗傳》曰："林字孝友，陳留人，博學多通。建安中，爲五官將文學，_{《文帝紀》：建安十六年爲五官中郎}

將、副丞相,二十二年立爲魏太子。黄初中,爲博士給事中。文帝作
《典論》所稱蘇林者是也。以老歸第,國家每遣人就問之,數
加賜遺。年八十餘卒。"

《魏志·高唐隆傳》:"始,景初中,帝以蘇林、秦静等並老,恐
無能傳業者,乃詔科郎吏高才解經義者三十人,從光禄勳隆、
散騎常侍林、博士静,分受四經三《禮》,主者具爲設科試之
法。數年,隆等皆卒,學者遂廢。"

顏師古《漢書叙例》曰:"蘇林字孝友,一云彦友,陳留外黄人,
魏給事中領祕書監,散騎常侍,永安衛尉,太中大夫。黄初
中,遷博士,封安成亭侯。"

《釋文·叙録》:"蘇林,魏散騎常侍,注《孝經》。"《隋書·經籍
志》:"梁有魏散騎常侍蘇林注《孝經》一卷,亡。"《唐·經籍
志》:"《孝經》一卷,蘇林注。"《藝文志》:"《孝經》蘇林注,
一卷。"

劉邵 孝經注一卷 邵始末見樂類。

《釋文·叙録》:"劉邵字孔才,廣平人。魏光禄勳,注《孝經》,
一云劉熙。"《隋書·經籍志》:"梁有光禄大夫劉邵注《孝經》
一卷,亡。"

《唐·經籍志》:"古文《孝經》一卷,劉邵注。"《藝文志》:"古文
《孝經》劉邵注一卷。"按邵注古文《孝經》,惟兩《唐志》别出之。

《册府元龜·學校部·注釋門》:"劉邵爲光禄大夫,注《孝經》
二卷。"

衛覬 孝經固

《魏志》本傳:"覬字伯儒,河東安邑人也。少夙成,以才學稱。
太祖辟爲司空掾屬,除茂陵令、尚書郎、治書侍御史。魏國既
建,拜侍中。文帝即王位,爲尚書。頃之,還漢朝爲侍郎,勸
贊禪代。文帝踐祚,復爲尚書,封陽吉亭侯。明帝即位,進封

閬鄉侯，三百户。薨，諡曰敬侯。”

《古文苑》聞人牟準《敬侯碑陰文》曰：“敬侯所著述、注解故訓及文筆等甚多，皆已失墜。所注有《孝經固》。”宋章樵注曰：“漢儒注釋《詩》、《書》有‘故’，此注釋《孝經》之名，恐字誤。”

何晏　孝經注一卷　晏始末見易類。

《釋文·叙録》：“何晏字平叔，南陽人。魏吏部尚書、駙馬都尉、關内侯，注《孝經》。”《隋書·經籍志》：“梁有魏吏部尚書何晏注《孝經》一卷，亡。”

王肅　孝經解一卷　肅始末見易類。

《唐會要》：“開元七年，左庶子劉知幾議曰：王肅《孝經傳》首有司馬宣王之奏，云奉詔令諸儒注述《孝經》，以肅説爲長。”

《釋文·叙録》：“孔安國、馬融、鄭衆、鄭玄、王肅並注《孝經》。”《隋書·經籍志》：“《孝經》一卷，王肅解。”《唐·經籍志》：“《孝經》一卷，王肅注。”《藝文志》：“《孝經》王肅注，一卷。”

馬國翰輯本序曰：“王肅注《孝經》一卷，今佚，從《注疏》、《釋文》、《史記集解》、《通鑑注》輯録二十二節。子雍好攻鄭氏學，此解不見有駁難之處，蓋唐明皇帝作注時悉汰去之。”

虞翻　孝經注　翻始末見易類。

唐玄宗御注《孝經序》曰：“韋昭、王肅，先儒之領袖，虞翻、劉卲抑又次焉。”

《經義攷》王應麟曰：“唐玄宗《孝經》序六家異同，今攷《經典序録》有孔、鄭、王、劉、韋五家，而無虞翻注。《隋》、《唐志》皆不載。”按《困學紀聞》無末句，蓋朱氏足之也。全氏箋云：“劉謂劉炫，非是。”

嚴畯　孝經傳

《吳志》本傳：“畯字曼才，彭城人也。少耽學，善《詩》、《書》、三《禮》，又好《説文》。避亂江東，與諸葛瑾、步騭齊名友善。

張昭進之於孫權，權以爲騎都尉、從事中郎。權爲吳王，及稱
尊號，峻嘗爲衛尉，使至蜀，蜀相諸葛亮深善之。後爲尚書，
卒。峻著《孝經傳》傳於世。"《吳書》曰峻卒時年七十八。

侯《志》曰："《張昭傳》云：'權嘗問衛尉嚴峻，寧念小時所闇書
否。峻因誦《孝經》仲尼居。'則峻所習者，今文也。又據邢
《疏》，則三國時王肅、蘇林、何晏、劉邵、韋邵、徐整諸家所注
亦皆今文也。"

韋昭　孝經解讚一卷　昭始末見詩類。

《釋文·叙錄》："韋昭字弘嗣，吳郡人，吳侍中，領左國史、高
陵亭侯。爲晋諱改爲曜，注《孝經》。"《隋書·經籍志》："《孝
經解讚》一卷，韋昭解。"《唐·經籍志》："《孝經》一卷，韋昭
注。"《藝文志》："《孝經》韋昭注，一卷。"

馬國翰輯本序曰："韋氏《解讚》，《隋》、《唐志》著録，今佚。從
《注疏》所引得十節，又《儀禮經傳通解》引一節，《正義》脱文
也，並據輯録，其説'衣美不安'，'食旨不甘'，訓義切實，與鄭
康成箋《詩》相似。至'郊祀后稷以配天'，全用鄭義。然則書
名《解讚》，或讚鄭解也歟？"

徐整　孝經默注一卷　整始末見詩類。

《釋文·叙錄》："王肅、蘇林、何晏、劉邵、韋昭、徐整並注《孝
經》。"《隋書·經籍志》："《孝經默注》一卷，徐整注。"《唐·經
籍志》："《孝經默注》二卷，徐整注。"《藝文志》："徐整《默注》
二卷。"

孫熙　孝經注一卷

《釋文·叙錄》："孫氏，不詳何人，注《孝經》。"《隋書·經籍
志》："梁有孫氏注《孝經》一卷，亡。"《唐·經籍志》："《孝經》
一卷，孫熙注。"《藝文志》："《孝經》孫熙注，一卷。"

《經義攷》曰："按《七録》有孫氏注《孝經》一卷。《釋文·叙

録》云不詳何人，當即熙也”。

侯《志》：“孫氏朝代不可攷，《隋志》列於蘇林、何晏、劉邵之後，《唐志》列於韋昭之後，蘇林之前。則當爲三國時人。”按《吳志》孫堅季弟靜，靜子瑜，好樂、墳典，雖在戎旅，誦聲不絕。瑜子熙，史但言歷列位，不著其何官，擬即此孫熙。① 蓋吳之宗室，大帝從子也，然亦無確證，不能定。

右孝經類凡一十三家一十三部。侯《志》有鄭小同一家，然攷《困學紀聞》以鄭氏注爲小同者，亦非碻證。今既録鄭玄、鄭儕二家，不當再出小同，做不録。

周生烈　論語注　烈始末見春秋類。

《魏志》王肅附傳注：“何晏《論語集解》有烈《義例》。”晏《集解》序曰：“近故司空陳羣、博士周生烈皆爲《義説》。”邢昺曰：“此二人皆爲《論語》作注而説其義，故云《義説》。”

馬國翰輯本序曰：“周生烈《義説》，《隋》、《唐志》皆不著録，惟何晏《集解》采之，凡十有四節。皇侃《疏》明標周生烈，而邢《疏》並作‘周曰’。其説‘冉子退朝’，爲魯君之朝，與鄭玄解季氏私朝不合，説鄉原爲‘所至之鄉，輒原其人情，而爲己意以待之’，更迂曲戾於孟子。然其他解悉純正，朱子《集注》用之，惜無從得其全書以甄合是非爲可憾爾。”

陳羣　論語義説

《魏志》本傳：“羣字長文，潁川許昌人也。祖父寔，父紀，叔父諶，並有盛名。劉備臨豫州，辟羣爲別駕，舉茂才，除柘令，不行，隨紀避難徐州。屬呂布破，太祖辟爲司空西曹掾屬。除蕭贊長平令，父卒去官。後以司徒掾舉高第，爲治書侍御史，參丞相軍事。魏國既建，遷爲御史中丞，轉侍中，領丞相東西曹掾。文帝踐阼，爲尚書令。明帝即位，進封潁陰侯，爲司

---

① “擬”，《二十五史補編》本作“似”。

空,録尚書事。青龍四年薨,諡曰靖侯。"錢塘汪師韓《文選理
學權與》曰:"選注所引羣書,有陳羣《論語義説》。"

馬國翰輯本序曰:"陳氏此注《隋》、《唐志》皆不著録,佚已久。
何晏《集解》取陳説僅三節,其説季路問事鬼神與《世説新語》
注引馬融正同,蓋羣之爲説多述前人,何氏已引包、孔、馬、
鄭,不復再標陳曰也。"

王肅　論語注十卷　　肅始末見易類。

《釋文·叙録》:"《論語》王肅注,十卷。"《隋書·經籍志》:"梁
有王肅注《論語》十卷,亡。"《唐·經籍志》:"《論語》十卷,王
肅注。"《藝文志》:"王肅注《論語》十卷。"

馬國翰輯本序曰:"王肅《論語注》今佚不可見,惟何晏《集解》
引凡三十九節,皇侃《義疏》、邢昺《疏》、韓愈《筆解》引肅説,
而非何氏所采者又得七節,衰輯一卷。肅好攻駁康成,往往
強詞求勝,前儒多非之。然其説'管仲不死子糾之難',以爲
'君臣之義未正',實有特識。又皇《疏》引王朗説四節,攷《魏
志》本傳不言朗著《論語》。《七録》、《隋》、《唐志》亦均不載。
或者肅傳父業,如續《易傳》之類。朗説見肅書,侃及見而稱
之歟?"

王肅　論語釋駁三卷

《隋書·經籍志》:"梁有《論語釋駁》三卷,王肅撰,亡。"

按馬氏注古文《論語》,鄭亦有古文《論語注》,用其本而爲之
注也。鄭又別有《論語釋義》之注。疑即古文《論語注》之異名。並見
《釋文》、《隋》、《唐志》,此或據馬以駁鄭之《釋義》,又或當時
有駁肅《論語義》者,肅從而釋之爲是書。

何晏　論語集解十卷　　晏始末見易類。

序曰:"今集諸家之善説,記其姓名,有不安者,頗爲改易,名
曰《論語集解》,光禄大夫關内侯臣孫邕、光禄大夫臣鄭沖、散

騎常侍中領軍臣曹羲、侍中臣荀顗、尚書駙馬都尉關内侯臣
何晏等上。”

《晋書·鄭沖傳》：“初，沖與孫邕、曹羲、荀顗、何晏共集《論
語》諸家訓注之善者，記其姓名，因從其義，有不安者，輒改易
之，名曰《論語集解》。成，奏之魏朝，於今傳焉。”

《釋文·叙録》：“魏吏部尚書何晏集孔安國、包咸、周氏、馬
融、鄭玄、陳羣、王肅、周生烈之説，并下己意，爲《集解》十卷，
正始中上之，盛行於世。”

《隋書·經籍志》：“《集解論語》十卷，何晏集。”《唐·經籍
志》：“《論語》十卷，何晏集解。”《藝文志》：“何晏《集解》十
卷。”《宋史·藝文志》：“《論語》十卷，何晏等集解。”

《四庫提要》曰：“皇侃《義疏》書前有《奏進論語集解序》，題孫
邕等五人之名。《晋書》亦兼稱五人，今本乃獨稱何晏者，殆
晏以親貴總領其事歟。晏，何進之孫，何咸之子也。”

光緒十年日本使者遵義黎庶昌《刻古逸叢書叙目》曰：“覆正
平本《論語集解》十卷。此書根源隋唐舊鈔，字句與今行本異
同甚夥，往往合於陸氏《釋文》，字畫亦奇古。卷末題“堺浦道
祐居士重新命工鏤梓，正平甲辰五月吉日謹誌”。正平甲辰
當元順帝至正二十四年，其云重新鏤梓，則以前有刻本可知，
然時代無攷矣。”

王弼　論語釋疑三卷 弼始末具易類。

《釋文·叙録》：“《論語》王弼釋疑三卷。”《隋書·經籍志》：
“《論語釋疑》三卷，王弼撰。”《唐·經籍志》：“《論語釋疑》二
卷，王弼撰。”《藝文志》：“王弼《釋疑》二卷。”

余蕭客《古經解鉤沈·叙録》曰：“《釋文》引王弼《論語音》。”

馬國翰輯本序曰：“王弼《釋疑》今閒見於《釋文》、《正義》，兹
更從皇侃《義疏》采輯共得四十節，合爲一卷。”

虞翻　論語注十卷　翻始末具易類。

《吴志》本傳："翻又爲《老子》、《論語》、《國語》訓注，皆傳於世。"

《釋文·叙録》："《論語》虞翻注，十卷。"《隋書·經籍志》："梁有虞翻注《論語》十卷，亡。"

張昭　論語注　昭始末具春秋類。

《吴志》本傳："權既稱尊號，昭以老病，上還官位及所統領。更拜輔吴將軍，班亞三司，改封婁侯，食邑萬户。在里宅無事，乃著《春秋左氏傳解》及《論語注》。"

譙周　論語注十卷　周始末見禮類。

《釋文·叙録》："譙周字允南，巴西人，晋散騎常侍，不拜，陽城亭侯，《論語注》十卷。"《隋書·經籍志》："梁有譙周注《論語》十卷，亡。"

馬國翰輯本序曰："《七録》有譙周《論語注》十卷。《唐志》不著録，而《釋文·叙録》有之，今佚。惟《釋文》引一節，《續漢書·禮儀志》劉昭注引一節。"

右論語類凡八家，九部。 侯《志》有程秉《論語弼》，今并入五經總義類，又有韋昭《魯論解》，據羅願《爾雅翼》引一條爲證，《古經解鉤沈》亦著於録。今攷諸書皆不言昭有《論語注》，羅願所引似昭《國語》句中之《魯語解》轉寫之誤也，今不録。

黄初一字石經二部

《隋書·經籍志》："梁有《今字石經鄭氏尚書》八卷，《毛詩》二卷，亡。"

《唐書·經籍志》："《今字石經鄭玄尚書》八卷、《今字石經毛詩》三卷。"《藝文志》同。

侯《志》曰："《唐志》所云今字者，皆一字，蓋指隸書一體也。一字本漢時所建，而《毛詩》、鄭氏《尚書》後漢不立學官，必無刊石之理。全祖望謂是黄初時邯鄲淳補修。引魚豢《魏略·

儒宗傳》序曰‘黃初元年之後，新王乃始埽除太學灰炭，補舊石碑之缺壞’云云按見《王肅傳》注。爲證，謂是時淳方以博士給事中，是補正熹平隸字舊刻者，淳焉。且謂《隋志》以正始石經爲一字，其誤即原於此，今從之。”又云：“全氏并欲以《隋志》之《魯詩》、《儀禮》、《春秋》石經盡歸之邯鄲淳，則未敢從，蓋漢碑本有八種也。”

又曰：“全氏之意以熹平、黃初所立石經皆一字，正始所立乃是三字。諸家但知有熹平、正始二刻，全氏細繹史注，乃知復有黃初補刻也。”

正始三字石經二部

《隋書·經籍志》：“《三字石經尚書》九卷，梁有十三卷。《三字石經尚書》五卷，《三字石經春秋》三卷，梁有十二卷。”

《唐書·經籍志》：“《三字石經尚書古篆》三卷、《三字石經左傳古篆書》十三卷。”《藝文志》同。

《晋書·衛恒傳》：“恒作《四體書勢》，曰魏初傳古文者，出於邯鄲淳。恒祖敬侯凱覬寫淳《尚書》，後以示淳，而淳不別。至正始中，立三字石經，轉失淳法，因科斗之名，遂效其形。”

《太平御覽·碑部》引戴延之《西征記》曰：“國子堂前有刻碑，南北行三十五版。表裏書《春秋經》、《尚書》二部，大篆、隸、科斗三種字，碑長八尺。今有十八版存，餘皆崩。”

《經義攷》曰：“魏石經本屬三字，惟《典論》一卷乃一字爾。世傳經爲邯鄲淳所書，而《晋書·衛恒傳》謂正始中立三字石經，轉失淳法。其非淳書明矣。《趙至傳》云：‘年十四，詣洛陽，游太學，遇嵇康於學寫石經，徘徊不能去。’嵇紹亦曰：‘至入太學，覩先君在學寫石經古文。’然則正始石經實康等所書也。”

陽湖孫星衍《魏三體石經遺字攷序》曰：“《隸續》所載三字石經蓋魏正始中立石。宋皇祐時，蘇望得搨本，摹刻於洛陽，古文三百七、篆文二百十七、隸書二百九十五,凡八百一十九。爲《尚書‧大誥》、《吕刑》、《文侯之命》、《春秋左氏》桓、莊、宣、襄四公經文,亦有傳。蘇氏又以《尚書》、《春秋左氏》錯雜成文,命爲《左傳》,不加分別,蒙就《隸續》所載,理而董之。”

高貴鄉公　太學講義　公詳見春秋類。

《魏志‧本紀》:“甘露元年夏四月丙辰,帝幸太學,問諸儒夏《連山》,①殷《歸藏》,周《周易》之故,易博士淳于俊對。講《易》畢後命講《尚書》,博士庾峻對。復命講《禮記》,博士馬照對。”

《晋書‧庾峻傳》:“高貴鄉公幸太學,問《尚書》義於峻,峻援引師説,發明經旨,申暢疑滯,對答詳悉。”

按是日所講見於本紀者尚千數百言,此必承祚從公本集中或當時注記所有采以入紀,恐節録非全文。其時政歸司馬氏,猶山陽公在位之日命荀悦作《漢紀》之時也。

隗禧②　諸經解

《魏志‧王肅傳》注:《略‧儒宗傳》:“禧字子牙,京兆人也,少好學。初平中,三輔亂,禧南客荆州,太祖召署軍謀掾。黄初中,爲譙王郎中,還拜郎中。年八十餘,以老處家,就之學者甚多。魚豢常從問《左氏傳》,禧答曰:“欲知幽微莫若《易》,人倫之紀莫若《禮》,多識山川草木之名莫若《詩》。《左氏》直相斫書耳,不足精意也。’豢因從問《詩》,禧説齊、韓、魯、毛四家義,不復執文,有如諷誦。又撰作《諸經解》數十萬言,未及繕寫而得聾,後數歲病亡。”

鄭小同　鄭志十一卷　小同始末具禮類。

---

① “山”,原作“三”,據《二十五史補編》本、殿本《三國志》改。

② “隗”,原作“魏”,據《二十五史補編》本、殿本《三國志》改。

《隋書·經籍志》：“《鄭志》十一卷，魏侍中鄭小同撰。”《唐·經籍志》：“《鄭志》九卷。”失注撰人。《藝文志》同。

《四庫簡明目録》曰：“《鄭志》三卷，魏鄭小同撰，鄭玄之孫也。玄没之後，門人述其問答爲八篇，小同編次爲十一卷。原本久佚，此亦好古者從諸書輯綴，以存鄭學之崖略也。”

遵義鄭珍《鄭學録》曰：“《鄭志》本傳八篇，《隋志》十一卷，《唐志》九卷，後亡。國朝祕府有一本，分上、中、下三卷，不知何人輯録。武英殿聚珍版印行。乾隆間王復、武億爲注明原書出處，更加訂正，又輯補遺一卷。按本傳云‘’門人相與撰玄答諸弟子問五經，依《論語》作《鄭志》八篇‘’，則此書明是鄭門弟子所記。而《隋志》獨云魏侍中鄭小同撰者，攷康成卒時，小同僅四五歲，安能記述祖時師弟問答，必是康成殁未久，諸弟子即各出所記，分五經類而萃之爲《志》八卷。後來小同更有所得，增編爲十一卷，自題己名，故《隋志》歸之小同撰耳。”

王肅　聖證論十二卷　肅始末見易類。

《魏志》本傳：“初肅善賈、馬之學而不好鄭氏，又集《聖證論》以譏短玄。”

《釋文·叙録》曰：“肅又作《聖證論》難鄭玄。”《隋書·經籍志》：“《聖證論》十二卷，王肅撰。”《日本國見在書目》同。《唐·經籍志》：“《聖證論》十一卷。”失注撰人。《藝文志》：“王肅《聖證論》十一卷。”

王應麟《困學紀聞》曰：“王肅《聖證論》譏短鄭康成，謂天體無二，郊、丘爲一。禘是五年大祭先祖，非圜丘及郊。祖功宗德，是不毁之名，非配食明堂。皆有功於禮樂，先儒韙之。《聖證論》今不傳，《正義》僅見一二。”

侯《志》曰：“王肅經解平易近人；故晋宋以下多從之。近世崇尚鄭學攻肅者,幾於身無完膚。平心而論,肅經解豈無一得?
其立異於鄭,猶鄭之立異於賈、馬,此得彼失,本可並存。特
其專事掊擊,且僞造《家語》以自實其言,此則誠不免爲小人
儒耳。"

馬昭　聖證論難

張融　聖證論評

《舊唐書·元行沖傳》:"行沖著《釋疑論》曰:'子雍規玄數十
百件,守鄭學者,時有中郎馬昭,上書以爲肅繆。詔王學之
輩,占答以聞。又遣博士張融按經論詰,_{融等或作登。}召集,分
別推處,理之是非,具《聖證論》。王肅酬對,疲於歲時。'又
曰:'王肅改鄭六十八條,張融覈之,將定臧否。融稱玄注泉
深_{唐諱"淵",故改爲"泉"。}廣博,兩漢四百餘年,未有偉於玄者。然
二郊之祭,殊天之祀,此玄誤也。其如皇天祖所自出之帝,亦
玄慮之失也。'"

嘉定錢大昕《三國志攷異》曰:"高貴鄉公紀有博士馬照。按
《毛詩正義》往往載馬昭説,即其人也。昭説經主鄭氏,與王
肅多異。"

侯《志》曰:"諸經引《聖證論》者,往往兼引馬昭、張融説。《高
貴鄉公紀》有博士馬照。錢氏《攷異》謂即馬昭也。張融亦魏
博士,見《隋志》論語類。"

馬國翰輯本序曰:"《聖證論》一卷,魏王肅撰,馬昭駁,孔晁
答,張融評。《舊唐書·元行沖傳》云:'詔王學之輩,占答以
聞。'今以諸引馬昭、張融多參孔晁説而黨于王,則晁固王學
輩之首選也。《隋志》十二卷,《唐志》十一卷,今佚。采輯四
十餘條,依經編次爲卷。"_{王氏《漢魏遺書鈔》亦輯録一卷。}

按肅本書篇卷無攷,《隋》、《唐志》作十二卷、十一卷者,皆附
馬、張等諸家之説在内,乃後人重編也。

孫炎　聖證論駁　炎始末見易類。

《魏志·王肅傳》：“樂安孫叔然，授學鄭玄之門，人稱東州大儒。肅集《聖證論》以譏短玄，叔然駁而釋之。”

虞翻　奏上鄭注五經違失事因　翻始末見易類。“因”或作“目”，未詳孰是，似當爲“目”。

《吳志》傳注引《翻別傳》：“翻又奏鄭注《尚書》違失事因，曰伏見故徵士北海鄭玄所注《尚書》，以《顧命》康王執瑁，古‘月’似‘同’，從誤作‘同’，既不覺定，復訓爲杯，謂之酒杯。成王疾困憑几，洮頮爲濯，以爲瀚衣成事，‘洮’字虛更作‘濯’，以從其非。又古大篆‘卯’字當讀爲‘柳’，古‘柳’、‘卯’同字，而以爲昧。‘分北三苗’，‘北’古‘別’字，又訓北，言北猶別也。若此之類，誠可怪也。玉人職曰天子執瑁以朝諸侯，謂之酒杯。天子頮面，謂之瀚衣。古篆‘卯’字，反以爲昧。甚違不知蓋缺之義。於此數事，誤莫大焉，宜命學官定此三事，又馬融訓注亦以爲同者大同天下，今經益‘金’就作‘銅’字，詁訓言天子副璽，雖皆不得，猶愈於玄。然此不定，臣没之後，而奮乎百世，雖世有知者，懷謙莫或奏正。又玄所注五經，違義尤甚者百六十七事，不可不正。行乎學校，傳乎將來，臣竊恥之。”

程秉　周易摘尚書駁論語弼

《吳志》本傳：“秉字德樞，汝南南頓人也。逮事鄭玄，後避亂交州，與劉熙玫論大義，遂博通五經。士燮命爲長史。權聞其名儒，以禮徵秉，既到，拜太子太傅。黃武四年，[①]權爲太子登娉周瑜女，秉守太常，迎妃於吳。既還，病卒官。著《周易摘》、《尚書駁》、或作《商書》。《論語弼》凡三萬餘言。”

---

①　“武”，原作“輔”，據《二十五史補編本》、殿本《三國志》改。

譙周　五經然否論五卷　<small>周始末見禮類。</small>

《蜀志》本傳："周誦讀典籍,研精六經。諸子文章非心所存,不悉徧視。凡所著述,撰定《五經論》。"

《蜀志·秦宓傳》："初宓見帝系之文,五帝皆同一族,宓辯其不然之本。又論皇帝王霸養龍之説,甚有通理。譙允南少時數往諮訪,記録其言於《春秋然否論》,文多故不載。"<small>按《春秋然否論》即《五經然否論》之篇目。</small>

《隋書·經籍志》："《五經然否論》五卷,晋散騎常侍譙周撰。"

《唐·經籍志》："《五經然否論》五卷,譙周撰。"《藝文志》："譙周《五經然否論》五卷。"

王謨輯本序曰："周書已久亡,羣書稱引絶少,《御覽》亦不載其目,《經義攷》鈔出《後漢書》注《通典》三條,今從《穀梁傳》注鈔出一條、《詩正義》一條、《禮記正義》二條,其他引譙周説,俱當屬《五經然否論》。悉附録之。"

馬國翰輯本序曰："此書《隋》、《唐志》皆五卷,今佚,《穀梁傳疏》引一節,《通典》引二十餘節,内有明標《五經然否論》者三節。參以《後漢補志》注、劉恕《通鑑外紀》所引,並同。又引譙周《禮記集志》二節,《縗服圖》、《集圖》各一節。説祭禮喪服似是論之篇目,餘只標蜀譙周,省文也。合輯一帙,以明言書名者列前。其標集志、集圖及止稱名者附後。周經説長於禮服,宜陳壽以'潛識内敏'稱之也。"

右五經總義類凡一十二家,一十四部。

孫炎　爾雅注六卷　<small>炎始末見易類。</small>

《魏志·王肅附傳》："樂安孫叔然作《毛詩》、《禮記》、《春秋》三傳、《爾雅》諸注。"

《釋文·叙録》："《爾雅》孫炎注,三卷。"《隋書·經籍志》："《爾雅》七卷,孫炎注。"《唐·經籍志》："《爾雅》六卷,孫炎

注。"《藝文志》："孫炎注,六卷。"^{按《隋志》七卷者,并《音》一卷在内也。}

邢昺疏序曰："其爲注者,則有犍爲文學、劉歆、樊光、李巡、孫炎,雖各名家,猶未詳備。其爲義疏者,則俗聞有孫炎、高連,皆淺近俗儒,不經師匠。"

馬國翰輯本序曰："孫炎《注》,《隋志》七卷,《唐志》六卷,《釋文・叙録》三卷,今佚,輯爲上、中、下三卷。叔然受學鄭玄之門,人稱東周大儒,其訓義之優洽可知。郭景純注多用孫氏,其改舊説者往往遜之,亦以所取法者上也。邢《疏》序於融、孫炎外又云俗聞有孫炎《義疏》,則《宋志》稱孫炎《疏》十卷者是也。蓋唐、宋間人與叔然同名,今别輯不使相混云。"^{甘泉黃奭漢學堂亦輯存一卷。}

孫炎　爾雅音一卷

《顔氏家訓・音辭篇》："孫叔然剏《爾雅音義》。是漢末人,獨知反語。至於魏世,此事大行。高貴鄉公不解反語,以爲怪異。自兹厥後,音韻鋒出,各有土風,遞相非笑。"

《釋文・叙録》曰："古人音書止爲譬况之説,孫炎始爲反語。"又曰："《爾雅》孫炎注三卷,《音》一卷。"《隋書・經籍志》："梁有《爾雅音》二卷,孫炎、郭璞撰,亡。"

《玉海・藝文》小學類曰："世謂倉頡制字,孫炎作音,沈約撰韻,同爲椎輪之始。"

馬國翰輯本序曰："炎既注《爾雅》,又爲之《音》。《隋志》有《音》二卷,孫炎、郭璞撰,亡。《唐志》有郭氏《音》一卷,孫《音》不著録,佚已久。兹既輯録孫注,别輯其《音》爲卷。"

劉邵　爾雅注　^{邵始末見樂類。}

《初學記・歲時部》引《爾雅》曰："蟋蟀,蛬。"劉邵注云謂蜘蜻也。孫炎云梁國謂之蛬。

按《魏志》本傳稱邵所撰述凡百餘篇,不言有《爾雅注》。《釋

文》及《隋》、《唐志》亦俱不載，而《初學記》此條首引《爾雅》本
文，次引劉邵注，又次引孫炎、郭璞注，甚是分明，無可疑者。
攷郭景純序，言注者十有餘家，邢《疏》舉郭璞之前注家有犍
爲文學、劉歆、樊光、李巡、孫炎，又《五經正義》所援引某氏、
謝氏、顧氏凡八家，餘亦未知誰氏。汪師韓《文選注引書目》：《爾雅》有
孫、林、包氏。然則劉邵之注當在郭氏所采十餘家中，《初學記》
所引未必見其本書。

張揖　廣雅三卷

顏師古《漢書叙例》曰：“張揖字稚讓，清河人，一云河閒人。
魏太和中爲博士。”

揖《進表》曰：“博士臣揖言，臣揖體質蒙蔽，學淺詞頑，言無足
取，竊以所識，擇撢羣藝，文同義異，音轉失讀，八方殊語，庶
物易名，不在《爾雅》者，詳錄品覈，以著於篇，凡萬八千一百
五十文。分爲上、中、下，以類方徠俊哲，洪秀韋彥之倫，扣其
兩端，摘其過謬，令得用諂，亦所企想也。”

《隋書·經籍志》：“《廣雅》三卷，魏博士張揖撰。梁有四卷。”
《日本國人見在書目》：“《廣雅》三卷，張揖撰。”《唐·經籍
志》：“《廣雅》四卷，張揖撰。”《藝文志》：“張揖《廣雅》四卷。”
《宋史·藝文志》：“張揖《廣雅音》三卷。”

《四庫提要》曰：“《廣雅》十卷，魏張揖撰。其書因《爾雅》舊
目，博采漢儒箋注及《三倉》、《説文》諸書以增廣之。於揚雄
《方言》亦備載無遺。揖《進表》稱分上、中、下。《隋志》三卷，
與表所言合。《七錄》作四卷者，由後來傳寫析其篇目。後人
又析爲十卷，隋祕書學士曹憲爲之音釋，避煬帝諱改名《博
雅》，故至今二名並稱，實一書也。”

曹侯彥　字義訓音六卷

《魏志·曹真傳》：“真字子丹，太祖族子也。明帝時至大司

馬,進封邵陵侯,諡曰元侯。子爽嗣。帝追思真功,詔悉封真五子羲、訓、則、彥、皚皆爲列侯。彥爲散騎常侍侍講。"又《齊王本紀》:"嘉平元年春正月,太傅司馬宣王奏免大將軍曹爽、爽弟中領軍羲、武衛將軍訓、散騎常侍彥官,以侯就第。"彥事蹟見於《魏志》者僅此。

《隋書·經籍志》:"梁有《字義訓音》六卷,曹侯彥撰,亡。"

南康謝啟昆《小學攷》曰:"按《字義訓音》,《七錄》稱曹侯彥撰,蓋以彥當爲列侯也。"

按曹侯彥別有《古今字苑》一書,見後。《法書要錄》載梁庾元威《論》稱爲曹產,蓋彥字之誤。是亦足以證曹侯彥實爲曹彥矣。《小學攷》所言是也。當曹爽被誅時,曹羲、曹訓、何晏、鄧颺、丁謐、畢軌、李勝、桓範、張當,凡八族十家咸及於難,見《齊王紀》及《爽傳》,獨不及則、彥、皚三人。《御覽·刑法部》引《三十國春秋》則謂爽與羲、訓、彥並斬,夷三族,則亦同時遇害者也。《太平御覽》六百四十八引曹彥議復肉刑一篇,固能文之士也。

韋昭　辯釋名一卷　昭始末具詩類。

《吳志》本傳:"鳳皇二年,曜因獄吏上辭曰:'又見劉熙所作《釋名》,信多佳者,然物類眾多,難得詳究,故時有得失,而爵位之事,又有非是。愚以官爵,今之所急,不宜乖誤,因自忘至微,又作《官職訓》及《辯釋名》各一卷,欲表上之。新寫始畢,會以無狀,幽囚待命,泯没之日,恨不上聞,謹以先死列狀,乞上言祕府,於外料取,呈内以進。懼淺蔽不合天聽,抱怖雀息,乞垂哀省。'曜冀以此求免,而皓更怪其書之垢,故又以詰曜。曜對曰:'囚撰此書,實欲表上,懼有誤謬,數數省讀,不覺點污。被問寒戰,形氣呐喫。謹追辭叩頭五百下,兩手自搏。'"

《隋書·經籍志》："《辯釋名》一卷，韋昭撰。"《唐·藝文志》：
"韋昭《辯釋名》一卷。"《官職訓》一卷，別見史部職官類中。

鎮陽畢沅《辯釋名補遺》序曰："韋昭《官職訓》及《辯釋名》據
昭自言各一卷，則抒然成帙，今雖亡失，其引見唐、宋人書者
當不止於是，而予之所見僅此而已。"

馬國翰輯本序曰："韋昭《辯釋名》，今輯錄二十五節。其二十
三節皆論辯官制。先列《釋名》原文，後加'辯曰'以別之。其
無者，引文脱也。今《釋名》内無《釋官篇》，當是後人緣昭辯
而删之。而劉熙之説亦借此以存其缺佚。"興化任大椿《小學鉤沈》
中亦輯錄一卷。

右訓詁之屬凡五家六部。

張揖　埤倉二卷 揖見前。

《隋書·經籍志》："《埤蒼》三卷，張揖撰。"《唐·經籍志》："
《埤蒼》三卷，張揖撰。"《唐·藝文志》："張揖《埤蒼》三卷。"
唐日本國人佐世《見在書目》："《埤蒼》二卷，張揖撰。"《册府
元龜·學校部》小學門："張揖撰《埤蒼》二卷。"《通志·藝文
略》："《埤蒼》三卷，張揖撰。"又注云《隋志》二卷。《玉海·藝
文類》引《隋志》"《埤蒼》二卷"。《小學攷》：張氏揖《埤倉》，
《隋志》二卷。

按《日本書目》云《埤蒼》二卷，佐世，開寶後人，奉敕撰録官庫書，實見其
本，故所載卷數尤可憑信。《册府元龜》、《通志略》、《玉海》、《小學
攷》引《隋志》亦云二卷，今本《隋志》作三卷者，乃宋以後人據
兩《唐志》所改也，其譌二卷爲三卷，則自《舊唐志》始。馬氏
《玉函山房》、任氏《小學鉤沈》並有輯本。《小學攷》有陳仲魚
鱣。輯本二卷，未見。陶孝逸學使在時，從唐本《玉篇》、《大藏
音義》諸書增輯三百餘條，未寫清本，予爲編次成帙，亦二卷，
未刊。

又按唐本《玉篇·言部》說字下引曰《堖倉頡》。《大藏音義》五十三礓石字下亦引云《堖倉頡》。諸書引《堖倉》逸文今可攷見者凡六百餘條，皆訓詁之言，無一條引《堖倉》本文者。如《倉頡篇》之考姃延年漢兼天下云云者，皆本文也。而其中所詁之字同《倉頡》、《急就篇》者百十有餘。《急就篇》中之字皆《倉頡篇》本文。同《三倉》者二十有餘。三倉中《倉頡篇》居首。推尋端緒皆不離《倉頡》、《三倉》兩書。《漢·藝文志》有杜林《倉頡故》、《倉頡訓纂》各一篇。《隋志》："梁有《倉頡》二卷，後漢司空杜林注。"稚讓此書其即堖補杜伯山之注，故唐人稱引作《堖倉頡》歟？又《大藏音義》、玄應《一切經音義》、《文選注》、《後漢書注》諸書或引作《堖倉篇》，或變其字作"鞞"，又作"鼙"、"埤"、"裨"並與"堖"通。"倉"、"蒼"古今字，漢碑多作"倉，"六朝人亦多書作"倉"。

張揖　三倉訓詁三卷

《唐書·經籍志》："《三蒼訓詁》二卷，張揖撰。"《唐·藝文志》："張揖《三蒼訓詁》三卷。"

《玉海·藝文》小學類引《隋志》曰："《三倉訓詁》三卷，魏博士張揖撰。"按今本《隋志》無《三倉訓詁》，而《玉海》引《隋志》有之。又《册府元龜》引《隋志》亦有張揖《三倉訓詁》三卷，知今本《隋志》此一條有脫誤。

孫星衍《倉頡篇》輯本序曰："《三倉訓詁》三卷者，魏張揖、晉郭璞所撰。唐人引《三倉》多雜反語，實出郭璞爲多，或亦名張揖。"

謝啟昆《小學攷》曰："張揖《三倉訓詁》、郭璞《三倉解詁》原書已亡，其見於傳注、字部類書、内典所引者，近孫氏星衍輯爲一書，凡三卷。所采張揖、郭璞皆存其名，惜無可別者尚多。"

按稚讓既作《堖倉》以堖補杜伯山《倉頡篇注本》之缺，又取郎中賈魴所合《三倉》詳見《後漢藝文志》中。而訓詁之。其後郭景純又有《三倉解詁》，故諸書所引多郭注，其明引張揖《訓詁》者，僅《史記索隱》、《文選注》兩三條，見孫氏《倉頡篇》輯本及任氏輯本。

張揖　古今字詁三卷

《太平御覽》六百五引王隱《晋書》曰：“魏太和六年，河間張揖上《古今字詁》。其巾部曰‘紙，今幣也，其字從巾’云云。”據此言其書有巾部，大抵與《説文》部分略相同。

《魏書·江式傳》：“式上《論書表》曰：‘魏初博士清河張揖著《埤倉》、《廣雅》、《古今字詁》，究諸《埤》、《廣》，綴拾遺漏，增長事類，抑亦於文爲益者也。然其《字詁》，方之許篇，古今體用，或得或失矣。陳留邯鄲淳亦與揖同時，有名於揖。’”

《隋書·經籍志》：“《古今字詁》三卷，張揖撰。”《唐·經籍志》：“《古文字詁》二卷，張揖撰。”《藝文志》：“張揖《古文字訓》二卷。”

侯《志》曰：“《古今字詁》見於《釋文》、兩《漢書》注、《史記索隱》、《文選注》、《一切經音義》者甚多，任大椿《小學鉤沈》備載之。”

按《漢·藝文志》孝經類有《古今字》一卷，稚讓或取其書而詁之，故曰《古今字詁》。亦或益以後出孳生之字依準許篇爲部分，未可知也。任輯外又有馬氏玉函山房輯本，《小學攷》又有海寧陳鱣輯本，各一卷。

張揖　雜字一卷

《隋書·經籍志》：“梁有《難字》一卷，張揖撰，亡。”《唐·藝文志》：“張揖《雜字》一卷。”

《册府元龜·學校部》小學門：“張揖撰《埤倉》二卷，《古今字詁》三卷，又云揖撰《三倉難字》一卷，《詁訓》一卷。”按此所引皆據《隋志》。“三倉”二字當在“詁訓”之上，疑《册府》轉寫亂之。《難字》當爲《雜字》，則沿《隋志》之寫誤也，詳見後一條。

馬國翰輯本序曰：“《隋志》作《難字》，《唐志》云《雜字》，今佚。

陸德明《釋文》引張揖《雜字》。唐釋元應《一切經音義》亦引
張揖《雜字》，或止標張揖。司馬貞《索隱》亦引張揖説，皆此
書佚文，並據輯録其中。如詁字云，詁者，古今之異語也。訓
字云，訓者，謂字有意義也。皆非難識。則《唐志》題《雜字》
爲是也。其以《雜字》名者，雜采成編，不復類次要，是補所作
諸書之缺遺也。"

按稚讓之前有郭訓《雜字指》，疑此亦補注郭氏書。然馬説近
得其實也。任氏《小學鉤沈》亦輯存七條。

張揖　錯誤字一卷　<small>疑本名《錯誤字諟》。</small>

《隋書·經籍志》："梁有《難字》一卷，《錯誤字》一卷，並張揖
撰，亡。"

《册府元龜·學校部》小學門："張揖撰《諟字》一卷。<small>按當爲《字
諟》。</small>"

按《廣韻》引《字諟》凡四條。任氏《小學鉤沈》録之，證以《册
府元龜》所載，蓋即張揖《字諟》也。《册府》此條亦據《隋志》，
有《字諟》，無《錯誤字》。按《廣韻》，諟，正也，與是通。《陳
書·姚察傳》"諟正文字"作此"諟"。此書因錯誤字而諟正
之，其名當是《錯誤字諟》。《廣韻》省文作《字諟》，今本《隋
志》脱"諟"字，《册府元龜》譌敚作《諟字》。

附《隋·經籍志》校文一卷。<small>此條脱誤最甚，宋王欽若等所見不如是也。
今以《册府元龜》、《廣韻》參訂之。</small>

《古文字詁》三卷。<small>張揖撰，梁有《雜字》一卷，《三倉訓詁》三卷，《錯誤字諟》一
卷，並張揖撰。</small>

張揖　集古文

《通志·藝文略》小學古文類："《集古文》張揖撰。"

按張輯《集古文》，郭忠恕《汗簡》凡九引之。侯君謨以爲即
《古今字詁》或當然，然《通志略》著録宋時或別有其本，今仍

別出之。其書不分卷,故亦無卷數。

又按稚讓之書今雖不可概見,然就其名書之意而尋繹之,則猶有可言者。《廣雅》廣《爾雅》之遺,《埤倉》埤《倉頡》之訓。以賈叔郎隸寫之《三倉》或未盡其説,及前漢相傳之古今字或無所發明也,於是又從而訓詁之。又爲《雜字》以補所缺遺,爲《字誤》以揭其謬誤,若《集古文》則甚似《古今字詁》之別編,殆後人所録。洪稚存《曉讀書齋四録》云六書至漢末,揖實集其大成,非吕忱、吕静等所能及,不其然歟?揖與蘇林同爲魏初博士,並及見服子慎。子慎著《通俗文序》,稱之。而《魏志》於蘇林則附見《劉劭傳》惟揖則《志》與注皆不之及。

周氏　雜字解詁四卷

《隋書·經籍志》:“《雜字解詁》四卷,魏掖庭右丞周氏撰。”

侯《志》曰:“康按《史記·高祖功臣表》索隱引周成《雜字解詁》。此外諸書有但稱周成《雜字》者,有但稱《雜字解詁》者,有稱《雜字》,稱周成,稱周成《難字》者。《御覽》卷八引一條,稱《雜字詁訓》,九百廿一引一條,稱周氏不稱周成。《廣韻》引一條,作《新字解詁》。皆即一書。而或少省其文或小易其名。《雜字》之爲《難字》,正與張揖書同,未知本有二名抑後人傳寫之誤。但必非兩書明矣。《小學鉤沈》分録之,殆非。”

馬國翰輯本序曰:“《類聚》、《御覽》諸書並題周成《雜字解詁》或作周成《雜字》,則周氏即周成明矣。元應《一切經音義》引作周成《難字》。《難字》或《雜字》之譌,抑或篇中有難字之目,今輯二十餘節,凡引作《難字》詳注於下。”

按《史記索隱》引周成《雜字解詁》,則《隋志》引《七録》作周氏者,“氏”蓋“成”之寫誤。故下文蒙上稱周成而不書其官。

周成　解文字七卷　疑本名《解字文》。

《隋書·經籍志》:“《雜字解詁》四卷,魏掖庭右丞周氏撰。按

"氏"當爲"成"。梁有《解文字》七卷,周成撰,亡。"《唐·經籍志》:"《解字文》七卷,周成撰。"《藝文志》:"周成《解文字》七卷。"

汪師韓《文選理學權輿》曰:"選注所引羣書,有周成《雜字》或稱《解字文》。"

按《雜字解詁》似即《解字文》之篇目,隋時僅存四卷,至唐而全書復出。故兩《唐志》著録《解字文》七卷,不復重出《雜字解詁》四卷也。選注引《解字文》與《舊唐志》合,疑是本名,《隋志》、《新唐志》誤倒其文。又按《解字文》或因許氏《説文解字》而作。許書十四篇,此合兩篇爲一卷,故七卷。審如是則與《雜字解詁》無涉。又按《雜字解詁》疑即爲張揖書而作。

曹侯彦　古今字苑十卷　曹侯彦見前。

《隋書·經籍志》:"梁有《字義訓音》六卷、《古今字苑》十卷,曹侯彦撰,亡。"

《法書要録》引梁庾元威《論書》曰:"許慎穿鑿,賈氏乃奏《説文》。曹産開拓,許侯爰成《字苑》。《説文》則形聲具舉,《字苑》則品類周悉。"按下文有云"且書文一反草木相從凡五百六十七部,合一萬五千九百一十五字。即日世中所行十分裁一,而今點畫失體深成怪也"。此數語不知是否即指此書。

按曹侯彦,《小學攷》以爲即是曹彦。庾氏論書又作曹産,似"彦"字之誤。或實有曹産字侯彦,其人無以詳知。其書廣《説文》之字,故云開拓許侯。其後葛稚川作《要用字苑》,似即從此書而節其要者。

朱育　異字苑二卷　育始末具詩類。

《吳志·虞翻傳》注《會稽典録》曰:"孫亮時有山陰朱育,少好奇字,凡所特達,依體詳類,造作異字千名以上。"

《隋書·經籍志》:"梁有《異字》二卷,朱育撰,亡。"據《廣韻》、《玉篇》引,當有"苑"字。

馬國翰輯本序曰:"郭忠恕《汗簡》引朱育《集字》、朱育《集古字》、朱育《集奇字》、朱育《字略》凡二十一條。《玉篇》、《廣韻》引《異字苑》七條，《異字音》二條，[①]要是一書，而引者意爲標題，故互有參差也。今並輯，各依所引録之。"

魏人　黃初篇一卷

《隋書·經籍志》："梁有《黃初篇》，亡。"《唐·經籍志》："《黃初章》一卷。"《藝文志》："《黃初篇》一卷。"

《小學攷》文字類："無名氏《黃初篇》，《七録》一卷。按篇首有黃初句，作者當在魏時。"

朱育　幼學篇二卷

《隋書·經籍志》："又有《幼學》二卷，朱育撰，亡。"《唐·經籍志》："《初學篇》一卷，朱嗣鄉撰。"《藝文志》："朱嗣卿《幼學篇》一卷。"

《小學攷》曰："《隋志》云朱育，《唐志》云朱嗣卿，嗣卿蓋育字也。"

項峻　始學篇十二卷

《隋書·經籍志》："又有《始學》十二卷，吳郎中項峻撰，亡。"《唐·經籍志》："《始學篇》十二卷，項峻撰。"《藝文志》："項峻《始學篇》十二卷。"

馬國翰輯本序曰："峻於《吳志》無傳，僅見《薛綜傳》華覈疏大皇赤帝末年，命太史令丁孚、郎中項峻始撰《吳書》。孚、峻俱非史才，其所撰述不足紀録，此外無可攷見。今從《初學記》、《太平御覽》等書輯得六節。"

侯《志》曰："《初學記》卷九，《藝文類聚》卷十一引顏峻《始學篇》。按顏當作項。《御覽》七十八引文相同，正作項。又《御覽》三百八十八引項氏《始學篇》，注其爲項氏。自注爲他人

注則不可攷矣。"

右字書之屬凡六家，一十三部。末二部爲幼儀之書，當入子部儒家，今姑從舊史入此類。

李登　聲類十卷

《隋書・經籍志》："《聲類》十卷，魏左校令李登撰。"《日本國見在書目》："《聲類》十卷，李登撰。"《唐・經籍志》同。《唐・藝文志》："李登《聲類》十卷。"

《隋書・潘徽傳》："徽撰《韻纂》序曰：李登《聲類》、呂靜《韻集》，始判清濁，纔分宮羽，而全無引據，過傷淺局，詩賦所須，卒難爲用。"

《封氏聞見記》："魏時有李登者，撰《聲類》十卷，凡一萬一千五百二十字，以五聲命字，不立諸部。"

侯《志》曰："《魏書・江式傳》云：'呂靜放李登《聲類》之法作《韻集》，宮、商、緑、①徵、羽各爲一篇。'據此則《聲類》亦分五音，故《潘徽傳》云然也。"

馬國翰輯本序曰："登字里未詳，官左校令。見《北史・江式傳》。其書發明聲韻，配合宮商，呂靜《韻集》本之。《隋》、《唐志》並十卷，今佚。輯録二百餘條，隱依今韻排次。按音韻之學萌芽漢代，鄭康成注六經始有譬況、假借以證音字。至魏孫炎爲鄭學之徒，注《爾雅》用反切音，益加詳而未有專書。登與炎同時作爲此編，其韻書之權輿乎！"

右韻書之屬一家一部。

右小學類凡三門，綜二十部。侯《志》有曹植《飛龍篇》，乃其《樂府》中之一首，非字書之流。今不録。又鍾繇《隸書勢》，實非鍾繇撰。與張宏《飛白序勢》並詳見子部雜藝術類。一字石經、三字石經並析入五經總義類。《一字石經典論》析入子部儒家。

---

① "緑"，原作"穌"，據《二十五史補編》本改。

宋均　河圖注　<small>均始末見孝經類。</small>

《隋書·經籍志》曰:"宋均、鄭玄並爲讖律之注。"

汪師韓《文選理學權輿》曰:"選注所引羣書有宋均《河圖
注》。"

《經義攷·毖緯篇》曰:"《河圖握矩起》宋均有注。"

侯《志》曰:"《初學記》、《御覽》數引宋均《河圖注》。其可攷見
篇名者惟《河圖矩起注》一條。《古微書》引宋注《河圖握矩
記》,即《河圖矩起》。以《御覽》攷之,則亦但稱《河圖注》耳。

宋均　洛書注

侯《志》曰:"《古微書》有宋均《洛書摘六辟注》。"

宋均　論語讖注八卷

《隋書·經籍志》:"梁又有《論語讖》八卷,宋均注,亡。"《唐·
經籍志》:"《論語緯》十卷,宋均注。"《藝文志》:"宋均注《論語
緯》十卷。"

汪師韓《文選理學權輿》曰:"選注所引羣書有《論語比攷讖》、
《論語撰攷讖》、《論語陰嬉讖》、《論語糺滑讖》、《論語摘輔像
讖》、《論語素王受命讖》、《論語崇爵讖》、《論語摘衰聖承進
讖》凡八種。"

侯《志》曰:"宋注《論語讖》有《摘輔象》、《摘衰聖》、《比攷讖》、
《陰嬉讖》、《撰攷讖》五種,《古微書》並載之。"

宋均　雜讖注

汪師韓《文選理學權輿》曰:"選注所引羣書有宋均《雜讖
注》。"

按宋注《雜讖》見選注所引。《隋志》有曰,河洛七經緯之外又
有《尚書中候》、《孝經句命決》、《援神契》、《雜讖》等書。又
曰,梁有《雜讖書》二十九卷,宋所注其即此書。

右讖書注

宋均　易緯注九卷

《唐書·經籍志》：“《易緯》九卷，宋均注。”《藝文志》：“宋均注《易緯》九卷。”

侯《志》曰：“《玉海》云《易緯》宋注不傳。康按宋注今可攷見者，祇有《初學記》、《御覽》引《通卦驗》，《古微書》引《坤靈圖》。”

宋均　書緯注

汪師韓《文選理學權輿》曰：“選注所引羣書有宋均《書緯注》。”

《經義攷》曰：“《尚書帝命驗》有宋均注。”

侯《志》曰：“按《書緯》五篇，今宋注可攷者四。《璇璣鈐》、《攷靈耀》、《帝命驗》、《運期授》，備載趙在翰《七緯》中，而《刑德放》注佚矣。”

宋均　詩緯注十卷

《隋書·經籍志》：“《詩緯》十八卷，魏博士宋均注，梁十卷。”

《日本國見在書目》：“《詩緯》十八卷，魏博士宋均注。”《唐·經籍志》：“《詩緯》十卷，宋均注。”《藝文志》：“宋均注《詩緯》十卷。”

侯《志》曰：“趙在翰《七緯》中有宋注《詩緯》、《推度災》、《汎曆樞》、《含神霧》三種。”

宋均　禮緯注三卷

唐《日本國人見在書目》：“《禮緯》三卷，宋均注。”《唐書·經籍志》同《藝文志》：“宋均注《禮緯》三卷。”

侯《志》曰：“趙在翰《七緯》中有宋注《禮緯·含文嘉》、《稽命徵》、《斗威儀》三種。”

宋均　樂緯注三卷

《隋書·經籍志》：“《樂緯》三卷，宋均注。”《日本國見在書目》

同。《唐·經籍志》同《藝文志》："宋均《樂緯注》三卷。"

侯《志》曰："趙在翰《七緯》中有宋均注《樂緯·動聲儀》、《稽耀嘉》、《叶圖徵》三種。"

宋均　春秋緯注三十八卷

《隋書·經籍志》："梁有《春秋緯》三十卷,宋均注,亡。"《日本國見在書目》："四十卷。"《唐·經籍志》："《春秋緯》三十八卷,宋均注。"《藝文志》："宋均注《春秋緯》三十八卷。"

侯《志》曰："趙在翰《七緯》中有宋注《春秋緯·演孔圖》、《元命苞》、《文耀鉤》、《運斗樞》、《感精符》、《合誠圖》、《攷異郵》、《保乾圖》、《漢含孳》、《佐助期》、《潛潭巴》、《説題辭》。"

侯《志》又曰："康按《後漢書·樊英傳》注載《春秋緯》十三篇,有《握誠圖》而無《命曆序》。宋注可攷見者亦適十三篇,有《命歷序》而無《握誠圖》。朱彝尊疑《握誠圖》即《合誠圖》,然則正宜以《命曆序》補其缺。趙氏《七緯》無《命曆序》。今按蕭吉《五行大義·論諸神篇》、《後漢書·楊厚傳》注、《初學記》卷九、《御覽》七十八,並引宋均《命曆序》注,確有明文。"

按孫瑴《古微書》謂宋均有《春秋内事注》,則又在十三篇之外者。然亦疑《春秋内事》是讖書在《雜讖》二十九卷中,非七經緯所有也。

宋均　孝經緯注十卷

《隋書·經籍志》："梁有《孝經雜緯》十卷,宋均注,亡。"《唐·經籍志》："《六經緯》五卷,宋均注。"按六是孝字之誤。《藝文志》："宋均《孝經緯注》,五卷。"

右七經緯注。

宋均　尚書中候注

汪師韓《文選理學權輿》曰："選注所引羣書有宋均《尚書中候注》。"

《經義攷》曰：“《尚書中候》宋均注，曰堯得圖書，舜禪後，演以爲《攷河命》、《題期》、《立象》三篇。”

侯《志》曰：“宋注《中候》《文選・長楊賦》注引之。”

宋均　禮記默房注二卷

《隋書・經籍志》：“《禮記默房》二卷，宋均注。”

按此疑在七經緯禮記中，詳見《後漢・藝文志》。

宋均　孝經句命決注六卷

宋均　孝經援神契注七卷

《隋書・經籍志》：“《孝經句命決》六卷，宋均注。《孝經援神契》七卷，宋均注。”《日本國見在書目》同。

宋均　孝經内事注一卷

《隋書・經籍志》：“《孝經内事》一卷。”此下脱‘宋均注’三字。

孫毅《古微書》曰：“《春秋》、《孝經》各有内事，俱有宋均注。”

侯《志》曰：“《御覽》八百七十二引宋均《孝經内事注》。”

右雜緯候注。

右讖緯類一家，凡三門，綜一十六部。

三國藝文志卷二

史之類十有三，曰正史，曰編年，曰雜史，曰史鈔，曰史評，曰故事，曰職官，曰儀制，曰刑法，曰雜傳記，曰地理，曰譜系，曰簿録。

伏儼　漢書音義

顏師古《漢書叙例》曰："諸家注釋雖見名氏，至於爵里頗或難知。伏儼字景宏，琅邪人。"

汪師韓《文選理學權輿》曰："選注所引羣書有伏儼《漢書音義》。"

孫星衍《建立伏博士始末》："伏氏世系曰：始祖勝，秦博士，《史》、《漢》儒林並有傳。九世湛，光武時大司徒，陽都侯。十五世完，嗣爵，女爲獻帝皇后。完誅後，國除。十六世典。十七世嚴。注云當作儼，注《漢書》。"按此世系嘉慶時鄖平貢生王啟運所叙也，考范書《伏湛傳》，建武三年封陽都侯，六年徙封不其侯。又《伏皇后紀》后琅邪東武人，父完襲爵不其侯，爲侍中。后既立，遷執金吾。建安元年，拜輔國將軍，儀比三司。完以政在曹操，自嫌尊戚，乃上印綬，拜中散大夫，尋遷屯騎校尉。十四年卒，子興嗣。初后與父完書，言曹操殘偪之狀，令密圖之。完不敢發，至十九年，事乃露泄，操追大怒，遂偪帝廢后，下暴室，以幽崩。兄弟及宗族死者百餘人，母盈等十九人徙涿郡。蓋自湛開國至興凡八世，興爲曹操所殺，國除。世系稱陽都侯稱完誅後，國除。皆非也。興、典字形相近，未詳孰是。

按世系，則儼乃伏完之孫，孝獻皇后之姪，與顏監稱琅邪人相符。其人當在魏世，或非本支或幸而得全。其徙涿郡之十九人似皆婦女，儼未必在内。今《史記》、《漢書》注中亦閒有伏儼説。

劉德 漢書注

顏師古《漢書叙例》曰："劉德，北海人。"

汪師韓《文選理學權輿》曰："選注所引羣書有劉德《漢書注》。"

按《通典·凶禮喪制篇》凡六引劉德問田瓊首一條，稱後漢劉德，餘多稱魏劉德。鄭珍《鄭學録》謂劉德是鄭門弟子。錢東垣校刊《鄭志》跋謂劉德是鄭氏門人，蓋以爲田瓊弟子也。顏監云北海人，則謂鄭氏弟子、鄭氏門人者，實近似之。

鄭氏 漢書音義

顏師古《漢書叙例》曰："鄭氏，晉灼《音義》序云不知其名，而臣瓚《集解》輒云鄭德。既無所據，今依晉灼但稱鄭氏耳。"宋祁校語曰："景祐余靖校本云，鄭氏舊傳晉灼《集注》云北海人，不知其名。而臣瓚以爲鄭德。今書但稱鄭氏。"按臣瓚引鄭德而爲顏氏所采者皆改曰鄭，故今本亦但見有鄭氏注。

汪師韓《文選理學權輿》曰："選注所引羣書有鄭德《漢書音義》。"此李善采臣瓚《集解》可知。

侯《志》曰："洪頤煊《讀書叢録》云：《漢書集注》有鄭氏，臣瓚以爲鄭德，汴本《史記索隱》以爲鄭玄，誤。康按鄭氏既在康成後，又在晉灼前，晉灼，晉尚書郎。并用黃初改置郡縣名，則爲魏人無疑。至康成之無《漢書》注，本無可疑。洪亮吉據《史記集解》引鄭玄注數處，謂《漢書音義》所稱鄭氏，蓋康成居多，此晉灼、臣瓚所未及言者，後人能臆斷之乎？《十七史商榷》云：常熟毛氏《索隱》跋謂宋刻鄭德誤作鄭玄，則裴駰《集解》亦宋人妄改。其說近是。"

按晉灼、臣瓚並在西晉。灼不知鄭氏何名，而瓚知之，見聞不同，事所恒有。且瓚多見古書、如漢《茂陵書》、漢《禄秩令》爲江左所不傳者,瓚皆見之。其言鄭德必有所自。又其書進之於朝,必不致妄説以惑視聽。特以注家姓名非本書宏旨,故略而不詳,顏監偏信晉灼,其實瓚説可從也。

李斐　漢書音義

顏師古《漢書叙例》曰:"李斐,不詳所出郡縣。"

汪師韓《文選理學權輿》曰:"選注所引羣書有李斐《漢書音義》。"

李奇　漢書注

顏師古《漢書叙例》曰:"李奇,南陽人。"

汪師韓《文選理學權輿》曰:"選注所引羣書有李奇《漢書注》。"

鄧展　漢書注

顏師古《漢書叙例》曰:"鄧展,南陽人。魏建安中爲奮威將軍,封高樂鄉侯。"

《魏志·文紀》注:《典論》自叙有曰"嘗與奮威將軍鄧展等共飲,宿聞展善有手臂曉五兵,又稱其能空手入白刃。余與論劍良久"云云。

汪師韓《文選理學權輿》曰:"選注所引羣書有鄧展《漢書注》。又有鄧展子,不知是否即此鄧展。附識於此,不別出。"

文穎　漢書注

顏師古《漢書叙例》曰:"文穎字叔良,南陽人。後漢末荆州從事,建安中爲甘陵府丞。"

汪師韓《文選理學權輿》曰:"選注所引羣書有文穎《漢書注》。"

按侯氏《志》云:"建安非魏年號,顏氏《叙例》稱魏建安中者,蓋是時魏國已建。鄧展、文穎二人實爲魏臣非漢臣。雖當建安時,不得擊以漢也。"按漢魏之際,凡記前代時事或曰漢,或曰建安,從無建安之上加以魏字者。《文選·東方畫贊序》稱魏建安中,李善已斥其誤。此或采之《魏書》、《魏略》、《魏武本紀》等。見書中有初平、興平、建安紀年,遂誤以爲魏。顏氏錄舊文不加更正,是其一失,亦何至如侯氏之曲説乎。

張揖　漢書注一卷 揖始末見經部小學類。

顏師古《漢書叙例》曰:"張揖,止解《司馬相如傳》一卷。"

宋高似孫《史略》曰:"司馬相如一傳最難注,張揖曾作《博雅》通於名物,所以止注此傳。"

汪師韓《文選理學權輿》曰:"選注所引羣書有張揖《漢書注》。"

又曰:"《文選》舊注中有張揖《子虚賦注》、《上林賦注》。"

蘇林　漢書注 林始末具經部孝經類。

《魏志·劉劭傳》注:《魏略·儒宗傳》曰:"林博學,多通古今字指,凡諸書傳文間危疑,林皆釋之。"

顏師古《漢書叙例》曰:"服應曩説疏紊尚多,蘇晋衆家剖斷蓋尠。"

汪師韓《文選理學權輿》曰:"選注所引羣書有蘇林《漢書注》。"

按《魏略》言諸書傳危疑林皆釋之,則所注釋者必多,今惟此及《孝經》二種。自魏晋《中經簿》錄亡而後,漢三國人之書遂埋没不可見。

張晏　漢書注

顏師古《漢書叙例》曰:"張晏字子博,中山人。"

汪師韓《文選理學權輿》曰:"選注所引羣書有張晏《漢書注》。"

洪亮吉《曉讀書齋雜録》曰:"張晏《漢書注》於地理最詳。"

如淳　漢書注

顏師古《漢書叙例》曰:"如淳,馮翊人,魏陳郡丞。"

汪師韓《文選理學權輿》曰:"選注所引羣書有如淳《漢書注》。"

孟康　漢書音義九卷

顏師古《漢書叙例》曰:"孟康字公休,安平廣宗人。魏散騎侍郎,[①]弘農太守,領典農校尉,勃海太守,給事中,散騎常侍,[②]中書令,後轉爲監,封廣陵亭侯。"

《魏志·杜恕傳》注:《魏略》曰:"黄初中,康以於郭后有外屬并受九親賜拜,遂轉爲散騎侍郎。是時散騎皆以高才英儒充其選,而康獨緣妃嬪雜在其間,故於時皆共輕之,號共阿九。康既無才敏,因在冗官博讀書傳,後遂有所彈駁。其文義雅而切要,眾人乃更加意。正始中代杜恕爲弘農太守,康之始拜,眾人雖知其有志,量以其未嘗宰牧不保其能也,而康恩澤治能吏民稱歌焉。"

《隋書·經籍志》:"梁有《漢書孟康音義》九卷,亡。"《唐·經籍志》:"《漢書音義》九卷,孟康撰。"《藝文志》:"孟康《漢書音義》九卷。"

項昭　漢書注

顏師古《漢書叙例》曰:"項昭,不詳何郡縣人。"

按顏氏《叙例》具列諸家注釋,皆以時代爲先後。自伏儼至此凡一十三家,在應劭之後、韋昭之前則皆爲三國時人。侯《志》於伏儼、劉德、李斐、李奇、張晏、項昭六家置不入録,蓋以顏氏不言魏人之故,未免不充其類歟?

韋昭　漢書音義七卷　昭始末見經部詩類。

《隋書·經籍志》:"《漢書音義》七卷,韋昭撰。"《唐·經籍

---

① "魏散騎侍郎"殿本《漢書》作"魏散騎常侍"。

② "散騎常侍",殿本《漢書》作"散騎侍郎"。

志》：“《漢書音義》七卷，韓韋撰。”此作韓韋，寫誤也。《藝文志》：
“韋昭《漢書音義》七卷。”

汪師韓《文選理學權輿》曰：“選注所引羣書有孟康、韋昭《漢
書注》。”惟項昭一家選注引未見。

諸葛亮　漢書音一卷

《蜀志》本傳：“亮字孔明，瑯琊陽都人，漢司隸校尉諸葛豐後
也。豐《漢書》有列傳。父珪，字君貢，漢末爲太山郡丞。亮早孤，
從父玄爲袁術所署豫章太守，玄將亮及亮弟均之官。會漢朝
更選朱皓代玄。玄素與荆州牧劉表有舊，往依之。玄卒，亮
躬耕隴畝。時先主屯新野。潁川徐庶曰：‘諸葛孔明者，臥龍
也，將軍宜枉駕顧之。’先主詣亮，凡三往，乃見。於是情好日
密。及曹公敗於赤壁，先主收江南，以亮爲軍師中郎將。成
都平，爲軍師將軍，署左將軍府事。先主即帝位，策爲丞相，
録尚書事，假節，領司隸校尉。後主建興元年，封武鄉侯，開
府治事。領益州牧，政事無巨細，咸決於亮。十二年八月，卒
於軍，時年五十四。遺命葬漢中定軍山，謚忠武侯。”

《唐書·藝文志》：“諸葛亮《論前漢事》一卷，又《音》一卷。”
《通志·藝文略》：“《漢書音》一卷，諸葛亮撰。”高似孫《史
略》：“《漢書諸葛亮音》一卷。”

按張澍輯《諸葛集》目録云：“澍按《隋書·經籍志》：‘《漢書
音》一卷，蜀丞相諸葛亮撰。’亦見《唐志》。又故事制作篇亦
云。然今檢《隋志》實無此文。”疑合《論前漢事》爲一編，而《隋志》遺之。

張休　漢書章條

《吳志·孫登傳》：“魏黄初二年，以權爲吳王。是歲，立登爲
太子。權欲登讀《漢書》，習知近代之事，以張昭有師法，重煩
勞之，乃令張休從昭受讀，還以授登。”

《吳志·張昭傳》：“昭少子休，字叔嗣，習冠與諸葛恪、顧譚等

俱爲太子登僚友。以《漢書》授登。"注引《吳書》曰："休進授指摘文義,分別事物,並有章條,登甚愛之,常在左右。"休後至揚武將軍,坐事徙交州,又以譖賜死,時年四十一。

按《吳書》言"並有章條",則非徒憑口説,其必筆之於書。可知顏師古《漢書叙例》載晋劉寶侍皇太子講《漢書》別有《駁義》,即此之類,亦略如後世講義。凡歷朝臣工進講,皆別具講義,知此制自魏晋已然矣。而張子布父子《漢書》有師法亦於此見之。

右注釋凡一十六家。

東觀漢記先賢表

《史通·正史篇》:"會董卓作亂,大駕西遷,史臣廢棄,舊文散佚。及在許都,楊彪頗存注記,至於名賢君子,自永初已下闕續。永初,漢安帝元。魏黃初中唯著《先賢表》,故漢記殘闕,至晋無成。"

按此表作於黃初時,其後明帝時有《海内先賢傳》四卷,詳見後雜傳記類。似即因此表而爲傳。章氏《攷證》謂所載多後漢名賢,亦欲以彌縫漢記之闕略。以其不出於史館,故別本單行。

謝承　後漢書一百三十三卷　又　録一卷

《吳志·妃嬪傳》:"吳主權謝夫人,會稽山陰人也。父煚,漢尚書郎、徐令。弟承拜五官郎中,稍遷長沙東部都尉、武陵太守,撰《後漢書》百餘卷。"《會稽典録》曰:"承字偉平,博學洽聞,嘗所知見,終身不忘。"

《隋書·經籍志》:"《後漢書》一百三十卷,無帝紀,吳武陵太守謝承撰。"《唐·經籍志》:"《後漢書》一百三十卷,謝承撰。"《藝文志》:"謝承《後漢書》一百三十三卷,又《録》一卷。"

《史通·書志篇》曰:"百官輿服,謝拾孟堅之遺。"《煩省篇》云:"謝承尤悉江左、京洛事,缺於三吳。"《雜説篇》云:"謝承《漢書》偏黨吳越。"又云:"姜詩、趙壹,身止計吏,而謝《書》

有傳。"

錢瑭姚之駰輯本序曰:"謝偉平之書,東漢第一良史也。凡所載忠義名卿及通賢逸士,其芳言懿矩,半爲范《書》所遺。惟六朝詞人多誦説之,故其軼事時見他書,輒采掇彙鈔,分爲四卷。"今有黟縣汪文臺南士補輯本八卷。

會稽章宗源《隋志攷證》曰:"史無帝紀,惟聞此書。《北堂書鈔·設官部》引承書有《風教傳》,亦創見也。《史通·論贊篇》'謝承曰詮'。愚按《文選》顏延年《北使洛詩》注、《永明九年策秀才文》注、阮嗣宗《勸進表》注、《後漢二十八將論》注、張景陽《七命》注引承書俱稱'序曰',蓋其叙傳中語。"按《隋志》云無帝紀,似謂其亡佚。《唐志》多出三卷,似即帝紀之佚存者。

侯《志》曰:"《匡謬正俗》卷五謂承書失實。洪亮吉亦云'承書最有名,又最先出,而其紕謬非一端'云云。於謝書力加譏彈。然遷、固著史,尚多舛誤,不能摘其一、二事遽毁全書。況謝書久亡,他書轉引不免魯魚之譌,尤未可以是定謝、范二家優劣也。姚之駰謂謝書極博,蔚宗過爲删除,其説甚當。蓋謝之勝范在此,而其不及范精嚴,亦即在此矣。"

薛瑩　後漢記一百卷

《吴志·薛綜傳》:"綜,沛郡竹邑人也。子瑩,字道言。初爲祕府中書郎,孫休即位,爲散騎中常侍。孫皓初,爲左執法,選曹尚書,領太子少傅,武昌左部督,還爲左國史、光禄勳。天紀四年入晋,爲散騎常侍,太康三年卒。"

《隋書·經籍志》:"《後漢記》六十五卷,本一百卷,梁有,今殘缺。晋散騎常侍薛瑩撰。"《唐·經籍志》:"《後漢記》一百卷,薛改一字。作。"《藝文志》:"薛瑩《後漢記》一百卷。"

姚之駰輯本序曰:"瑩所著《漢書》當是私作,故《吴志》本傳不載。"此史文偶爾疏漏,不關公私。余靖表云:"瑩作《後漢記》百卷,今他本直云《後漢書》也。瑩書大半弗存，未經拂耳瞥目，然讀世祖、顯宗二論，波屬雲委，灝瀚蒼鬱，洵良史手，他稱是矣。袁彥伯竟未采及，何耶。"黟縣汪氏輯本亦止十餘條。

譙周　後漢記　周始末具經部禮類。

《晉書·司馬彪傳》："彪以爲漢氏中興，訖於建安，忠臣義士亦以昭著。而時無良史，記述煩雜。譙周雖已刪除，然猶未盡，安順以下，亡缺者多。彪乃討論眾書，綴其所聞，號曰《續漢書》。"此據司馬紹統《續漢書》叙文也，其言譙周刪定《東觀漢記》碻有明文。

司馬彪《續漢書·五行志》序曰："故泰山太守應劭、給事中董巴、散騎常侍譙周並撰建武以來災異，今合而論之，以續前志。"此司馬紹統取譙周書以爲志，雖別其名曰災異，而實周所刪補《漢記》中之《五行志》，以應劭書名災異，故承上文不復分別言之耳。

《續漢·禮儀志》劉昭注：謝承書曰："太傅胡廣博綜舊儀立漢制度，蔡邕因以爲志。譙周後改定以爲《禮儀志》。"此據謝偉平志序之文也，言譙周改定《禮儀志》即改定《漢記》中之《禮儀志》也。

《續漢·天文志》劉昭注：謝沈書曰："蔡邕撰建武以後星驗著明以續前志，譙周接繼其下者。"此亦似據謝千思《後漢書》志序之文，言譙周接繼《天文志》，知譙周於《東觀漢記》之書不特刪除且有補續，以勒成一史自爲一家。

《晉書·天文志》序曰："及班固叙漢史，馬續述天文，而蔡邕、譙周各有撰録，司馬彪采之以繼前志。"按《續漢·天文志》所載獻帝建安時事即本譙允南《漢記》之文。

按譙允南刪補《東觀漢記》，見於《晉書》及《續漢志》者凡五驗如右，碻有明證。《蜀志》本傳但櫽括其詞曰"所著述，撰定《古史考》書之屬百餘篇"。其云撰定，則有此書在內也。其書殆亡於永嘉之亂，不至江左，故梁《七録》亦不著。又魏董巴有《大漢輿服志》、《中官傳》及《建武以來災異》，亦有引董巴《漢書》，而其文同《輿服志》者，疑董巴亦有《後漢書》而未成，故但分録各門不入此類。

魚豢　魏略三十八卷

侯康曰：“魚豢，京兆人，魏郎中。”

《唐書·經籍志》：“《魏略》三十八卷，魚豢注。”《藝文志》雜史類：“魚豢《魏略》五十卷。”按《隋志》雜史篇有魚豢《典略》八十九卷，《魏略》即在其中。《舊唐志》始分析著録，曰《典略》五十卷、《魏略》三十八卷，視《隋志》惟少一卷耳。《新唐志》作《魏略》五十卷，證以舊志，似《典略》之誤。今從《唐·經籍志》。

《史通·正史篇》：“魏時京兆魚豢私撰《魏略》，事止明帝。”又《題目篇》曰：“魚豢著魏史，巨細畢載，蕪累甚多，而牓之以‘略’，考名責實，奚其爽歟？”又《稱謂篇》曰：“魚豢没吴、蜀號謚，呼權、備姓名。”

錢大昕《三國志攷異》曰：“魚豢《魏略》今已不存，其諸傳標目多與它異。如東里袞見《游説傳》，董遇、賈洪、邯鄲淳、薛夏、隗禧、蘇林、樂詳七人爲《儒宗傳》，常林、吉茂、沐並、時苗四人爲《清介傳》，脂習、王修、龐淯、文聘、成公英、郭憲、單固七人爲《純固傳》，孫賓碩、祝公道、楊阿若、鮑出四人爲《勇俠傳》，王思諸人爲《苛吏傳》，並見裴氏注。田疇、管寧、徐庶、胡昭諸人爲《知足傳》見《梁書》。是也。王粲、繇欽、阮瑀、陳琳、路粹諸人合傳，焦先、扈累、寒貧諸人合傳，當亦有目，今不可攷矣。若秦朗、孔桂之爲《佞幸傳》，則沿遷、固之舊目也。”

章宗源《隋志攷證》曰：“愚按《魏略》有紀、志、列傳，自是正史之體。《文選·景福殿賦》注引《魏略·文紀》，《初學記·天部》引《五行志》，裴松之《魏志注》言《魏略》有《佞倖傳》、《游説傳》、《儒宗傳》、《純固傳》、《苛吏傳》、《清介傳》、《勇俠傳》、《列士傳》、《西戎傳》。《梁書》又言有《止足傳》。《世説·文學篇》注、《通典·邊防門》注亦引《魏略·西戎傳》。《御覽·人事部》及《寰宇記》引作《西域傳》。豢之論贊實稱曰‘議’。裴注多引其詞，而《西戎傳》議尤可攷見。”

侯《志》曰：“裴注及《御覽》引此書甚多，《史記索隱》、前後《漢書》注皆屢引之。輯之尚可哀然成帙。”

王沈　魏書四十八卷

《魏志·王昶傳》：“昶，太原晉陽人也。其爲兄子及子作名字，皆依謙實，以見其意，故兄子默字處静，沈字處道。”

《晋書》本傳：“沈少孤，養於從叔司徒昶，事昶如父。好書，善屬文。大將軍曹爽辟爲掾，累遷中書黄門侍郎，治書侍御史、祕書監。正元中，遷散騎常侍、侍中、典著作。與荀顗、阮籍共撰《魏書》，多爲時諱，未若陳壽之實録也。”沈後入晋至散騎常侍、驃騎將軍，封博陵縣公。泰始二年卒，諡曰元，追贈司空郡公。

《御覽》二百三十三引王隱《晋書》曰：“王沈爲祕書監，著《魏書》，多爲時諱，而善叙事。”

《御覽》七百四十七引《三輔決録》曰：“韋誕字仲將，除武都太守，以書不得之郡，轉侍中。典作《魏書》，號《散騎書》，一名《大魏書》，凡五十篇。”此謂仲將典作《魏書》，又手寫爲五十篇歟？抑别寫各體書字爲五十篇也。其言號《散騎書》似非此《魏書》，無以知之。

《魏志·劉卲傳》注：《文章叙録》曰：“任城孫該字公達，彊志好學，著《魏書》。”

《史通·正史篇》：“魏史，黄初、太和中，始命尚書衛覬、繆襲草創紀傳，累載不成。又命侍中韋誕、應璩、祕書監王沈、大將軍從事中郎阮籍、司徒右長史孫該、司隸校尉傅玄等復共撰定。其後王沈獨就其業，勒成《魏書》四十四卷。其書多爲時諱，殊非實録。”又《載文篇》曰：“歷選衆作求其穢累，王沈、魚豢是其甚焉。”又《直書篇》曰：“王沈《魏書》假回邪以竊位。”又《曲筆篇》曰：“王沈《魏録》，濫述貶甄之詔。”

《宋書·五行志》序：“王沈《魏書》志篇闕如，凡厥災異，但編帝紀而已。”又《律曆志》序曰：“自楊偉改創景初，而《魏書》闕志。"《隋書·經籍志》:"《魏書》四十八卷,晋司空王沈撰。"《唐·經籍志》:"《魏書》四十四卷,王沈撰。"《藝文志》:"王沈《魏書》四十七卷。"

章宗源《隋志攷證》曰:"《水經》渠水、遼水、淮水注並引《魏書·國志》。潁水注復引《魏書·郡國志》。疑沈書固有志篇,特闕五行、律曆也。裴松之《魏志·武紀》注所引多述操令,若庚申、庚戌、丙戌、丁亥令,皆以日紀。又有褒賞令,載祀橋玄文,裴注不言《魏書》,以類推之,當亦是耳。又《后妃傳》注引六事,《御覽·皇親部》引卞后、甄后、毛后、郭后各一事。"

侯《志》曰:"王沈名列晋史,而《魏書》則撰於魏世,故今著録三國時。"

按王沈入晋僅一年而卒,時爲吳孫皓寶鼎元年,是三國之吳猶在焉。且同撰者皆魏人,宜入之魏代。《初學記·帝王部》引皇甫謐云:"自黄初元年至禪晋之歲,凡五帝四十五年。"

王崇　蜀書

《華陽國志·後賢志》:"王化字伯遠,廣漢郪人也。兄弟四人,少弟崇字幼遠,學業淵博,雅性洪粹。蜀時東觀郎,著《蜀書》及詩賦之屬數十篇。其書與陳壽頗不同。"按崇祖父商撰《巴蜀耆舊傳》已録入《後漢藝文志》。崇後入晋,官至上庸、蜀郡太守。

《史通·史官篇》:"至若偏隅僭國,求其史官,亦有可言者。按《蜀志》稱王崇補東觀,許蓋掌禮儀,按"許蓋","許慈"之誤。又郤正爲祕書郎,廣求益部書籍。斯則典校無闕,屬辭有所矣。而陳壽評云'蜀不置史官'者,得非厚誣諸葛乎?"

《史通·曲筆篇》曰:"陳氏《國志·劉後主傳》云蜀無史職,故災祥靡聞。按黄氣見於秭歸,羣鳥墮於江水,成都言有景星出,益州言無宰相氣。若史官不置,此事從何而書?蓋由父辱受髠,故加兹謗議者也。"按《蜀志》景耀元年,史官言景星見,於是大赦改年。此陳氏已自言,有史官矣,何云不置史官耶? 壽父爲武侯所髠,見《晋書·壽傳》。

按王氏《蜀書》殆草創於爲東觀郎時。《華陽國志》引蜀郡太守王崇論後主及姜維各一篇,則蜀亡後之辭,蓋續有修纂者。《史通》但證實蜀有史官,有記注,未及詳攷陳壽之前果有王崇《蜀書》也。《蜀志·楊戲傳》云戲著《季漢輔臣贊》,其所頌述今多載於《蜀書》。則王書嘗取資於《輔臣贊》,而陳《志》亦取資於《蜀書》。今並與王沈《魏書》一例錄之於此。《初學記·帝王部》云劉備於蜀稱帝,號章武元年,立三年而崩,子禪嗣位。凡二主四十三年,爲魏所滅。

韋昭　吳書五十五卷　昭始末見經部詩類。

《吳志》本傳:"孫亮即位,諸葛恪輔政,表曜爲太史令,撰《吳書》,華覈、薛瑩等皆與參同。孫皓即位,以侍中常領左國史。皓欲爲父和作紀,曜執以和不登帝位,宜名爲傳。鳳皇二年,皓積前後嫌忿,收曜付獄。華覈連上疏救曜,曰:'曜以儒學得與史官,《吳書》雖已有頭角,叙贊未述,如臣頑蔽,誠非其人。曜年已七十,餘數無幾,乞赦其一等之罪,爲終身徒,使成書業,永足傳示,垂之百世。'皓不許,遂誅曜。"

《吳志·薛瑩傳》:"皓下瑩獄,徙廣州。右國史華覈上疏曰:'大吳受命,建國南土。大皇帝末年,命太史令丁孚、郎中項峻始撰《吳書》。孚、峻俱非史才,其所撰作,不足紀錄。至少帝時,更差韋曜、周昭、薛瑩、梁廣及臣五人,訪求往事,所共撰立,備有本末。昭、廣先亡,曜負恩蹈罪,瑩出爲將,復以過徙。其書遂委滯,迄今未撰奏。臣愚淺才劣,適可爲瑩等記注而已。若使撰合,必襲孚、峻之跡,懼墜大皇帝之元功,損當世之盛美。瑩涉學既博,文章尤妙,同僚之中,瑩爲冠首。

今者見吏雖多經學，記述之才如瑩者少，是以慺慺爲國惜之。實欲使卒垂成之功，編於前史之末。奏上之後，退填溝壑，無所復恨。'皓遂召瑩還，爲左國史。"

《吳志·步騭傳》："潁川周昭者，字恭遠。與韋曜、薛瑩、華覈並述《吳書》。"

《隋書·經籍志》："《吳書》二十五卷，韋昭撰。本五十五卷，梁有，今殘闕。"《唐·經籍志》編年類："《吳書》五十五卷，韋昭撰。"《藝文志》正史類："韋昭《吳書》五十五卷。"

《史通·正史篇》："吳大帝之季年，始命丁孚、項峻撰《吳書》。少帝時，更敕韋曜、周昭、薛瑩、梁廣、華覈訪求往事，相與記述。並作之中，曜、瑩爲首。當歸命侯時，昭、廣先亡，曜、瑩徙黜，史官久闕，書遂無聞。覈表請召曜、瑩續成前史。其後曜獨終其書，定爲五十五卷。"按此知華覈疏救凡兩次，本傳合並載之，故曰連上疏。其初被罪黜，得覈疏救而解，召還史館，得以續成前書。其事當在鳳皇二年之前。至是年，收付獄，覈又疏救以《吳書》未述叙贊爲言，而事不可解矣。以是知《吳書》叙贊終末底於成焉。

章宗源《隋志攷證》曰："昭書名吳，自以吳爲主。裴松之注所引稱魏爲帝，堅、策、權、皓稱名。《文選注》、《後漢書注》皆然。惟《通典·禮門》注稱權爲上。《藝文類聚》服飾部、《太平御覽》服章部、布帛部、人事部皆稱吳主爲上。竊疑稱名非昭原本，《舊唐志》誤入編年類。"

按侯《志》云："《齊書·禮志》序：'吳則太史令丁孚拾遺漢事。'是丁氏《吳書》有《禮志》也。韋昭因之，亦當有志。"此説非也。《禮志》謂拾遺漢事者，指丁孚《漢儀》之書，詳見下儀制類。《初學記·帝王部》云："孫權稱吳王於武昌，號黃武元年。後稱帝，立二十一年而崩。子亮嗣位。自權至皓凡四主，五十九年，爲晉所滅。"

右撰著凡八家。

右正史類凡二門,綜二十三部。 侯《志》有諸葛亮《論前漢事》一卷,今析入史評類。

漢獻帝傳

錢大昕《三國志攷異》曰:"裴松之注所引書有《獻帝起居注》、《獻帝傳》,並不詳撰人。"

章宗源《隋志攷證》曰:"《魏志·武紀》、《文紀》、《明紀》注,《袁紹傳》注,《續漢·禮儀志》注,《水經·渭水》注,《後漢書·董卓傳》注,《藝文類聚·服飾部》,《太平御覽·車部》並引《獻帝傳》,無撰人名。"

按《魏志·文紀》延康元年注引《獻帝傳》載禪代眾事,凡八千數百言。又《明紀》青龍二年注引《獻帝傳》載追諡山陽公爲漢孝獻皇帝事,則是書當成於是年之後。

袁曄 獻帝春秋十卷

《吳志·陸瑁傳》:"廣陵袁迪,單貧有志,就瑁遊處。"裴松之曰:"迪孫曄,字思光,作《獻帝春秋》,云迪與張紘等俱過江。"《隋書·經籍志》:"《獻帝春秋》十卷,袁曄撰。"《唐·經籍志》:"《漢獻帝春秋》十卷,袁曄撰。"《藝文志》:"袁曄《漢獻帝春秋》十卷。"

章宗源《隋志攷證》曰:"《續漢·五行志》注、《百官志》注、《水經·濁漳水》注、《文選·西征賦》注、《與陳伯之書》注、《三國志》注、《後漢書》注、《太平御覽》共引數十事。"

侯《志》曰:"裴松之注作'袁暐',所引凡二十餘條,深不滿其書。如《袁紹傳》注云:'樂資、袁暐之徒竟爲何人,未能識別然否,而輕弄翰墨,妄生異端,以行其書。正足以誣罔視聽,疑誤後生。實史籍之罪人,遠學之所不取者也。'《馬超傳》注云:'袁暐、樂資等諸所記載,穢雜虛謬,殆不可勝言也。'及

《荀彧傳》注，斥其虛罔，《張紘傳》注譏其虛錯，皆毀訛之辭。"
按曄祖迪與張紘過江，其時當在獻帝初年。下至吳亡，凡九
十餘年。曄生長於吳，未至中國，故所作多傳聞異詞。其人
或未嘗入晉。

魏武本紀并年曆五卷

《隋書·經籍志》雜史類："《魏武本紀》四卷，梁并曆五卷。"
《唐·經籍志》編年類："《魏武本紀》三卷。"又雜史類："《魏武
本紀年曆》五卷。"《藝文志》編年類："《魏武本紀》四卷。"又雜
史類："《魏武本紀年曆》五卷。"

章宗源《隋志攷證》曰："《藝文類聚·服飾部》：'上儉率，茵褥
取溫，無有緣飾。'《太平御覽·學部》：'吾讀介推之避晉封，
申包胥之逃楚賞，未嘗不廢書而歎。'二事並引《魏武本紀》。
《唐志》雜史、編年兩類重出，然《紀》並《曆》爲五卷，與梁《七
錄》合。"

按此必是魏人撰。

右編年類凡三家，三部。

王肅　春秋外傳章句二十一卷　肅始末具經部易類。

《隋書·經籍志》春秋類："《春秋外傳章句》一卷，王肅撰。梁
二十一卷。"《唐·經籍志》："《春秋外傳國語章句》二十二卷，
王肅注。"《藝文志》："王肅注《國語章句》二十二卷。"

宋庠《國語補音序》曰："王肅《國語章句》梁有二十二卷，《唐
志》亦云。"

孫炎　春秋外傳國語注　炎始末具經部易類。

《魏志·王肅附傳》："樂安孫叔然作《春秋三傳》、《國語》、《爾
雅》諸注。"

按韋宏嗣注書但述鄭、賈、虞、唐四家，則當時王子雍、孫叔然
二家之注不行於江表。

虞翻　春秋外傳國語注二十一卷　翻始末具經部易類。

《隋書・經籍志》：“《春秋外傳國語》二十一卷，虞翻注。”

《唐・經籍志》：“《春秋外傳國語》二十一卷，虞翻撰。”按“撰”
當爲“注”。《藝文志》，“虞翻注《國語》二十一卷。”

侯《志》曰：“按韋昭解内時稱賈、唐二君，或稱三君，則兼虞仲
翔也。”

按錢唐汪遠孫有《國語三君注輯存》四卷。馬氏玉函山房輯
《虞氏注》一卷。

唐固　春秋外傳國語注二十一卷　固始末具經部春秋類。

《隋書・經籍志》：“《春秋外傳國語》二十一卷，唐固注。”

《唐・經籍志》同《藝文志》：“唐固注《國語》二十一卷。”

韋昭《國語注》序曰：“建安黄武之間，故侍御史會稽虞君、尚
書僕射丹陽唐君，皆英才碩儒洽聞之士也。采摭所見，因賈
爲主而損益之。觀其辭義，信多善者，然所理釋猶有異同。”

《經義攷》曰：“固注《國語》，《初學記》引之，餘見韋注者多。”

侯《志》曰：“《史記集解》亦屢引唐《注》。”

王謨《賈氏解詁》輯本序録曰：“内附唐注三十餘條。”又馬氏玉函
山房輯存唐氏《注》一卷。

韋昭　春秋外傳國語注二十二卷　昭始末具經部詩類。

《隋書・經籍志》：“《春秋外傳國語》二十二卷，韋昭注。”

《唐・經籍志》：“二十一卷。”《藝文志》：“韋昭注二十一卷。”

《崇文總目》：“《春秋外傳國語》二十一卷，吳侍中領左國史亭
陵侯韋昭解。昭參引鄭衆、賈逵、虞翻、唐固，合凡五家爲注，
自所發正者三百十事。”按自序云三百七事。

宋庠《國語補音》序曰：“先儒自鄭衆、賈逵、王肅、虞翻、唐固、
韋昭之徒並治其章句，申之以注釋，今惟韋氏所解傳於世。
韋氏以鄭、賈、虞、唐爲主而增損之。故其注備而有體，可謂

一家之名學。”

黄震《日鈔》曰：“《國語》文宏衍精潔，韋昭注文亦簡切稱之。”

《四庫提要》曰：“昭自序稱凡所發正三百七事，今攷注文之中昭自立義者不過六十七事，合以所正譌字、衍文、錯簡，亦不足三百七事之數。其傳寫有誤，以六十爲三百歟？《崇文總目》作三百十事，又七事轉譌也。自鄭眾《解詁》以下諸書並亡。《國語》注存於今者，惟昭爲最古。黄震《日鈔》嘗稱其簡潔，而先儒舊訓亦往往散見其中。”

右注釋凡五家。

魏武自作家傳

《魏志·蔣濟傳》注：“臣松之按魏武作《家傳》，自云曹叔振鐸之後。”

《廣韻·六豪》“曹”字注：“魏武作《家傳》，自云曹叔振鐸之後。周武王封母弟振鐸於曹，後以國爲氏。出譙國、彭城、高平、鉅鹿四望。”

按《家傳》非記一人一事，故入之此類。

被山　曹瞞傳一卷

裴松之《魏志·武紀》注曰：“太祖一名吉利，小字阿瞞。”又曰：“吳人作《曹瞞傳》。”

《唐書·經籍志》雜傳類：“《曹瞞傳》一卷，吳人作。”《藝文志》雜傳記類：“《曹瞞傳》一卷。”

章宗源《隋志攷證》曰：“按傳名曹瞞，又係吳人所作。其言操少好飛鷹走狗，游蕩無度，又佻易無威重，好音樂。及遣華歆入宫收伏后事，語皆質直，不爲魏諱。故《世説注》、《文選注》所引皆稱操名。《類聚》、《御覽》所引亦或稱操，惟《魏志注》多稱太祖。自係裴松之所改，非吳人原本。他書亦有稱曹公，稱太祖，然不盡改其舊。”

侯《志》曰：“《魏志·武帝紀》注、《袁紹》、《吕布》、《荀彧傳》注俱引之。《世説·假譎篇》注、《水經·渭水》注、《後漢書·獻紀》、《袁紹》、《吕布傳》注亦引之，不出裴注之外。書出敵人之口，故於曹操姦惡備載無遺。世所傳操爲夏侯氏子，及破壁收后等事皆出此書。其中築沙城以渡渭一事，司馬建公舉操爲北部尉一事，裴松之頗有疑辭，而終不敢斥爲非，蓋其書紀事多實也。《藝文》、《御覽》又屢引《曹操别傳》，所稱“人中有吕布，馬中有赤兔”一條《御覽》卷四百九十六。與此書合。發梁孝王冢一條，《藝文》卷八十三。《文選·檄豫州》注正作《曹瞞傳》，則一書而異名耳。《御覽》又引《魏武别傳》，卷四百三十一。稱操爲武皇帝，並載操子中山王袞事。或亦本一書，而後人易其稱乎？”

按《藝文類聚·百穀部》引被山《曹瞞傳》則作是傳者姓被名山，吴人也。邵思《姓解》云《古今人表》有被衣，爲堯師。被音披。又有被雍，《左傳》有鄭大夫被瞻，漢有牂牁太守被條，吴有被離。此被山之所自出歟？書雖名傳，實與魏人所作《魏武本紀》相類。書中亦兼及衆人事，與别傳記一人事蹟者不同，故與《家傳》並入雜史。

張紘　孫破虜將軍紀頌

張紘　孫討逆將軍紀頌

《吴志·張紘傳》注，《吴書》曰：“紘以破虜有破走董卓、扶持漢室之勳。討逆平定江外，建立大業，宜有紀頌以昭公義。既成，呈權，權省讀悲感，曰：‘君真識孤家門閥閲也。’”

按紀頌者，紀其事而系以頌。破虜將軍者，堅也。討逆將軍者，策也。《吴書》即韋昭等所作，此所引稱權，似非其舊。

右撰述凡三家。

右雜史類凡二門，綜八家，九部。侯《志》所録書十部，今分析省併入正史、史鈔、史評及子部五行四類中。

魚豢 典略八十九卷 豢始末具正史類。

《隋書·經籍志》：“《典略》八十九卷，魏郎中魚豢撰。”《唐·
經籍志》：“《典略》五十卷，魚豢撰。”按《新志》有《魏略》五十卷，卷數與
《舊志》《典略》同，疑《新志》《魏略》是《典略》之誤。

章宗源《隋志攷證》曰：“魚豢《魏略》祇記曹魏，故以魏名，若
《典略》所載，惟裴松之《國志注》、章懷《後漢書注》專引漢末
及三國事。至《史記·蘇秦傳》索隱言蘇氏兄弟有蘇辟、蘇
鵠。《初學記·地部》：‘湯東觀洛，黃魚躍於壇。’《文部》：‘端
木賜對齊景公曰：師仲尼。’《獸部》：‘神馬，河之精。代馬，陰
之精。’《藝文類聚·禮部》：‘孔子習禮樹下，桓魋使人拔其
樹。’《職官部》：‘契爲司徒，百姓親和。夒主賓客，遠人畢
至。’《雜文部》：‘張儀爲檄，告楚相曰：“吾不盜汝璧，我且盜
汝城。”’《鳥部》：‘鸞鳥者，神靈之精。’《北堂書鈔·帝王部》：
‘子陵俱臥耳。’又‘帝堯駕白馬’。《政術部》：‘西門豹治鄴，
董安于治晉陽。’《設官部》：‘禹爲司空，定九州。’《文選·魏
都賦》注：‘浪井者，弗鑿而成。’《別賦》注：‘衛夫人南子在錦
帷中。’《太平御覽·地部》：‘蘇秦下在窟中，説鬼谷泣下。’
《兵部》：‘蘇秦説韓王曰，韓強弓勁弩皆射六百步外。’《人事
部》：‘蘇秦説秦王，書十上而説不行。’《禮儀部》：‘建武二十
年，有司奏封禪詔曰，汙七十二代編録。’又：‘秦襄王母別葬
杜東。漢有天下，宣帝於旁起陵邑。’《樂部》：‘百里奚妻鼓
瑟，爲犝伏雞之歌。’《服章部》：‘項羽與沛公飲，范增舉佩玉示
羽。’《工藝部》：‘荆軻與魯句踐博爭道。’《布帛部》：‘孔子至
衛見南子。’《資産部》：‘荆軻與高漸離爲友。’《獸部》：‘兔者，
明月之精。’《藥部》：‘白丹者，山陵之精。’此類記載既廣，體
裁亦雜，與《魏略》斷代爲書者，一爲正史，一爲雜史。《隋志》
闕著《魏略》，《新唐志》闕著《典略》，惟《舊唐志》兼載之。杭

大宗《諸史然疑》乃誤以《魏》、《典略》爲一書。"

按《魏略》有紀、志、列傳,自是正史體裁。《典略》,《隋志》列之史鈔一類中,明是別爲一書。《隋志》自衛颯《史要》十卷以下二十餘家別爲史鈔,附之雜史。《志》序言之甚明。杭氏以《御覽》引"魏典略"遂謂一書,不知《御覽》稱"魏典略"者,所以別於唐人之《三國典略》。見《通攷》。或《典略》分代紀載,有周、秦、漢、魏等目。且裴氏奉詔注書,慎重其事,凡所稱引,例歸畫一,必不使一書兩稱,自貽詰問,此又顯見者也。

張温　三史略二十九卷

《吴志·張温本傳》:"字惠恕,吴郡人也。徵拜議郎、選曹尚書,徙太子太傅,甚見信重。時年三十二,以輔義中郎將使蜀。還使入豫章部伍出兵,事業未究。權既陰銜温稱美蜀政,又嫌其聲名大盛,眾庶炫惑,恐終不爲己用,思有以中傷之,會暨豔事起,遂因此發擧。下令斥還本郡,以給厮吏。將軍駱統表理温,權終不納。後六年,温病卒。"

《隋書·經籍志》雜史類:"《三史略》二十九卷,吴太子太傅張温撰。"《唐·經籍志》雜史類:"《三史要略》三十卷,張温撰。"《藝文志》雜史類:"張温《三史要略》三十卷。"

　　按"三史"者,《史記》、《漢書》、《東觀記》也,蜀孟光尤鋭意三史,三史之學盛行於時。

徐整　三五曆記二卷　　整始末具經部詩類。

《唐書·經籍志》:"《三五曆記》二卷,徐整撰。"《藝文志》:"徐整《三五曆記》二卷。"

侯《志》曰:"蕭吉《五行大義》卷五引之。《藝文類聚》卷一、卷十一、卷九十二亦並引之,餘見《太平御覽》引者甚多。"

馬國翰輯本序曰:"曆稱三五者,蓋紀三皇五帝事也。亦名《長曆》,今佚已久。陶宗儀《説郛》卷六十輯《長曆》一種,凡七節,尚有疏漏。兹復蒐采補訂,合得十四節,録爲一卷。"

徐整　通曆二卷
徐整　雜曆五卷

《唐書·經籍志》:"《通曆》二卷,徐整撰。《雜曆》五卷,徐整撰。"《藝文志》:"徐整《通曆》二卷,《雜曆》五卷。"

侯《志》曰:"《御覽》屢引徐整《長曆》,又卷八百七十三、九百十五引徐整《正曆》疑即此二書之異名。"

韋昭　洞紀四卷 　昭始末具經部詩類。

《吳志》本傳:"鳳皇二年,曜因獄吏上辭曰:囚昔見世間有古曆注,其所紀載紀按此似"既"字之偏。多虛無,在書籍者亦復錯謬。囚尋按傳記,考合異同,采摭耳目所及,以作《洞紀》,起自庖羲,至於秦、漢凡爲三卷。當起黃武以來,別爲一卷,事尚未成。"

《隋書·經籍志》:"《洞紀》四卷,韋昭撰。記庖犧已來至漢建安二十七年。"按建安二十五年改元延康元年,是年十月魏受禪,是爲黃初元年。黃初三年之九、十月間吳改年黃武。黃武未改之前,吳仍稱建安之號,故止於二十七年也。《唐·經籍志》:"《洞紀》九卷,韋昭撰。"《藝文志》:"韋昭《洞紀》四卷。"

《史通·表曆篇》:"如韋昭《洞紀》、陶弘景《帝代年曆》皆因表而作,用成其書,非國史之流。"

章宗源《隋志攷證》曰:"陸德明《莊子·説劍篇》釋文、《初學記·樂部》、《北堂書鈔·樂部》、《太平御覽·皇王部》並引韋昭《洞紀》,又作《洞曆記》。《開元占經》引十八事,皆紀周、漢日蝕星變事。"

右史鈔類凡四家,六部。 《舊唐志》有《後魏尚書》十四卷,張温撰。章氏《攷證》改爲《後漢尚書》今校以《新唐志》實晉孔晁書,故不録。

按《隋志》于《典略》、《三史略》、《洞紀》三書別入鈔撮舊史類中,附之雜史,今與徐整《曆紀》並析爲史鈔類。

曹冏　六代成敗論一篇

《魏志·武文世王公傳》評曰:"魏氏王公,既徒有國土之名,而無社稷之實,又禁防壅隔,同於囹圄。位號靡定,大小歲易。骨肉之恩乖,《常棣》之義廢。爲法之弊,一至於此。"注引《魏氏春秋》載宗室曹冏上書,言"親親之道未備,或任而不重,或釋而不任,一旦疆場稱警,關門反拒,股肱不扶,胷心無衛。臣竊惟此,寢不安席,思獻丹誠,貢策朱闕。謹撰合所聞,叙論成敗"云云。冏,中常侍兄叔興之後,按"兄"上敓一"騰"字。少帝族祖也。是時天子幼稚,冏冀以此論感悟曹爽,爽不能納。

《文選注》:"曹元首《六代論》,論夏、殷、周、秦、漢、魏也。"《魏氏春秋》曰:"曹冏字元首,爲弘農太守。"

《晋書·曹志傳》:"志字允恭,魏陳思王植之孽子也。帝嘗閲《六代論》,問志曰:'是卿先王所作耶?'志對曰:'以臣所聞,是臣族父冏所作。以先王文高名著,欲令書傳於後,是以假託。'帝曰:'古來亦多有是。'顧謂公卿曰:'父子證明,足以爲審,自今以後,可無復疑。'"

諸葛亮　論前漢事一卷　亮始末具正史類。

《隋書·經籍志》正史類:"《論前漢事》一卷,蜀丞相諸葛亮撰。"

《唐·藝文志》正史類:"諸葛亮《論前漢事》一卷。"

張澍輯《諸葛集》目録曰:"澍按陳壽《進集表》有云'删除複重,以類相從',知二十四篇者乃是總目,其詔、表、疏、議、書、教、戒、令、論、記、碑、箋各以事類相附,不以文體次比也。《梁甫吟》、《論前漢事》等文宜在《雜言篇》。"又曰:"《論前漢事》,《隋志》一卷,亦見《唐志》,今存《論光武》一篇。"

按本傳《出師表》有曰：“親賢臣，遠小人，此先漢所以興隆也。親小人，遠賢臣，此後漢所以傾頹也。先帝在時，每與臣論此事，未嘗不歎息痛恨於桓、靈也。”此數語似即此一書之大旨，其殆與昭烈所論者歟？

譙周　古史考二十五卷　周始末具經部禮類。

《蜀志》本傳：“凡所著述，撰定《五經論》、《古史考》書之屬百餘篇。”[1]

《晋書·司馬彪傳》：“初，譙周以司馬遷《史記》書周秦以上，或采俗語百家之言，不專據正經。周于是作《古史考》二十五篇，皆憑舊典以糾遷謬誤。彪復以周爲未盡善也，條《古史考》凡百二十二事爲不當，多據《汲冢》、《紀年》之義，亦行於世云。”

《隋書·經籍志》正史類：“《古史考》二十五卷，晋義陽亭侯譙周撰。”《日本國見在書目》同。《唐·經籍志》雜史類：“《古史考》二十五卷，譙周撰。”《藝文志》雜史類：“譙周《古史考》二十五卷。”

《史通·正史篇》：“譙周作《古史考》二十五篇，今與《史記》並行於代。”又《摸擬篇》曰：“當秦有天下，地廣殷、周，變諸侯爲帝王，目宰輔爲丞相。而譙周撰《古史孝》，思欲擯抑馬《記》，師放孔經。其書李斯之棄市也，乃云‘秦殺其大夫李斯’。夫以諸侯之大夫名天子之丞相，以此而擬《春秋》，所謂貌同而心異也。”

高似孫《史略》曰：“古書有《周考》七十六篇，顏師古曰‘考周事也’。按見《漢志》小説家，此是班氏自注，非顏師古説。譙之名書蓋取此。《攷》中載吕不韋爲秦子楚行千金貨於華陽夫人，請立子楚爲嗣。及子楚立，封不韋洛陽十萬户，號文信侯。以詐獲

---

① “書”，疑衍。

爵，故曰竊也。其所紀往往如此。"

章宗源輯本序曰："《史通·外篇》稱《古史考》'與《史記》並行於代'，觀知幾所言，雖與《史記》並論，證以史考之名，檢其逸篇體例，實異正史。《唐志》列於雜史者是也。《文選·王元長詩》注引公孫述竊位，蜀人任永記目盲一事，蔚宗書亦載之，是又兼及後漢事，不獨糾遷書矣。"

章宗源《隋志攷證》曰："詞意多主辨駁，體裁實異正史，《唐志》列諸雜史類，得之。"

按隋、唐人以此爲考史之書，故附《史記》以行。《隋志》亦從而録於諸家注義之後。《史通》所言蓋即指此。猶《漢書》之後系以劉寶《駁議》、姚察《定疑》，《三國志》之後系以何常侍之《論》，徐爰之《評》一例。其書實史評之屬，列之雜史亦未盡當。今與曹元首及武侯《論》並析爲史評類。《日本見在書目》《古史考》之前有《太史公記問》一卷，疑亦譙允南書。

右史評類凡三家，三部。

魏故事

《魏志·衛覬傳》："文帝即王位，覬還漢朝爲侍郎，勸贊禪代之義，爲文誥之詔。"注引《魏書》曰："初，漢朝遷移，臺閣舊事散亂。自都許之後，漸有綱紀，覬以古義，多所正定。"

章宗源《隋志攷證》曰："《北堂書鈔·衣冠部》引《魏舊事》，《太平御覽·職官部》引《魏故事》，《初學記》、《中宮簿》、《御覽·兵部》及《晉書·禮志》並引《漢魏故事》。"

按《晉書·禮志》亦引《魏氏故事》、《魏故事》，《御覽》經史圖書綱目有《魏舊事》、《魏文雜事》。《隋志》總集類引《七録》有《魏雜事》七卷，次《魏名臣奏》之後。

吳故事

《吳志·吳主孫亮傳》注引《吳曆》曰："亮數出中書視孫權舊

事,問左右侍臣:'先帝數有特制,今大將軍問事,但令我書
可耶?'"

按《吳曆》所言,則吳國故事皆中書掌之。此但言大帝,其後
三少帝亦必有故事。亦可稱《吳中書故事》。

蜀故事

《隋書·經籍志》:"《漢魏吳蜀舊事》八卷。"《唐·經籍志》同,
《藝文志》同,並不著撰人。

按《蜀志·先主傳》:"建安二十四年秋,羣臣百二十人上先主
爲漢中王,表於漢帝曰:'以漢中、巴、蜀、廣漢、犍爲爲國,所
署置依漢初諸侯王故典。'先主乃上還所假左將軍、宜城亭侯
印綬。二十五年,或傳聞漢帝見害,先主乃發喪制服,追諡曰
孝愍皇帝。是後在所並言眾瑞,日月相屬。前後上書者八百
餘人,咸稱述符命,請即天子位。"又《劉巴傳》云:"先主稱尊
號,昭告皇天上帝后土神祇,諸文誥策命,皆巴所作也。"凡此
皆故事中之大者。《隋》、《唐志》所載,不知何人裒錄此四朝
舊事以爲一編。亦或據其殘賸合而爲一,原其始則三國各有
故事可知。

魏武故事

錢大昕《三國志攷異》曰:"裴松之注所引書有《魏武故事》,不
詳撰人。"

章宗源《隋志攷證》曰:"《魏武故事》卷亡,不著錄。《魏志·
武紀》建安十年注引十二月己亥令曰:'今上還陽夏、柘、苦三
縣戶二萬,但食武平萬戶。'又二十三年注,令曰:'領長史王
必,統事如故。'《御覽·職官部》亦引之。《劉表傳》注令曰:'青州刺
史琮,有牋求還州。秩祿未優,今表爲諫議大夫,參同軍事。'
《棗祇傳》注令曰:'陳留太守棗祇,破黃巾,定許,興立屯田,
不幸早歿。祇子處中,宜加封爵,以祀祇。'《陳思王傳》注令

曰:'始者謂子建,兒中最可定大事。'又令曰:'自植私出,開司馬門至金門,令吾異目視此兒矣。'又令曰:'諸侯長吏及帳下吏,知吾出輒將諸侯行意否?'並引《魏武故事》。《藝文類聚·人部》引《魏武雜事》。"

按《魏武故事》必是黃初後魏之臣子所編録,以爲臺閣掌故。其後文、明、三少帝五朝亦必各有故事,則諸書所引《魏故事》、《魏舊事》是也。

魏主奏事十卷

《隋書·經籍志》刑法篇:"《魏主奏事》十卷。"

章宗源《隋志攷證》曰:"《文選·古詩十九首》注、《太平御覽·居處部》並引《魏王奏事》。《史記》韓信、盧綰傳集解引《魏武帝奏事》。《漢書·高帝紀》注、《後漢書·光武紀》、《西羌傳》注、《文選·關中詩》注並引之。"

侯《志》曰:"《史記·陳豨傳》、《漢書·高祖紀》十年、《後漢書·光武紀》更始二年、《西羌傳論》諸注俱引《魏武奏事》。《御覽》一百八十一引《魏公奏事》。"

按此在當時欲以別於《漢名臣奏》,故有此編録,未必皆屬刑法,故今入之此類。

謁者灌均等　上事一卷

《太平御覽》五百九十三:"曹植《説灌均上事令》曰:'孤前令寫灌均所上孤章,三臺九府所奏及詔書一通置之座隅,孤欲朝夕諷詠以自警誠也。'"

《魏志·陳思王傳》注:"黃初二年,監國謁者灌均希指,奏植醉酒悖慢,劫脅使者。有司請治罪,帝以太后故,詔曰:'植朕之同母弟。朕於天下無所不容,而況植乎?骨肉之親,捨而不誅,其改封植。'於是貶爵安鄉侯。景初中詔曰:'陳思王昔雖有過失,既克己慎行,以補前闕,其收黃初中諸奏植罪狀,公卿以下議尚書、中書、祕書三府、大鴻臚者皆削除之。'"

按史言灌均希旨,則所謂三臺九府所奏無一不希旨矣。若無卞后,必遭殺害。陳思令寫置一通,殆欲以知情僞而弭禍患,當時情事可想見矣。

魏名臣奏議

《魏志・陳羣傳》注引《魏書》曰:"羣前後數密陳得失,每上封事,輒削其草,時人及其子弟莫能知也。論者或譏羣居位拱默,正始中詔撰羣臣上書,以爲《名臣奏議》,朝士乃見羣諫事,皆歎息焉。"

《文心雕龍・奏啟篇》:"魏代名臣,文理迭興,若高堂天文,王觀教學,王朗節省,甄毅考課,亦盡節而知治矣。"

錢大昕《三國志攷異》曰:"裴松之注所引書有《魏名臣奏》,不詳撰人。"

按《隋志》刑法類有陳壽撰《魏名臣奏事》四十卷,目一卷。又總集類云梁有《魏名臣奏》三十卷,陳長壽撰,亡。《唐・藝文志》故事類有《魏名臣奏事》三十卷,不著撰人。蓋亦是陳壽之本。自陳壽編次之後,而正始詔撰之本,遂不可攷。《吳志・孫權傳》注引《魏略》載《魏三公奏》,奏權見罪十五條,文多不錄云云,當在此書中。

高堂隆　魏臺雜訪議三卷

《魏志》本傳:"高堂隆字升平,泰山平陽人,魯高唐生後也。建安十八年,太祖召爲丞相軍議掾,後爲歷城侯相。黃初中,爲堂陽長,選爲平原王傅。王即尊位,是爲明帝。以隆爲給事中、博士、駙馬都尉。遷陳留太守、散騎常侍,賜爵關內侯,遷侍中,領太史令,遷光祿勳卒。"

《隋書・經籍志》刑法類:"《魏臺雜訪議》三卷,高堂隆撰。"

《唐・經籍志》儀注類:"《魏臺雜訪議》三卷,高崇撰。"按高崇即高堂隆之譌。《唐・藝文志》故事類:"《魏臺訪議》三卷。"又儀注類："高堂隆《魏臺雜訪議》三卷。"

章宗源《隋志攷證》曰："《宋書·禮志》、《文選·謝惠連擣衣詩》注、《後漢書·牟長傳》注、《藝文類聚·歲時部》、《初學記·歲時部》、《服食部》、《太平御覽·時序部》並引《魏臺訪議》。《唐志》儀注、故事兩類重出。"

侯《志》曰："《宋書·禮志》、《隋書·禮儀志》及唐、宋人諸類書皆引之。"

諸葛故事

《蜀志》本傳："臣壽等言'臣前在著作郎，侍中領中書監濟北侯臣荀勖、中書令關內侯臣和嶠奏，使臣定故蜀丞相諸葛亮故事'云云。"

《華陽國志·後賢志·陳壽傳》："中書令張華表令次定《諸葛亮故事》，集爲二十四篇。時壽良亦集，故頗不同。"按陳壽表言奏使定《諸葛故事》者乃荀勖、和嶠二人。常道將以爲張華，似是傳聞之誤。

章宗源《隋志攷證》曰："《藝文類聚·軍器部》引《諸葛故事》曰'成都作匕首五百枚，以給騎士'云云。"

按陳壽、壽良未集之前已有《諸葛故事》，故壽表亦稱定《諸葛亮故事》。武威張澍輯《諸葛集》序曰："陳壽所集二十四篇，非獨裒其文，並其言與事而亦載之。是其爲故事之體由來已久。陳、壽兩家但有所去取耳，未嘗改其體裁也。今錄其最初原編於此，其篇數及編輯人皆不可攷。"

諸葛武侯上事九卷

唐日本國人佐世《見在書目》雜家："《諸葛武侯上事》九卷。"按此不知何人所編，唐代流入外洋。其書似皆表奏、疏議之屬。張介侯輯本有《上事表》、《上言追尊甘夫人爲昭烈皇后》、《上先帝書》、《請宣大行皇帝遺詔表》、《前出師表》、《後出師表》、《公文上尚書》、《彈李平表》、《薦呂凱表》、《彈廖立表》、《又彈廖立表》、《祁山表》、《耽文山表》、《舉蔣琬密表》、《街亭自貶疏》、《正議》、《絕盟好議》、《臨終遺表》凡十九篇，皆上事之屬也。

薛瑩　條列吳事　瑩始末具正史類。

《吳志》薛綜附傳："瑩既至洛陽，特先見叙，爲散騎常侍，答問處當，皆有條理。"注引干寶《晋紀》曰："武帝嘗從容問瑩曰：'孫皓之所以亡者，何也。'瑩對曰：'歸命侯臣皓之君吳也，昵近小人，刑罰妄加，大臣大將，無所親信，人人憂恐，各不自保，危亡之釁，實由於此。'帝遂問吳士存亡者之賢愚，瑩各以狀對。"

《初學記·職官部》引薛瑩《條列吳事》曰："胡沖意性調美，心趣解暢，有刀筆，聞於時事。爲中書令，雖不能匡矯，亦自守，不苟求容媚。"

《世說·規箴篇》注引《條列吳事》曰："孫休在位，烝烝無有遺事，唯射雉可譏。"

按《吳志》第二十評曰："薛瑩稱王蕃器量綽異，弘博多通。樓玄清白節操，才理條暢。賀邵厲志高潔，機理清要。韋曜篤學好古，博見羣籍，有記述之才。"此數語疑即采之是書。

右故事類凡一十一家，一十一部。《文選·報任少卿書》注引何晏《白起故事》，《初學記·器物部》引王朗《秦故事》。章氏《隋志攷證》並補列其目。今按何晏有《白起論》，見《史記·白起傳》，《集解選注》稱《白起故事》似即《白起論》之譌。王朗《秦故事》據《宋書·禮志》。秦乃奏字之誤。皆非實有其書，故今並不錄。

丁孚　漢官儀式選用一卷

《吳志·薛瑩傳》："華覈疏曰：大皇帝末年，太史令丁孚與郎中項峻同撰《吳書》。"

《唐書·藝文志》："丁孚《漢官儀式選用》一卷。"

章宗源《隋志攷證》曰："《漢官儀式選用》一卷，丁孚撰。《漢書·宣紀》注引丁孚《漢官》。《後漢書·章紀》注引丁孚《漢儀式》。《續漢·禮儀志》注、《初學記·禮部》引丁孚《漢官儀》。"

按丁孚有《漢儀》,詳後儀制類。此《漢儀》中之一類,後人析出別行。與蔡質《漢官儀式選用》同,故皆稱《選用》。

韋昭　官儀職訓一卷 　昭始末具經部詩類。

《吳志》本傳:"鳳皇二年,曜因獄吏上辭曰:'又見劉熙所作《釋名》,物類眾多,難得詳究,故時有得失。而爵位之事,又有非是。愚以官爵,今之所急,不宜乖誤。因自忘至微,又作《官職訓》及《辨釋名》各一卷。'"

《隋書·經籍志》:"梁有韋昭《官儀職訓》一卷,亡。"

劉邵等　魏國爵制 　邵始末具經部樂類。

《魏志·武紀》:"建安二十年,秋九月,天子命公承制封拜諸侯守相。冬十月,始置名號至五大夫,與舊列侯、關內侯凡六等,以賞軍功。"注引《魏書》曰:"置名號侯爵十八級,關中侯爵十七級,關內侯十六級,五大夫十五級,皆不食租。與舊列侯、關內侯凡六等。臣松之以爲今之虛封蓋自此始。"

錢大昕《攷異》曰:"初置名號侯者,按黃初元年,以漢諸侯王爲崇德侯。二年,封孔羨爲宗聖侯,皆名號侯也。"

《續漢·百官志》注引劉邵《爵制》曰"《春秋傳》有庶長鮑。商君爲政,備其法品爲十八級,合關內侯、列侯凡二十等,其制因古義。一爵曰公士,至二十爵爲列侯"云云。

按魏國初建於建安十八年五月,此爵制證以本紀,當作於是年。劉昭所引似其序論之首一段,尚未及本文。《藝文類聚》五十一、《太平御覽》一百九十八引王粲《爵論》,言其事甚悉。粲本傳云,魏國制度粲恒典之,則是制。劉邵綜其事,王粲典領之也。

荀攸等　魏官儀一卷

《魏志》本傳："攸字公達，彧從子也。彧，潁川潁陰人。何進徵拜黃門侍郎。與何顒等謀刺董卓，事遂就而覺，[1]收繫獄，顒憂懼自殺，攸言論飲食自若。會卓死得免。爲蜀郡太守，道絶不得至，駐荆州。太祖徵攸爲汝南太守，入爲尚書郎，又以爲軍師。冀州平，表封陵樹亭侯，轉爲中軍師。魏國初建，爲尚書令。從征孫權，道薨。注引《魏書》曰，時建安十九年，年五十八。正始中追諡曰敬侯。"

《隋書·經籍志》："梁有荀攸《魏官儀》一卷，亡。"《唐·經籍志》："《魏官儀》一卷，荀攸撰。"《藝文志》："荀攸等《魏官儀》一卷。"

衛覬　魏官儀　覬始末具經部孝經類。

《魏志》本傳："受詔典著作，又爲《魏官儀》。凡所撰述數十篇。"

　　章宗源《隋志攷證》曰："《南齊書·百官志》云今有《衛氏官儀》。《初學記·文部》、《太平御覽·服章部》並引《魏官儀》。"按《玉海》引《南齊書·百官志》作《魏氏官儀》。

按衛敬侯卒於明帝時，荀敬侯卒於建安中。荀書作於魏國初建，此書似作於文、明之世。當視荀書爲備。

陳羣　九品官人法　羣始末具經部論語類。

《魏志》本傳："文帝即王位，封羣昌武亭侯，徙爲尚書。制九品官人之法，羣所建也。"

《魏志·常林傳》注引《魏略·清介傳》云："時國家始制九品，各使諸郡選置中正，差叙自公卿以下，至于郎吏，功德材行所任。"

---

① "遂"，殿本《三國志》作"垂"。

《通典·選舉門》:"延康元年,吏部尚書陳羣以天朝選用不盡人才,乃立九品官人之法,州郡皆置中正,以定其選,擇州郡之賢有識鑒者爲之,區別人物,第其高下。其武官之選,俾護軍主之。黄初三年,始除舊漢限年之制,令郡國貢舉。"

《太平御覽》二百六十五《傅子》曰:"司空陳羣,始立九品之制,郡置中正,評次人才之高下,各爲輩目,州置都而總其議。"

《御覽》又引《孫楚集奏》曰:"九品,漢氏本無。班固著《漢書》,序先代賢智以九品,此蓋記鬼錄次第耳,而陳羣依之以品生人。"

《玉海·藝文》譜牒類引《晋陽秋》曰:"初,陳羣爲吏部尚書,制九格,登用皆由中正,考之簿世,然後授任。"

按《隋志》有《吏部用人格》一卷,證以《晋陽秋》之言,似卽此書。

劉邵　都官考課七十二條説略一篇

《魏志》本傳:"景初中,受詔作《都官考課》。邵上疏曰:'百官考課,王政之大較,然而歷代弗務,是以治典闕而未補,能否混而相蒙。陛下以上聖之宏略,愍王綱之弛穨,神慮內鑒,明詔外發。臣奉恩曠然,得以啟矇,輒作《都官考課》七十二條,又作《説略》一篇。臣學寡識淺,誠不足以宣暢聖旨,著定典制。'"

《玉海·選舉門》曰:"明帝疾浮華之士,景初元年,詔吏部尚書盧毓曰:'選舉莫取有名,名如畫地作餅,不可啖也。'毓曰:'名不可以致異人,而可以得常士。今考績法廢,而以毀譽進退,故真僞混雜,虛實相蒙。'帝納其言,詔散騎常侍劉邵作《都官考課法》七十二條,又作《説略》一篇,詔下百官議。崔林、杜恕、傅嘏等議久不決,事竟不行。"

《晋書·杜預傳》："預守河南尹，受詔爲黜陟之課。預奏曰：
'魏氏考課即京房之遺意，失於苛細，以遺大體，故歷代莫
能通。'"

王昶　百官考課事

《魏志》本傳："昶字文舒，太原晋陽人也。文帝在東宮，昶爲
太子文學、中庶子。及踐阼，徙散騎侍郎、洛陽典農、兗州刺
史。明帝即位，加揚烈將軍。正始中，轉任徐州，遷征南將
軍，都督荆、豫諸軍事。嘉平初，司馬宣王即誅曹爽，乃奏博
問大臣得失。昶陳治略五事：其二，欲用考試，考試猶準繩
也，未有舍準繩而意正曲直，廢黜陟而空論能否也；其三，欲
令居官者久於其職，有治績則就增位賜爵，詔書褒美。因使
撰《百官考課事》，昶以爲唐虞雖有黜陟之文，而考課之法不
垂。周制冢宰之職，大計羣吏之治而誅賞，又無校比之制。
由此言之，聖主明於任賢，略舉黜陟之體，以委達官之長，而
總其統紀，故能否可得而知也。其大指如此。遷征南大將
軍，封京陵侯，以司空、持節、都督如故。甘露四年薨，諡曰
穆侯。"

《太平御覽·職官部》引王昶《考課事》曰："尚書侍中考課，一
曰掌建六材，以考官人；二曰綜理萬機，以考庶績；三曰進視
惟允，以考讜言；四曰出納王命，以考賦政；五曰罰法，以考典
刑。"卷首圖書綱目作王昶《考謀事》，謀是課之寫誤。

按此《百官考課》今見於《御覽》所引者惟尚書、侍中兩官耳。

裴潛　奏正尚書分職斷事一百五十餘條

《魏志》本傳："潛字文行，河東聞喜人也。避亂荆州，南適長
沙。太祖定荆州，以潛參丞相軍事，歷三縣令、倉曹屬、代郡
太守、丞相理曹掾、沛國相、兗州刺史。文帝踐阼，爲散騎常
侍，魏郡、潁川典農中郎將，荆州刺史。明帝即位，爲尚書、河

南尹、太尉軍師、大司農，封清陽亭侯。入爲尚書令，奏正分職，料簡名實，出事使斷官府者百五十餘條。喪父去官，拜光禄大夫。正始五年薨，謚曰貞侯。"

按《晋書・職官志》："魏有吏部、左民、客曹、五兵、度支，凡五曹尚書、二僕射、一令爲八座。"又曰："魏尚書郎有殿中、吏部、駕部、金部、虞曹、比部、南主客、祠部、度支、庫部、農部、水部、儀曹、三公、倉部、民曹、二千石、中兵、外兵、都兵、別兵、考功、定課、都官、騎兵，凡二十五郎。"裴潛爲尚書，奏正分職，料簡名實者，蓋即分此五曹屬。其書亦考課之流也。

魚豢　中外官名　豢始末具正史類。

章宗源《隋志攷證》曰："《南齊書・百官志》云今有《衛氏官儀》、魚豢《中外官》。魚氏書未見著録。"

侯《志》曰："《齊書・百官志》序：'今有魚豢《中外官》。'康按《御覽・職官部》引《魏略》多有叙百官品秩者，《中外官》當即《魏略》中志名，蓋易百官爲中外。"

按《玉海》一百十九引《齊志》作魚豢《中外官名》，則又似在《魏略》之外者。

魏百官名

章宗源《隋志攷證》曰："《初學記・武部》、《北堂書鈔・武功部》、《太平御覽・兵部》、《服章部》並引《魏百官名》。"又曰："《魏志・鍾會傳》注引《咸熙百官名》。《唐六典》注：《宋百官春秋》云：'常道鄉公《咸熙百官名》有著作佐郎三人。'"

按《隋志》有《魏晋百官名》五卷，不著撰人。蓋合此及晋爲一書。《鍾會傳》注"按《百官名》諸葛緒入晋爲太常"云云，則《魏晋百官名》也。又云"按《咸熙元年百官名》，邵悌，字元伯，陽平人"。《百官名》而繫以年，則又似今之爵帙。又按《咸熙元年百官名》似因是年開建五等而作，審是則別爲一書。

魏官品令一卷

《唐書·藝文志》:"《魏官品令》一卷。"《通志·藝文略》:"《魏官品令》一卷。"

章宗源《隋志攷證》曰:"《魏官品令》一卷,不著録,見《唐志》。"

按《唐六典·刑部》注,晋令、梁令列官品令第四,隋令、唐令列官品令第一,疑是書乃魏令二百餘篇之别行者。《晋·刑法志》、《文選注》引《魏晋官品令》,則又有合晋代以爲一編。

太學博士員録

《魏志·王肅傳》注引魚豢《魏略·儒宗傳》序曰:"從初平之元至建安之末,天下分崩,人懷苟且,綱紀即衰,儒道尤甚。至黄初元年之後,新主乃復始埽除太學之灰炭,補舊石碑之缺壞,備博士之員録。依漢甲乙以考課,申告州郡有欲學者皆遣詣太學。太學始開,有弟子數百人。"

又《杜恕傳》注引《魏略·儒宗傳》曰:"河東樂詳,字文載,黄初中,徵拜博士。於時太學初立,有博士十餘人。學多褊狹,又不熟悉。略不親教,備員而已。"

魏太子　賓客爵里刺

《魏志·武紀》:"建安十六年春正月,天子命公世子丕爲五官中郎將,置官屬,爲丞相副。"

《魏志·夏侯淵傳》注引夏侯湛序曰:"淵第五子榮,字幼權。幼聰惠,誦書日千言,經目輒識之。文帝聞而請焉。賓客百餘人,人一奏刺,悉書其鄉邑名氏,世所謂爵里刺也。客示之,一寓目,使之徧談,不謬一人。帝深奇之。"

按此亦吴太子賓友目之類也。《魏志·邴原傳》注引《原别傳》云:"魏太子爲五官中郎將,天下向慕,賓客如雲。"《釋名》

曰：“又有爵里刺，書其官爵及郡縣鄉里。”《御覽》六百六引
《魏名臣奏》曰：“今吏初除，有《三通爵里刺》，條疏行狀。”此
蓋古策名。委質之義，在當時必聯合成編，故榮得見而識之。
其時文帝爲魏國太子，湛稱文帝者，從後之詞也。

吳太子　賓友目

《吳志·孫登傳》：“魏黃初二年，以權爲吳王。是歲，立登爲
太子，選置師傅，銓簡秀士，以爲賓友，於是諸葛恪、張休、顧
譚、陳表等以選入，侍講《詩》《書》，出從騎射。黃龍元年，權
稱尊號，立爲皇太子，以恪爲左輔，休右弼，譚爲輔正，表爲翼
正都尉，是爲四友，而謝景、范慎、刁玄、羊衜等皆爲賓客，於
是東宮號爲多士。”注引《江表傳》曰：“登使侍中胡綜作《賓友
目》。羊衜乃私駮綜，所言皆有指趣。吳人謂衜之言有
徵云。”

按《傳》注引《賓友目》文數語，非其全也。登以赤烏四年卒，
年三十三。權摧感隕涕，謚登曰宣太子。

右職官類凡一十五家，一十五部。侯《志》有何晏《官族傳》，今析入譜系類。

董巴　大漢輿服志一卷

《魏志·文紀》注：《獻帝傳》載禪代眾事，有給事中博士騎都
尉蘇林、董巴。

嚴可均《全三國文編》曰：“董巴，建安黃初閒爲博士，有《大漢
輿服志》一卷。”

劉昭注《續漢志》序云：“司馬續書總爲八志。律曆之篇仍乎
洪、邕所構，車服之本即依董、蔡所立。”謂《續漢·輿服志》即取蔡邕、
董巴所作也。

《隋書·經籍志》：“《大漢輿服志》一卷，魏博士董巴撰。”
《唐·經籍志》：“《輿服志》一卷，董巴撰。”《藝文志》：“董巴
《大漢輿服志》一卷。”

章宗源《隋志攷證》：“《左傳》桓公正義、《文選·射雉賦》、《秋興賦》、《思玄賦》注、左太沖《詠史詩》、傅長虞《贈何劭王濟詩》注、《後漢書·光武紀》、《明帝紀》注、《臧宮傳》、《宦者傳》注並引董巴《輿服志》。《初學記·服食部》、《御覽·儀飾部》、《服章部》引巴《志》。佩綬采組之制最爲詳悉，有注文徵引《漢官儀》。巴以魏人及見胡廣、應劭之書，故秦御史服楚冠一事，巴稱太傅胡公説，知注文乃巴自撰也。”

侯《志》曰：“《隋書·禮儀志》，《後漢書·光武紀》、《明帝紀》，《臧宮傳》論，《宦者傳》序諸注，《史記·李將軍傳》索隱，《初學記·器用》、《服食》兩部，《北堂書鈔·衣冠》、《儀飾》兩部，《藝文類聚·禮部》、《雜文部》，《御覽·服章部》、《車部》俱引此書。其《宦者傳》注及《索隱》所引其事，皆與輿服無涉，蓋又有所旁及也。”

丁孚　漢儀　孚始末具職官部。

《齊書·禮志》序曰：“吳則太史令丁孚拾遺漢事。”

章宗源《隋志攷證》：“《續漢·禮儀志》注引酎金律，《通典·禮門》同。皇后出桑於蠶宮儀；又拜諸侯王公儀，‘太常住蓋下，東向讀文’；《通典》同。元初六年，夏勤策文；永平七年，陰太后晏駕詔。《祭祀志》注，桓帝祠恭懷皇后祝文。《百官志》注引‘中宮藏府令，比御府令’、‘給事中宮侍郎，比尚書郎’、‘衛尉丞六百石’三事。又太僕太中大夫襄言乘輿綬、諸王綬、公主綬、墨綬、黃綬式，《通典》同。並引丁孚《漢儀》。”

孫星衍輯本序曰：“丁孚《漢儀》，《隋志》不載。《唐志》丁孚《漢官儀式》選用一卷，與蔡質書同名。不知實本一書，或後人誤合爲一。今録成一卷。題曰吳太史令者，見《三國志·薛綜傳》。”

按據《齊書·禮志》所云，則是書似名《漢儀拾遺》。蓋拾漢蔡質、應劭兩家之遺也。

魏制度

《魏志·王粲傳》:"魏國既建,拜侍中。博物多識,問無不對。時舊儀廢弛,興造制度,粲恒典之。"注引摯虞《決疑要注》曰:"漢末喪亂,絶無玉佩。魏侍中王粲識舊佩,始復作之。今之玉佩,受法於粲也。"

《魏志·衛覬傳》:"魏國既建,拜侍中,與王粲並典制度。"又《傳》評曰:"粲虞常伯之官,①興一代之制,覬亦以多識典故,相時王之式。"

《魏志·文紀》:"延康元年秋七月庚辰令曰:百官有司,其務以職盡規諫,將率陳軍法,朝士明制度,牧守申政事,搢紳考六藝,吾將兼覽焉。"

《魏志·韓暨傳》:"時新都洛陽,制度未備,而宗廟主祏皆在鄴都。暨奏請迎鄴四廟神主,建立洛陽廟,四時蒸嘗,親奉粢盛。②崇明正禮,廢去淫祀,多所匡正。"

《宋書·禮志》序曰:"自漢末剥亂,舊章乖弛。魏初則王粲、衛覬典定眾儀。"

《晉書·禮志》曰:"魏氏光宅,憲章斯美。王肅、高堂隆之徒,博通前載,三千條之禮,十七篇之學,各以舊文增損當世。"

按章氏《隋志攷證》曰:"《魏武制度》卷亡,不著録。"《太平御覽·居處部》引《魏武制度奏》曰:"三公列侯,門施外内,墊方三十歃。"按《魏武制度》當在此書。然亦竊疑《魏武制度奏》奏之漢獻帝者也,當在魏王奏事中。

蜀制度

《蜀志·孟光傳》:"光字孝裕,河南洛陽人。獻帝遷都長安,

---

① "虞",《二十五史補編》本作"處"。
② "粢",原作"粢",據《二十五史補編》本、殿本《三國志》改。

光逃入蜀，劉焉父子待以客禮。博物識古，無書不覽，尤銳意三史，長於漢家舊典。先主定益州，拜爲議郎，與許慈等並掌制度。"

《蜀志・許慈傳》："慈字仁篤，南陽人也。師事劉熙，善鄭氏學。建安中，與許靖等自交州入蜀。時又有魏郡胡潛，字公興，不知其所以在益土。潛雖學不沾洽，然卓犖彊識，祖宗制度之儀，喪紀五服之數，皆指掌畫地，舉手可采。先主定蜀，承喪亂歷紀，學業衰廢，乃鳩合典籍，沙汰眾學，慈、潛並爲博士，與孟光、來敏等典掌舊文。值庶事草創，動多疑議。"

《宋書・禮志》序曰："魏初則王粲、衛覬典定眾儀。蜀朝則孟光、許慈創理制度。"

《通典・禮典》序曰："蜀則孟光、許慈草建時制。"

魏朝儀

《晋書・禮志》序曰："魏氏承漢末大亂，舊章珍滅。命侍中王粲、尚書衛覬草創朝儀。"

《通典・禮典》序曰："魏以王粲、衛覬集創朝儀，而魚豢、王沈、陳壽、孫盛雖綴時禮，不足相變。"

《魏志・王基傳》："散騎常侍王肅著諸經傳解及論定朝儀，改易鄭玄舊説。而基據持玄義，常與抗衡。"

《魏志・王肅傳》："其所論駁朝廷典制、郊祀、宗廟、喪紀、輕重凡百餘篇。"按肅論定朝儀即在此百餘篇之內。

按《魏朝儀》初亦爲王粲、衛覬等所立。其後王肅、王基互有論定。

蜀朝儀

《蜀志・先主傳》："建安二十五年，太傅許靖、安漢將軍麋竺、軍師將軍諸葛亮、太常賴恭、光禄勳黃權、少府王謀等上言：'曹丕篡弒，湮滅漢室，竊據神器，劫迫忠良，酷烈無道，人鬼忿毒，咸思劉氏。今上無天子，海内惶惶，靡所式仰。羣下前後上書者八百餘人，咸稱述符瑞，維大王出自孝景皇帝中山靖王之胄，本枝百世，四方歸心。宜即帝位，以纂二祖，[①]紹嗣昭穆，天下幸甚。臣等謹與博士許慈、議郎孟光，建立禮儀，擇令辰，上尊號。'即皇帝位於成都武擔之南。"

按此稱建立禮儀者，即《朝儀》也。魏、吳皆有《朝儀》，是可類推。陳壽於《蜀志》最略，裴松之嘗以宗高廟制度無從攷見爲恨。

吳朝儀

吳主赤烏二年傳注引《文士傳》曰："鄭胄字敬先，沛國人。父札，才學博達。權爲驃騎將軍，以札爲從事中郎。與張昭、孫劭共定朝儀。"

《吳志·張昭傳》注引《吳錄》曰："昭與孫劭、滕胤、鄭禮等采周、漢撰定《朝儀》。"

按《文士傳》作"周札"，"札"似"禮"之誤，當從《吳錄》。

魏甲辰儀五卷

《隋書·經籍志》："《甲辰儀》五卷，江左撰。"《唐·經籍志》："《甲辰儀注》五卷。"《藝文志》同。

侯《志》職官類附著曰："又按《唐六典》卷五引《魏甲辰令》，輔國將軍第三品，游騎將軍第四品。卷十引《魏甲辰儀》，祕書令史品第八。其次序皆在晋官品以前，則曹魏時書也。"

章宗源《隋志攷證》曰："《藝文類聚·儲宮部》：'皇太子妃、公主、夫人逢持節使者、高車使者，住車相揖。'《北堂書鈔·禮儀部》、《太平御覽·皇親部》語同，並引《甲辰儀》。《唐志》作《甲辰儀注》。《唐六典》注引《魏甲辰儀》，又引《魏甲辰令》。"

按引書疑即《魏故事》中佚本，或首篇有"甲辰"字，遂以《甲辰儀》名書。《舊唐志》次董巴《輿服志》之後。蓋亦以爲曹魏時書。江左不知何人。兩《唐志》皆無撰人。

何晏　魏明帝謚議二卷 <small>晏始末具經部易類。</small>

《唐書·經籍志》："《魏明帝謚議》二卷，何晏撰。"《藝文志》："何晏《魏明帝謚議》二卷。"

按《隋志》有《魏晋謚議》十三卷，何晏撰。蓋誤合《晋謚議》八卷、《晋簡文謚議》四卷爲一書。兩《唐志》始分別著録。時曹爽爲大將軍，何晏爲尚書，典選舉專政。

闞澤　二宮出入見賓儀

《吳志》本傳："澤字德潤，會稽山陰人也。家世農夫，至澤好學，追師論講，究覽羣籍，由是顯名。察孝廉，除錢唐長，遷郴令。孫權爲驃騎將軍，辟補西曹掾，及稱尊號，以爲尚書。嘉禾中，爲中書令，加侍中。赤烏五年，拜太子太傅，領中書如故。澤以經傳文多，難得盡用，乃斟酌諸家，刊約《禮》文及諸注説以授二宮，爲制行出入及見賓儀。每朝廷大議，經典所擬，輒諮訪之。以儒學勤勞，封都鄉侯。六年冬卒。"

《吳志·孫和傳》注引殷基《通語》曰："初權既立和爲太子，而封霸爲魯王，初拜猶同宮室，禮秩未分。羣公之議，以爲太子、國王上下有序，禮秩宜異，於是分宮別僚，而隙端開矣。"又《是儀傳》云："南、魯二宮初立，儀領魯王傅。儀嫌二宮相近切，乃上疏言：'二宮宜有降殺，正上下之序。'"

按《孫和傳》云："赤烏五年，立爲太子，時年十九。闞澤爲太傅。"澤是書蓋作於是時。其後和廢而霸亦賜死。又據《澤傳》則尚有刊約《禮》文之書，大抵是《禮記》之屬，今不可攷。

蔣濟　郊丘議三卷

《魏志·本傳》："濟字子通，楚國平阿人也。建安中，仕郡計吏、州別駕。太祖拜爲丹陽太守,辟丞相主簿西曹屬。文帝即王位,轉相國長史。及踐阼,爲散騎常侍,再出爲東中郎將,徵爲尚書。明帝即位,再遷護軍將軍,齊王時徙領軍將軍,進爵昌陵亭侯,遷太尉。初,侍中高堂隆論郊祀事,以魏爲舜後,推舜配天。濟以爲舜本姓嬀,其苗曰田,非曹之先,著文以追詰隆。濟後隨太傅司馬宣王屯洛水浮橋,誅曹爽等,進封都鄉侯。是歲薨,諡曰景侯。"《晉書·禮志》曰:"王肅、高堂隆之徒,博通前載三千條之禮。景初元年,營洛陽南委粟山以爲圜丘,祀之日以始祖帝舜配,房俎生魚,陶樽玄酒,非搢紳爲之綱紀,其孰能與於此哉?"裴松之注曰:"景初中,明帝從高堂隆議,謂魏爲舜後。蔣濟《立郊議》稱《曹騰碑文》云'曹氏族出自邾'以難隆,及與尚書繆襲往反,並有理據,文多不載。"

《隋書·經籍志》經部禮類:"梁有《郊丘議》三卷,魏太尉蔣濟撰,亡。"《唐·經籍志》史部儀注類:"魏氏《郊氏》三卷。"《藝文志》:二卷。

侯《志》曰:"本傳注又引濟難鄭康成《祭法》注,似出此書。又《齊書·禮志》云魏高堂隆議以舜配天,蔣濟云:'漢時奏議謂堯已禪舜,不得爲漢祖。舜亦已禪禹,不得爲魏之祖。今宜以武皇帝配天。'此即濟難隆之語也。"

王肅　明堂議三卷　肅始末具經部易類。

《隋書·經籍志》經部禮類:"梁有《明堂議》三卷,王肅撰,亡。"

侯《志》曰:"肅《議明堂》,不以祖宗爲配食之祭,不以上帝爲五精帝,皆與鄭殊。"

王肅　祭法五卷

《隋書·經籍志》經部禮類:"梁有《祭法》五卷,又《明堂議》三卷,王肅撰,亡。"

按本傳云其所論駁朝廷典制、郊祀、宗廟百餘篇。此《祭法》

及《明堂議》當皆在其中。《太平御覽》經史圖書綱目有王肅《議禮》，似即此書。肅注《家語》序有曰："是以撰《經禮》申明其義，及朝論制度，皆據所見。"而言撰《經禮》申明其義者，謂所注三《禮》。其後云云者，亦即指是類之書。

繆襲　祭儀　襲始末具經部樂類。

《太平御覽·經史圖書綱目》有繆襲《祭儀》。

嚴可均《全三國文編》曰："繆襲《祭儀》凡二條，其一見《御覽》八百六十，其二見《書鈔》一百四十四、《御覽》八百六十一，又九百七十七，又九百七十九。"

按《通典》五十五引陳留范宣曰："魏明帝大修禳祭儀。"疑是書作於此時。

譙周　禮祭集志　周始末具經部禮類。

《宋書·禮志》："明帝泰豫元年七月，禮官議曰：'譙周《祭志》稱：禮，身有喪則不爲吉祭，緦麻之喪於祖考有服者則亦不祭，爲神不饗也。'"

《通典》五十二："景龍二年，太常博士彭景直上疏曰：'又按《禮論》，譙周《祭志》云：天子之廟，始祖及高祖祖考，皆每月朔加薦新，以象平生朔食也，謂之月祭。二祧之廟時祭，無月祭。'"又曰："此譙周所著與古禮義合。"又四十八、四十九引蜀譙周《禮祭集志》各一條。

按唐人從《禮論》引譙周《祭志》，其文與四十九卷引《禮祭集志》相同，則稱《祭志》者，省文也。疑在《三經然否論》中。

右儀制類凡一十四家，一十五部。 侯《志》有譙周《禮儀志》，今並入正史類，又有高堂隆《魏臺雜訪議》，今析入故事類。

魏科　亦名甲子科。

《魏志·何夔傳》：建安中，夔爲長廣太守。是時太祖始制新科下州郡。夔上言曰'所下新科，皆以明罰飭法，齊一大化也'云云。

《魏志·曹仁傳》:"仁爲將,嚴整奉法令。常置《科》於左右,案以從事。"

《魏志·司馬芝傳》:"芝黃初中爲河南尹,居官十一年,數議《科》條所不便者。"

《晉書·刑法志》曰:"魏武帝下令欲復肉刑,陳羣深陳其便,鍾繇亦贊成之,奉常王修不同其議。武帝亦難以藩國改漢朝之制,遂寢不行,於是乃定《甲子科》。犯欽左右趾者,易以木械。是時乏鐵,故易以木焉。又以漢律太重,故令依律論者聽得科半,使從半減也。"《唐六典·刑部》注:魏武爲相,造《甲子科條》,犯斬左右趾者,易以木械。

又陳羣、劉邵等上律令序曰:"科有持質事,科有登門道辭事,科有考事報讞事,科有使者驗賂事,科有擅作修舍事,科有平庸坐贓事。"又曰:"科之爲制,每一條有違科,不覺不知,從坐之免。"《魏志·齊王芳紀》:"嘉平六年二月,詔曰,劉整、鄭係如部曲將死事科。"

蜀科

《蜀志》列傳:"法正字孝直,右扶風郿人也。先主爲漢中王,拜尚書令、護軍將軍,卒。"又曰:"劉巴字子初,零陵蒸陽人也。代法正爲尚書令,章武二年卒。"又曰:"李嚴字正方,南陽人也,從改名平,以驃騎將軍爲中都護。罪廢爲民,徙梓潼郡。建興十二年,聞亮卒,發病死。"又曰:"伊籍字機伯,山陽人也。先主定益州,爲從事中郎,後遷昭文將軍。與諸葛亮、法正、劉巴、李嚴共造《蜀科》,《蜀科》之制由此五人焉。"

陳壽重編《諸葛故事》科令上第二十、科令下第二十一,表上之曰:"亮教嚴明,賞罰必信,無惡不懲,無善不顯。至於吏不容姦,人懷自厲,道不拾遺,彊不侵弱,風化肅然也。"按此但取其文之涉於科令者,裒爲上下兩卷耳。若五人合撰之科條,則典守在官,自不得編入本集。

吳科

《吳志·吳主孫權傳》：“黃武五年冬十月，陸遜陳便宜，勸以施德緩刑。權報曰：‘夫法令之設，欲以過惡防邪，儆戒未然也。君以爲太重者，孤亦何利其然。當重諮謀，務從其可。’於是令有司盡寫科條，使郎中褚逢齎以就遜及諸葛瑾，意所不安，令損益之。”又：“嘉禾五年，設盜鑄之科。六年，定長吏奔喪科文。”

《吳志·孫登傳》：“嘉禾三年，權征新城。使登居守，總知留事。時年穀不豐，頗有盜賊，乃表定科令，所以防禦，甚得止姦之要。赤烏四年卒。臨終上疏言：‘法令繁滋，刑辟重切。宜與將相大臣詳擇時宜，博采眾議，寬刑輕賦，以順民望。陸遜、諸葛瑾、步騭、朱然、全琮、朱據、呂岱、吾粲、闞澤、嚴畯、張承、孫怡忠於爲國，通達治體。可令陳上便宜，蠲除煩苛。’”

《吳志·闞澤傳》：“諸官司有所患疾，欲增重科防，以檢御臣下，澤每曰：‘宜依禮律’。”

魏令一百八十餘篇

《唐六典·刑部》注：“魏命陳羣等撰州郡令四十五篇，尚書官令、軍中令合百八十餘篇。”

《晉書·刑法志》：陳羣、劉邵等上律令序有曰：“秦世舊有廄置、乘傳、副車、食廚，漢初承秦不改，後以費廣稍省，故後漢但設騎置而無車馬，律猶著其文，則爲虛設，故除《廄律》，取其可用合科者，以爲《郵驛令》。其上言變事，以爲《變事令》。”

章宗源《隋志攷證》曰：“顏師古《匡謬正俗》問曰：‘今官曹文案於紙縫上署記，謂之款縫者，何也？’答曰：‘此語言元出《魏

晋律令》。'《太平御覽·時序部》引《魏武明罰令》，《兵部》引
《魏武船戰令》、《步戰令》、《軍策令》、《内戒令》，《職官部》引
《魏武選舉令》，又《時序部》引《有祠令》，《車部》引《鹵簿令》
皆不著明魏晋。"

嚴可均《全三國文編》曰："《通典》九十九引《魏令》，又八十八
引《喪葬令》。"

按《唐·藝文志》職官類有《魏官品令》一卷，疑即此書之
殘本。

魏律十八篇

《魏志·劉邵傳》："明帝即位，出爲陳留太守，徵拜騎都尉，與
議郎庚嶷、荀詵等定科令，作《新律》十八篇。"

《晋書·刑法志》："天子又下詔改定刑制，命司空陳羣、散騎
常侍劉邵、給事黄門侍郎韓遜、議郎庚嶷、中郎黄休、荀詵等
删約舊科，旁采漢律，定爲魏法，制《新律》十八篇，《州郡令》
四十五篇，《尚書官令》、《軍中令》，合百八十餘篇。"其序略
曰："舊律所難知者，由於六篇篇少故也。篇少則文荒，文荒
則事寡，事寡則罪漏。是以後人稍增，更與本體相離。今制
新律，宜都總事類，多其篇條。舊律因秦《法經》，就增三篇，
而《具律》不移，因在第六。罪條例既不在始，又不在終，非篇
章之義。故集罪例以爲《刑名》，冠於律首。按律例以名例冠首者蓋
始於此時。即李悝《法經》第六篇之《具律》是也。餘分諸律令科條以爲劫
略律、詐律、毁亡律、告劾律、繫訊斷獄律、請賕律、擅興律、留
警事律、償贜律、免坐律，凡所定增十三篇，故就五篇，合十八
篇，於正律九篇爲增，於旁章科令爲省矣。改漢舊律，不行於
魏者皆除之。"

《唐六典·刑部》注："魏命陳羣等采漢律爲魏律十八篇。增
漢蕭何律劫掠、詐僞、毁亡、告劾、繫訊、斷獄、請賕、警事、償

賊等九篇也。”

按侯《志》題作《魏法制新律》，蓋誤讀《晉書·刑法志》之文。
《志》云：“定爲魏法制新律十八篇。”當以“定爲魏法”讀爲句，
不當連屬下文。《衛覬傳》：“明帝即位，覬奏請置律。博士轉
相教授，事遂施行。”此邵等撰《新律》之緣起。

劉邵　律略論五卷　<small>邵始末具經部樂類。</small>

《魏志》本傳：“作《新律》十八篇，著《律略論》。”

《隋書·經籍志》：“梁有應劭《律略論》五卷，亡。”<small>按應劭蓋劉劭之</small>
<small>誤。</small>《唐·經籍志》：“《律略論》五卷，劉劭撰。”《藝文志》：“劉
劭《律略論》五卷。”

《太平御覽·刑法部》引劉劭《律略》曰：“删舊科，采漢律，爲
魏律，懸之象魏。”<small>按此似序言中語。</small>

魏廷尉決事十卷

《隋書·經籍志》：“《魏廷尉決事》十卷。”《唐·藝文志》故事
類：“《魏廷尉決事》十卷。”

《魏志·鍾毓傳》：“毓爲廷尉。聽君父已没，臣子得爲理謗，
及士爲侯，其妻不復配嫁，毓所創也。”

侯《志》曰：“《御覽》七百六十三引《廷尉決事》曰：‘廷尉高文
惠上：民傅晦詣民籍牛場上盜黍，爲牛所覺，以斧擲折晦腳，
物故。依律，牛應棄市。監棗超議：晦既夜盜，牛本無殺意，
宜減所死一等。’必出此書也。文惠，高柔字也，黄初四年爲
廷尉。又六百四十六亦引《廷尉決事》，然無以定其爲魏。”

魏南臺奏事九卷

《唐書·藝文志》故事類：“《魏廷尉決事》十卷，《南臺奏事》九
卷。”按《唐志》載是書於《魏廷尉決事》之次，明是一類之書。
蒙上文故不書“魏”字，其下皆晉人書，知此九卷實魏代所編
録也。

右刑法類凡八家,八部。侯《志》有《魏主奏事》十卷,今析入故事類。

趙母　列女傳注七卷

《世說·賢媛篇》注引《列女傳》曰:"趙姬者,桐鄉令東郡虞韙妻,潁川趙氏女也。才敏多覽,韙既没,大皇帝敬其文才,詔入宮省,上欲自征公孫淵,姬上疏以諫。作《列女傳解》,號趙母注,賦數十萬言。赤烏六年卒。"

《隋書·經籍志》:"《列女傳》七卷,趙母注。"《唐·藝文志》:"趙母《列女傳》七卷。"

繆襲　列女傳讚一卷　襲始末具經部樂類。

《隋書·經籍志》:"《列女傳讚》一卷,《繆襲撰》。"

曹植　列女傳頌一卷　植始末具經部樂類。

《隋書·經籍志》:"《列女傳頌》一卷,曹植撰。"《唐·藝文志》:"曹植《列女傳頌》一卷。"

嚴可均《全三國文編》曰:"陳王植有《列女傳頌》一卷。《文選·石闕銘》注引之。《初學記》卷十引《母儀頌》、《賢明頌》。"

曹植　畫讚傳五卷

《隋書·經籍志》集部總集篇:"《畫讚》五卷,漢明帝殿閣畫,魏陳思王讚。梁五十卷。"

唐張彦遠《歷代名畫記》曰:"《漢明帝畫宮圖》五十卷,第一起庖犧,五十雜畫讚。漢明帝雅好畫圖,別立畫官,詔博洽之士班固、賈逵輩,取諸經史事,命尚方畫工圖畫,謂之畫讚。至陳思王曹植爲讚傳。"按爲讚傳者,讚後而繫以小傳。如《華陽國志·諸郡士女讚》之體。

嚴可均《全三國文編》曰:"《藝文類聚》七十四,《太平御覽》卷一又七百五十又七百五十一及《歷代名畫記》引曹植《畫讚序》。又《初學記》、《類聚》、《御覽》引曹植《畫讚》文,自庖義以迄班婕妤，凡三十一條。"

右注述前代傳記凡三家，四部。

魏文帝　海内士品録三卷

《隋書·經籍志》："《海内士品》一卷，不著撰人。"《唐·經籍志》："《海内士品録》二卷，魏文帝撰。"《藝文志》："魏文帝《海内士品録》三卷。"

章宗源《隋志攷證》曰："《海内士品》一卷，無撰名。《唐志》：魏文帝，三卷。《藝文類聚·服飾部》、《北堂書鈔·儀飾部》、《太平御覽·服用部》並引之。"

魏明帝　甄表狀

《聖賢羣輔録》曰："魏文帝初爲丞相，魏王所旌表二十四賢，後明帝乃述撰其狀。見《文帝令》及《甄表狀》。"又曰："潁川陳寔，寔子紀，紀弟諶，並以高名，號曰'三君'，見《甄表狀》。"又曰："北海公沙穆五子並有令名，京師號曰'公沙五龍，天下無雙'，穆亦名士也。見明帝《甄表狀》。"

侯《志》曰："康按魏文帝所旌表二十四賢備在《羣輔録》，無公沙穆、陳寔父子，而《甄表狀》有之，蓋又有所推廣矣。二十四賢中之徵士樂安冉璆，《後漢書·陳蕃傳》作周璆，未詳孰是。"

海内先賢傳四卷

《隋書·經籍志》："《海内先賢傳》四卷，魏明帝時撰。"《唐·經籍志》："《海内先賢傳》四卷，魏明帝撰。"《藝文志》："《海内先賢傳》五卷，魏明帝時撰。"

章宗源《隋志攷證》曰："《世説·德行篇》注，《北堂書鈔·政術部》並引《海内先賢傳》，其書所紀多東海先賢。《御覽·職官部》引魏明帝《先賢傳》，省'海内'二字。"

侯《志》曰："《世説》注、《後漢書》注、《藝文》、《御覽》俱引之。"

其中記申屠蟠事、許劭事,足補史傳之闕。記王允死難事,與史不同。記李膺宗陳稺叔、荀淑、鍾皓三君,嘗言荀君清識難尚,陳、鍾至德可師。比史傳多稺叔一人,皆足以備參攷者也。"

董巴　漢中官傳　巴始末具儀制類。

《太平御覽·職官部》守宮令條引董巴《漢中宮傳》曰:"守宮,禁内署令,秩千石,在省内用中人,省外士人。"

按《初學記》二十一云"蔡倫擣故魚綱作紙",注云"見董巴記"。蔡倫,後漢和帝時中常侍,此所引董巴記倫造紙事似即此書中語。中宮疑中官之譌。《御覽·圖書綱目》亦云董巴《漢中官傳》。又按《宋書·百官志》卷下引董巴《漢書》曰:禁門,曰黃閣,中人主之,故號曰黃門令。《初學記·職官部》引此文亦曰董巴《漢書》。《續漢·百官志》引此文稱董巴曰。《後漢書·宦者傳》序注引此文則稱董巴《輿服志》。《御覽》二百廿一引此文則曰《輿服志》,不標董巴姓名。或稱《漢書》,或稱《輿服志》。疑巴有《後漢書》,此《中官傳》與《輿服志》,皆其書之佚存者。又《續漢志》言董巴撰建武以來災異。按災異即五行志之異名,似亦所作《後漢書》之佚存者。

嵇康　聖賢高士傳贊三卷　康始末具經部易類。

《魏志·王粲附傳》注引康兄喜爲康傳曰:"撰録上古以來聖賢、隱逸、遁心、遺名者,集爲傳贊。自混沌至於管寧,凡百一十有九人。蓋求之於宇宙之内,而發之乎千載之外者矣。故世人莫得而名焉。"

《晋書》本傳:"撰上古以來高士爲之傳贊,欲友其人於千載也。"

《隋書·經籍志》:"《聖賢高士傳贊》三卷,嵇康撰。周續之注。"《唐·經籍志》:"《高士傳》三卷,嵇康撰。"《藝文志》:"嵇康《聖賢高士傳》八卷。"

章宗源《隋志攷證》曰:"《宋書·周續之傳》,續之常以嵇康《高士傳》得出處之美,因爲之注。《南史》同。"

《史通・采撰篇》曰："嵇康《高士傳》好聚七國寓言。"又《雜説篇》云："莊周著書以寓言爲主，嵇康述《高士傳》多引其虛詞。至若神有混沌編諸首録，苟以此爲實，則其流甚多。"又云："嵇康《高士傳》取《莊子》、《楚辭》二漁父事合成一篇。夫以園史之寓言、騷人之假説而定爲實録，斯已謬矣。況此二漁父者，較年則前後別時，論地則南此殊壤，而輒併之爲一，豈非惑哉。"又《浮詞篇》、《品藻篇》亦論此書，與皇甫謐書並深致不滿。

嚴可均輯本序曰："《唐志》以傳屬嵇康，以贊屬周續之。據康兄喜爲康傳云：'集爲傳贊。'是傳與贊皆康撰。《唐志》誤也。按兩《唐志》並有周續之《上古以來高士傳贊》三卷。宋代不著録。今檢羣書，得五十二傳，五贊，凡六十一人。定著一卷，附康集之末。"按馬氏玉函山房亦輯存一卷，不及嚴輯本爲備。

諸葛亮　貞潔記一卷　亮始末具正史類。

《唐書・藝文志》："諸葛亮《貞潔記》一卷。"

按張介侯輯《諸葛集》目録云："澍按《隋書・經籍志》女訓有諸葛武侯《貞潔記》一卷。"今按《隋志》實無此文，《唐・經籍志》亦不著。惟《藝文志》始於傳記類，後別爲女訓之目。張説誤也。

楊戲　季漢輔臣贊

《蜀志》本傳："戲字文然，犍爲武陽人也，少知名。丞相亮深識之。從州書佐爲督軍從事，府屬主簿。亮卒，爲尚書右選部郎，刺史蔣琬請爲治中從事史。琬以大將軍開府，又辟爲東曹掾，遷南中郎參軍，領建寧太守。拜護軍監軍，出領梓潼太守，入爲射聲校尉。延熙二十年，隨大將軍姜維出軍，戲素心不服維，酒後言笑，每有傲弄之辭。維竟不能堪，軍還，有司承旨奏戲，免爲庶人。後景耀四年卒。戲以延熙四年著《季漢輔臣贊》，其所頌述，今多載於《蜀書》，是以記之於左。

其戲之所贊而今不作傳者，余皆注疏本末於其辭下，可以羸
知其髣髴云爾。"

《華陽國志》："楊義校云當作羲。字文然，武陽人也。輔漢將軍
張裔薦，爲丞相主簿。大司馬蔣琬辟東曹掾，歷二郡太守，爲
射聲校尉。性簡略，未曾以甘言加人。酒後言笑多慢詞，失
大將軍姜維意，爲維所廢。延熙十八年，作《季漢輔臣贊》，在
《蜀書》。"

陸凱　吳先賢傳四卷

《吳志》本傳："凱字敬風，吳郡吳人，丞相遜族子也。黃武初
爲永興、諸暨長，拜建武都尉。赤烏中，除儋耳太守，建武校
尉。五鳳二年，拜巴丘督、偏將軍，武昌右部督，累遷盪魏、綏
遠將軍。孫休即位，拜征北將軍，假節領豫州牧。孫皓立，遷
鎮西大將，都督巴丘，領荆州牧，進封嘉興侯。寶鼎元年，爲
左丞相。建衡元年卒，時年七十二。"

《隋書·經籍志》："《吳先賢傳》四卷，吳左丞相陸凱撰。"

《唐·藝文志》："陸凱《吳國先賢傳》五卷。"《唐·經籍志》有《吳國先
賢傳贊》三卷，不著撰人，疑即此書。

嚴可均《三國文編》曰："陸凱有《吳先賢傳》四卷，《初學記》十
七引《傳贊》凡三條。"

侯《志》曰："《初學記》十七引《吳先賢傳》故揚州別駕從事戴
矯贊，奮武將軍顧承贊，上虞令史胄贊，知是書每傳必有
贊也。"

右傳記類總録之屬凡七家，七部。魏四家，蜀二家，吳一家。

蘇林　陳留耆舊傳一卷　林始末具經部孝經類。

《隋書·經籍志》："《陳留耆舊傳》一卷，魏散騎常侍蘇林撰。"

《唐·經籍志》："《陳留耆舊傳》三卷，蘇林撰。"《藝文志》："蘇
林《陳留耆舊傳》三卷。"

章宗源《隋志攷證》曰：“《魏志·高柔傳》注、《後漢書·吳祐傳》注、《初學記·居處部》並引《陳留耆舊傳》，不著蘇林名。惟《太平御覽·職官部》引蘇林《廣舊傳》。‘廣舊’當是‘耆舊’之誤，而不著陳留地名。”

侯《志》曰：“康按漢圈稱亦有此書。後人引《陳留耆舊傳》者甚多，未知爲圈書爲蘇書矣。惟《御覽》二百六十九引蘇林《廣舊傳》，蓋廣圈稱之書。《玉海·藝文》亦云魏蘇林《廣舊傳》一卷，省陳留二字。”

周斐　汝南先賢傳五卷

《隋書·經籍志》：“《汝南先賢傳》五卷，魏周斐撰。”《唐·經籍志》：“《汝南先賢傳》三卷，周裴撰。”裴乃斐之誤。《藝文志》：“周斐《汝南先賢傳》五卷。”

《史通·雜述篇》曰：“若圈稱《陳留耆舊》、周斐《汝南先賢》，此之謂郡書者也。”

章宗源《隋志攷證》曰：“《史通·外篇》注作《汝南先賢行狀》。《世說》注、諸書所引皆稱《傳》，惟《太平御覽·人事部》引‘胡定在喪，雪覆其屋’事作《行狀》。”

侯《志》曰：“諸書引者甚多，如周乘之器識，《世說·賞譽篇》注。闞敞之貞廉，《藝文》卷六十六。黃浮、李宣之公正，《御覽》二百六十八九。陳華、王恢之義烈，《御覽》二百六十八，四百二十一。李鴻、李先、殷煇之孝友，《御覽》四百十四。許嘉之志節，《御覽》三百四十三，六百四十九。郭亮之幼慧，《御覽》三百八十五。薛勤之知人，《御覽》四百四十四。史傳皆佚其事。且有不知姓名者，胥賴此書以傳。惟載及侯瑾，《藝文》八十。葛玄、《藝文》九十六。胡定、《御覽》四百二十六。劉巴《御覽》四百五十七。諸人事皆非汝南人，疑引書者輾轉傳譌也。”

王基　東萊耆舊傳一卷　基始末具經部詩類。

《隋書·經籍志》：“《東萊耆舊傳》一卷，王基撰。”《唐·藝文志》：“王基《東萊耆舊傳》一卷。”

陳術　益部耆舊傳二卷

《蜀志》李譔附傳：“時又有漢中陳術字申伯，亦博學多聞，著《益部耆舊傳》及《志》，位歷三郡太守。”

《華陽國志·漢中人士贊》：“陳術字申伯，作《耆舊傳》者也。失其行事，歷新城、魏興、上庸三郡太守。”按此三郡自延康元年七月孟達降魏後遂爲魏地，屬荆州，則陳申伯爲太守在漢獻帝時矣。

《華陽國志·三州人士目錄》：“陳術字申伯，歷二郡太守，見《蜀書》，撰《益部耆舊傳》者。”

侯《志》曰：“康按《隋志》有《續益部耆舊傳》二卷，《唐志》有《益州耆舊傳記》二卷，皆無撰人。考《蜀志·李譔傳》及《華陽國志》，則此書陳術傳也。《楊戲傳》稱《益部耆舊雜記》載王嗣、常播、衛繼三人。劉焉、先主、楊洪、楊戲諸傳注皆引《益部耆舊雜記》，或稱《耆舊傳雜記》，雖不系以陳術，大約皆術書。則此書又名《雜記》，《唐志》之名本於此也。《史記·曆書》‘巴落下閎運算轉曆’注引陳術云：‘徵士巴郡落下閎也。’亦出此書。”

按范《書》獨行李業傳云：“光武下詔表其閭，《益部紀》載其高節，圖畫形象。”并附傳之王皓、王嘉、任永、馮信，此五人當出此《益部耆舊傳》。

又按史稱術著《益部耆舊傳》及《志》，則所作尚有《益州志》，今不可攷。

謝承　會稽先賢傳七卷　　承始末具正史類。

《隋書·經籍志》：“《會稽先賢傳》七卷，謝承撰。”《唐·經籍志》：“《會稽先賢傳》五卷，謝承撰。”《藝文志》：“謝承《會稽先賢傳》七卷。”

章宗源《隋志攷證》曰：“《初學記·人事部》、《設官部》，《太平御覽·職官部》、《人事部》、《服用部》並引《會稽先賢傳》。"

侯《志》曰："《初學記》、《御覽》屢引之，所記凡闞澤、沈勳、茅
閭、淳子長、陳業、董昆、嚴遵諸人事多史傳之佚文。嚴遵二
條足補《後漢書》本傳之闕，陳業二條足以證《吳志·虞翻傳》
注，吉光片羽，皆可寶也。"

徐整　豫章列士傳三卷　整始末具經部詩類。

《隋書·經籍志》："《豫章烈士傳》三卷，徐整撰。"《唐·藝文
志》："徐整《豫章烈士傳》三卷。"

章宗源《隋志攷證》曰："《初學記·人事部》，《北堂書鈔·政
術部》、《設官部》，《太平御覽·資產部》並引《豫章烈士傳》。"

侯《志》曰："《御覽》凡五引之，無徐整名。所載周騰、孔恂、華
茂、施陽、羊茂事皆史傳佚文。"又曰："孔恂、羊茂，謝承《後漢
書》有之，又《初學記》十七載施陽事，引徐整《豫章烈士傳》。"

按隋、唐《志》皆作"烈士"，今從《初學記》所引。

張勝　桂陽先賢畫贊一卷

《隋書·經籍志》："《桂陽先賢書贊》一卷。書贊是畫贊之誤。吳左
中郎張勝撰。"《唐·經籍志》："《桂陽先賢畫贊》五卷，張勝
撰。"《藝文志》："張勝《桂陽先賢畫贊》五卷。"

嚴可均《全三國文編》曰："吳張勝為左中郎，有《桂陽先賢畫
贊》一卷。《御覽》四百二十一引羅陵畫贊，《類聚》八十五引
成武丁畫贊，凡二條。"

章宗源《隋志攷證》曰："《水經·汝水注》，《北堂書鈔·酒食
部》，《藝文類聚·百穀部》，《太平御覽·兵部》、《人事部》、
《藥部》並引《桂陽先賢傳》。"

侯《志》曰："《水經·汝水注》引一條，記張熹自焚求雨事。
《御覽》引成武丁、羅陵、胡滕、蘇耽、成子、程曾諸人事中，惟
胡滕一條見《後漢書·竇武傳》，餘多未見。程曾非《後漢·

儒林傳》之程曾,蓋別一人。《御覽》或引作《先賢傳》,核其文義,蓋即一書也。"

士燮　交州人物志　燮始末見其經部春秋類。

《史通·雜説篇》:"交阯遠居,南裔越裳之俗也。敦煌僻處,西域昆戎之鄉也。求諸人物,自古闕載。蓋由地居下國,路絕上京,史官注記所不能及也。既而士燮著錄,劉昞裁書,則磊落英才,粲然盈矚者矣。向使兩賢不出,二郡無記,彼邊隅之君子何以取聞於後世乎? 是知著述之功,其力大矣,豈與詩賦小技校其優劣者哉?"

按士燮是書劉子玄言之鑿鑿,其必實有所見明矣。攷《隋志·舊事篇》有《交州雜事》九卷,記士燮及陶璜事。又別集有《士燮集》五卷,疑編入此二書中,今不可攷。因節取《史通》文題曰《交州人物志》錄之於此。《隋》、《唐志》有晉范瑗《交州先賢傳》三卷,似即因士燮而續之者。《御覽·經史圖書綱目》有《交州名士傳》,不著撰人,亦或近似。

陸胤　廣州先賢傳一卷

《吳志》陸凱附傳:"胤字敬宗,凱弟也。始爲御史、尚書選曹郎,太子和聞其名,待以殊禮,後爲衡陽督軍都尉、交州刺史、安南校尉,加安南將軍。在州十餘年。永安元年,徵爲西陵督,封都亭侯,轉左虎林,卒。"

《唐書·經籍志》:"《廣州先賢傳》七卷。此七卷似合劉芳爲一編。陸胤撰。"《藝文志》:"陸胤志《廣州先賢傳》一卷。"

章宗源《隋志攷證》曰:"《初學記·人事部》引羅威事稱陸徹《廣州先賢傳》,徹與胤相似易譌。《太平御覽·人事部》引尹牙、徐徵二事稱陸胤《廣州先賢傳》,他所引多不著名。"

侯《志》曰:"《續漢·五行志》注引之,載養奮對策,《初學記》、《藝文》、《御覽》屢引之,載丁密、猗頓、丁茂、黄豪、鄧盛、徐徵、董正、羅威、尹牙、疏源、申朔、唐頌諸人。"

右傳記類郡書之屬凡九家，魏三家，蜀一家，吳五家。

邊讓別傳

章宗源《隋志攷證》曰："《邊讓別傳》見《北堂書鈔》，亦見《太平御覽》。"

侯《志》曰："《御覽》卷六百九十一、二引之，云孔融見讓於武帝。其事范書本傳不載，稱曹操爲武帝，則非漢人撰也。"

按邊讓見范書《儒林傳》，建安中爲曹操所殺，有集，已録入《後漢藝文志》別集類中。

華佗別傳

章宗源《隋志攷證》曰："《華佗別傳》見《三國志》注，亦見《太平御覽》。"

侯《志》曰："《華佗別傳》，陳、范兩書本傳注俱引之。"

按華佗見范書《方術傳》，《魏志》與杜夔、朱建平、周宣、管輅傳同卷。建安中亦爲曹操所殺，有方書，已録入《後漢藝文志》醫家類中。

荀彧別傳

章宗源《隋志攷證》曰："《荀彧別傳》見《三國志》注，亦見《太平御覽》。"

侯《志》曰："《荀彧別傳》見本傳注，書中稱曹操爲太祖，司馬懿爲宣王，則非漢晋人作明矣。"

按彧字文若，潁川潁陰人。祖父淑、父緄、叔爽並見范《書》列傳。彧爲漢尚書令，封萬歲亭侯。建安十七年，以侍中光禄大夫持節參丞相軍事，留壽春，以憂卒，年五十，諡曰敬。范《書》與鄭泰、孔融傳同卷。《魏志》與荀攸、賈詡傳同卷。

邴原別傳

汪師韓《文選理學權輿》曰："《選注》所引羣書有《邴原別

傳》。"

侯《志》曰："本傳注引之甚詳，而《世説·賞譽篇》注、《御覽》二百九及五百三十二所引有出本傳注之外者。《藝文》八十三引《別傳》，敘事亦小異。"

按邴原字根矩，北海朱虛人。爲曹操司空掾，丞相徵事五官將長史，操伐吳，從行。卒時當建安十七、八年。《魏志》與袁涣、張範、涼茂、國淵、田疇、王修、管寧傳同卷。

潘勖別傳

章宗源《隋志攷證》曰："《潘勖別傳》見《太平御覽》。"

侯《志》曰："《潘勖別傳》，《御覽》四百三引之。"

按勖卒於建安二十年，《魏志》與王象附見《衛顗傳》。勖有集，已録入《後漢藝文志》別集類。

劉廙別傳

章宗源《隋志攷證》曰："《劉廙別傳》見《三國志》注，亦見《太平御覽》。"

侯《志》曰："《劉廙別傳》見本傳注。"

按廙字恭嗣，南陽安眾人。曹操辟爲丞相掾屬，五官將文學。魏國初建，爲黃門侍郎、侍中，賜爵關內侯。黃初二年卒。《魏志》與王粲、衛顗、劉卲、傅嘏傳同卷。注引《廙別傳》云卒時年四十二。

桓階別傳

章宗源《隋志攷證》曰："《桓階別傳》見《初學記》，亦見《太平御覽》。"

侯《志》曰："《御覽》二百廿一及四百八十五，又二百六十二及四百三十一，又八百廿二及八百四十引數事，皆不見《魏志》本傳。"

按階字伯緒，嚴氏文編曰，孫夫人碑作"伯序"。長沙臨湘人。爲劉表從事祭酒。曹操定荆州，辟爲丞相，掾主簿趙郡太守。魏國初建，爲虎賁中郎將、侍中。魏受禪，爲尚書令、待中，封安樂鄉侯，拜太常。卒，諡曰貞侯。《魏志》與陳羣、陳矯、徐宣、衞臻、盧毓傳同卷。

任城王舊事三卷

梁蕭綺録王嘉《拾遺記》曰：“任城王彰，武帝之子也。國史撰《舊事》三卷，晋初藏於祕閣。”

《世説·尤悔篇》曰：“魏文帝忌弟任城王驍壯，因在卞太后閣共圍棊並噉棗，文帝以毒置諸棗蒂中，自選可食者而進，王弗悟，遂雜進之。既中毒，太后索水救，帝預敕左右毀缾罐。太后徒跣趨井，無以汲，須臾遂卒。”注引《魏略》曰：“任城王，卞后第二子也。”

侯《志》曰：“《任城王舊事》三卷，見《拾遺記》卷七，當時國史所撰也。”

按彰字子文，建安二十一年封鄢陵侯。二十三年以北中郎將行驍騎將軍，征烏桓。黃初二年，晋爵爲公。三年立爲任城王，四年朝京都，疾卒，諡曰威。《魏志》與陳思王植、蕭懷王熊傳同卷。

楊彪別傳

章宗源《隋志攷證》曰：“《楊彪別傳》見《太平御覽》。”

侯《志》曰：“《御覽》四百九十一引之，云魏文帝令彪著布單衣待以賓客之禮。稱曹丕爲文帝，則亦魏人撰也。”

按彪字文先，弘農華陰人。爲漢司徒司空太常。魏受禪，以爲光禄大夫。黃初六年卒於家。范《書》附見《楊震傳》。

任嘏別傳

章宗源《隋志攷證》曰：“《任嘏別傳》見《三國志》注，亦見《太平御覽》。”

范書《鄭玄傳》："樂安國淵、任嘏時並童幼，玄稱淵爲國器，嘏有道德，皆如其言。"注"嘏字昭光，魏黄門侍郎也。"

《魏志·王昶傳》注引《嘏别傳》曰："嘏字昭先，樂安博昌人，太祖創業，召海内至德，嘏應其舉，爲臨菑侯庶子、相國東曹屬、尚書郎。文帝時，爲黄門侍郎，累遷東郡、趙郡、河東太守。"

按《王昶傳》注，則此傳似其故吏程威、劉固、上官崇等所撰也。

吳質别傳

章宗源《隋志攷證》曰："《吳質别傳》見《三國志》注，亦見《太平御覽》。"

侯《志》曰："《王粲傳》注引之，《藝文類聚》六十八又引一條，則出傳注之外。"

按質字委重，濟陰人，爲朝歌長元城令。魏受禪，拜北中郎將，振威將軍，假節都督河北諸軍事，封列侯。太和四年入爲待中，其年夏卒。《魏志》附見《王粲傳》。注引《别傳》曰："質先以怙威肆行，謚曰醜侯。質子應仍上書論枉，至正元中乃改謚曰威侯。"按郝經《續後漢書》質答太子箋云"今質已四十二矣"，時爲漢建安二十三年。至魏太和四年卒，年五十四。

曹植别傳

章宗源《隋志攷證》曰："《曹植别傳》見《太平御覽》。"

侯《志》曰："《御覽》四百五十九引之，其事已見本傳。"

按植卒於明帝太和六年，有《鼙舞歌》已録入經部樂類。《魏志》與任城威王、蕭懷王傳同卷。

傅巽别傳

侯《志》曰："《御覽》三百二十二引之云：衛臻領選舉，舉傅巽爲冀州刺史。文帝曰：'巽，吾腹心臣也，不妨與其籌算帷幄之中,決勝千里之外,不可授以遠任。'康按巽名見《傅嘏傳》,嘏伯父也。"

按巽字公悌,北地泥陽人。在漢朝辟公府,爲尚書郎,後客荆州,爲劉表東曹掾,以説劉琮歸降,賜爵關内侯。黄初中爲侍中、尚書,太和中卒。《魏志》附見《劉表傳》、《嘏傳》,此《別傳》疑出傅玄。

管寧別傳

章宗源《隋志攷證》曰:"《管寧別傳》見《太平御覽》。"

侯《志》曰:"《管寧別傳》,《御覽》引之無甚異也。"

按寧字幼安,北海朱虚人,屢辭徵命。正始二年卒,年八十四。《魏志》與胡昭、王烈、張臻、焦先四人同傳。傳注屢引《傅子》,此《別傳》疑傅玄作。

曹肇別傳

章宗源《隋志攷證》曰:"曹肇、曹毘傳見《藝文類聚》。"又曰:"《曹肇別傳》见《太平御覽》。"

侯《志》曰:"《御覽》三百八十六引之云:'肇之弟纂字德思,力舉千鈞,明帝寵之,寢止恒同。嘗與戲賭衣物,有所獲'輒入御帳取而出之。'康按肇、纂皆曹休子,此事休傳不載。《魏志・曹休傳》:'休,太祖族子也。以功封安陽鄉侯,子肇嗣。肇字長思,有當世才度,爲散騎常侍,屯騎校尉。明帝寢疾,方與燕王宇等屬以後事,帝意尋變詔,肇以侯歸第,正始中薨。'"

何晏別傳

章宗源《隋志攷證》曰:"《何晏別傳》見《太平御覽》。"

侯《志》曰:"《初學記》卷十九引之,《御覽》三百八十又三百八十五、三百九十三亦數引之。"

按晏附見《魏志・曹爽傳》,正始十年正月,晏與大將軍爽、爽

弟中領軍羲、武衞將軍訓及黄門張當、尚書丁謐、鄧颺、司隸
校尉畢軌、荆州刺史李勝、大司農桓範並爲司馬懿所殺，夷其
三族。晏有《易説》，詳見經部易類。

孫資别傳

汪師韓《文選理學權輿》曰：“選注所引羣書有《孫資别傳》。”

章宗源《隋志攷證》曰：“《孫資别傳》見《三國志》注，亦見《太
平御覽》。”

侯《志》曰：“《孫資别傳》見本傳及《賈逵傳》注。裴松之稱資
之《别傳》出自其家。今攷所載多諛詞，而於資誤國之罪絶不
言及，誠未可據爲定論也。”

按資字彦龍，太原人。建安中歷縣令，參丞相軍事。魏國既
建，爲祕書郎。黄初時爲中書令，加給事中，與劉放掌機密。
太和中加散騎常侍、侍中、光禄大夫。景初中封中都侯。齊
王即位，加右光禄大夫，儀同三司，衞將軍驃騎將軍。嘉平三
年卒，諡曰貞侯。《魏志》附見《劉放傳》。

毌丘儉記三卷

《隋書·經籍志》：“《毌丘儉記》三卷。”《唐·經籍志》同。《藝
文志》同。

侯《志》曰：“《魏志·明帝紀》注引《毌丘儉志記》云‘時以儉爲
宣王副也’。宣王時伐遼東，當即出此書。未知爲儉記事之
作，抑他人記儉事也。”

按儉字仲恭，河東聞喜人。襲父高陽鄉侯爵，爲平原侯。文
學明帝時爲尚書郎、羽林監、洛陽典農、荆州、幽州刺史，加度
遼將軍、使持節、護烏桓校尉。佐司馬懿討公孫淵，定遼東，
進封安邑侯，遷左將軍，監豫州諸軍事，領豫州刺史，轉鎮南、
鎮東將軍，都督揚州。正光二年，矯太后詔討司馬師，兵敗射
死，夷三族。《魏志》與王凌、諸葛誕、鄧艾、鍾會傳同卷。

程曉別傳

章宗源《隋志攷證》曰:"《程曉別傳》見《三國志》注,亦見《太平御覽》。"

侯《志》曰:"《程曉別傳》見本傳注。"

按曉字季明,東郡東阿人。祖父昱,文帝時爲衛尉,封安鄉侯,復增邑,分封曉爲列侯。曉嘉平中爲黃門侍郎,汝南太守,年四十餘卒。《魏志》附見《程昱傳》。

王朗王肅家傳一卷

《隋書·經籍志》:"《王朗王肅家傳》一卷。"

章宗源《隋志攷證》曰:"《魏志·王朗傳》注'朗除會稽秦始皇舊祀',又'朗與沛國名士劉陽交'二事引《朗家傳》。"

按二王並見經部易類。《魏志》與鍾繇、華歆傳同卷。

鍾會母傳

章宗源《隋志攷證》曰:"鍾會爲其母傳,見《三國志》注,亦見《太平御覽》。"

侯《志》曰:"《鍾會母傳》鍾會撰,見《會傳》注。"

按會母張氏,字昌蒲,太原兹氏人。太傅定陵成侯之妾,有賢行。黃初六年生會,甘露二年卒。天子手詔厚加賜贈,議者以爲宜崇典禮稱成侯命婦云。《隋志攷證》又載有《生母傳》,蓋誤以傳注所引兩節爲二傳,此兩節實一篇也。

諸葛亮別傳

章宗源《隋志攷證》曰:"《諸葛亮別傳》見《太平御覽》。"

張澍輯《諸葛故事》曰:"《蒲元傳》云'元於斜谷爲諸葛亮造刀三千口'云云,與《諸葛別傳》同。"

蒲元別傳

章宗源《隋志攷證》曰:"《蒲元傳》見《藝文類聚》。"

嚴可均《全三國文編》曰:"蒲元爲丞相亮西曹掾。《北堂書

鈔》六十八引《蒲元別傳》，《藝文類聚》六十、《太平御覽》三百
四十作《蒲元傳》，文亦小異。此傳不知何人何時所撰。"

趙雲別傳

章宗源《隋志攷證》曰："《趙雲別傳》見《三國志》注，亦見《太
平御覽》。"

侯《志》曰："《趙雲別傳》本傳注屢引之。"

按雲字子龍，常山真定人。初屬公孫瓚，後從先主爲主騎，遷
牙門將軍。成都既定，爲翊軍將軍。後主建興元年爲中護
軍，征南將軍，封永昌亭侯，遷鎮東將軍。七年卒，追謚曰順
平侯。《蜀志》與關、張、馬、超、黃忠傳同卷。

費禕別傳

章宗源《隋志攷證》曰："《費禕別傳》見《三國志》注，亦見《太
平御覽》。"

侯《志》曰："《費禕別傳》本傳注屢引之。《御覽》九百四十六
引一條，事見本傳，故注反不載也。"

按禕字文偉，江夏鄳人。先主立太子，禕爲舍人、庶子。後主
踐位，爲黃門侍郎，昭信校尉侍中。丞相亮北住漢中，爲參
軍、中護軍。亮卒，爲後軍師，代蔣琬爲尚書令。以大將軍録
尚書事，封成鄉侯，領益州刺史。延熙十六年歲首大會，爲魏
降人郭循手刃所害，謚曰敬侯。《蜀志》與蔣琬、姜維傳同卷。
《魏志·齊王紀》："嘉平五年八月，詔曰：'故中郎西平郭修。'"此作循，似誤。

董正別傳

章宗源《隋志攷證》曰："《董正別傳》見《藝文類聚》。"

侯《志》曰："正名不見於史，惟《廣州先賢傳》載其字伯和，番
禺人，見《御覽》四百九，則在陸允以前。《御覽》八百二十二
引《別傳》一條，不載正事，而載劉廣事，殊不可曉。"

按區大任《百越先賢志》云："熹平末，張角、袁術起難，天下

亂。正每觀天象，知漢曆之不長，輒掩涕太息。建安中卒，葬
番禺之東，眾爲刻碑表曰：有漢徵士董君之墓。"則正卒於漢
建安中，是傳當作於漢吳之閒。

陸績別傳

章宗源《隋志攷證》曰："《陸績別傳》見《太平御覽》。"

侯《志》曰："《陸績別傳》《御覽》二百六十四引之云'太守王朗
命爲功曹，風化肅穆，郡內大治'，其事本傳不載。又四百五
引一條，則本傳載之。直稱孫策之名，非吳人撰也。"

按績卒時當在漢建安中，詳見《後漢藝文志》經部易類。

虞翻別傳

章宗源《隋志攷證》曰："《虞翻別傳》見《三國志》注，亦見《太
平御覽》。"

侯《志》曰："《虞翻別傳》見本傳注，書中直稱孫策、孫權名，則
非吳人撰。然亦當三國時人也。"

按翻有《易注》，詳見經部易類。《吳志》與陸績、張溫、駱統、
陸瑁、吾粲、朱據傳同卷。

胡綜別傳

章宗源《隋志攷證》曰："《胡綜別傳》見《藝文類聚》，刊本作故綜，
寫誤也。亦見《太平御覽》。"

侯《志》曰："《藝文類聚》卷七十及八十三引《綜別傳》云云，其
事本傳不載。"

按綜字偉則，汝南固始人。爲金曹從事、鄂縣長，還爲書部，
與是儀、徐祥並典軍國密事，領解煩右部督，加建武中郎將。
黃武中，爲侍中，封鄉侯，兼左右領軍，拜偏將軍兼左執法領
辭訟。赤烏六年卒。《吳志》與是儀傳同卷。

諸葛恪別傳

章宗源《隋志攷證》曰："《諸葛恪別傳》見《藝文類聚》，亦見

《太平御覽》。"

按恪字元遜，瑾長子也。少知名，弱冠拜騎都尉，侍太子登爲賓友。從左庶子轉爲左輔都尉，拜撫越將軍，領丹陽太守，加威北將軍。後代陸遜爲大將軍，領荆州事。孫亮即位，爲太傅，封陽都侯，加荆、揚州牧，督中外諸軍事。建興二年冬十月大饗殿中，爲孫峻伏兵所殺。《吳志》與滕胤、孫峻、孫綝、濮陽興傳同卷。

孟宗別傳

章宗源《隋志攷證》曰："《孟宗別傳》見《初學記》，亦見《太平御覽》。"

侯《志》曰："《御覽》二百六十一引之云：'宗爲豫章太守，人思其惠。'又八百五十引云：'宗爲光禄勳，大會，醉，吐麥飯'。按孟宗，《吳志》無傳，《孫皓傳》'建衡三年，司空孟仁卒'，即宗更名也。注載宗事甚詳，而獨無《別傳》此二事。"

按宗字恭武，江夏人。避皓字改名仁。按孫皓字元宗。初爲驃騎將軍朱據軍吏，除鹽池司馬。遷吳令，累遷光禄勳、右御史大夫，至司空。見《孫皓傳》注引《吳録》及《楚國先賢傳》。

樓承先別傳

章宗源《隋志攷證》曰："《婁承先別傳》見《藝文類聚》，亦見《太平御覽》。"

侯《志》曰："《御覽》一百八十引之，又七百五十五亦引之，其事皆不見本傳。"

按承先名玄，沛郡蘄人。孫休時爲監農御史。孫皓即位，爲散騎常侍、會稽太守、大司農、宮下鎮禁中侯，主殿中事。以應對切直數忤皓意，送付廣州。復徙玄及子據，付交阯將張奕，使以戰自效，陰别敕奕令殺之。據到交阯，病死。玄一身隨奕討賊，持刀步涉，見奕輒拜，奕未忍殺。會奕暴卒，玄殯歆奕，於器中見敕書，還便自殺。《吳志》與王蕃、賀劭、韋曜、華覈傳同卷。

右別傳凡三十二家。魏廿一家，蜀四家，吳七家。

右雜傳記類凡四門，綜五十三家，五十四部。侯《志》有何晏《白起故事》，似即《白起論》之異名，附見別集類何晏本集。又徐整《豫章舊志》今析入地理類。又吳人撰《列女傳》當在韋昭《吳書》，今不錄。又《劉曄傳》蓋據汪師韓《文選注引羣書目錄》采入，汪氏注云裴松之注《魏書》引之，今按裴注所引實無是傳，當是劉廙之譌，今亦不錄。

魏圖籍

《魏志·武紀》："建安十八年，詔書并十四州，復爲九州。"又《文紀》："黃初元年，郡國縣邑多所改易。十二月初，營洛陽宮。"《魏略》曰："改長安、譙、許昌、鄴、洛陽爲五都。立石表，西界宜陽，北循太行，東北界陽平，南循魯陽，東界郯，爲中都之地。令天下賦內徙，復五年，後又增其復。"又齊王嘉平五年紀："自帝即位至於是歲，郡國縣道多所置省，俄或還復，不可勝紀。"又《王觀傳》："明帝即位，下詔書使郡縣條爲劇、中、平，外劇當任子，於役條有降差。"

《通典·州郡門》："魏氏據中原，有州十三，司隸、荊、河、按當爲豫。兗、青、徐、涼、秦、冀、幽、并、揚、雍，有郡國六十八，按此不知何據，郡國實不止六十八也。東自廣陵、壽春、合肥、沔口、西陽、襄陽，重兵以備吳。西自隴西、南安、祁山、漢陽、陳倉，重兵以備蜀。"又《食貨門》曰："三國鼎立，戰爭不息。魏氏有戶六十六萬三千四百一十三，有口四百四十三萬二千八百八十一。"

陽湖洪亮吉《魏疆域志》曰："司州治河南，統郡六。河南尹領縣十三，滎陽郡領縣九，河東郡領縣十，平陽郡領縣十二，河內郡領縣十，弘農郡領縣七。

豫州治汝南、安成，統郡十二。潁川郡領縣八，襄城郡領縣七，汝南郡領縣十三，汝陰郡領縣十八，陽安郡領縣二，弋陽郡領縣五，梁郡領縣六，陳郡領縣五，沛國統縣五，譙郡領縣五，魯郡領縣六，安豐郡領縣五。

兗州治廩丘，統郡八。陳留郡領縣十四，東郡領縣八，濟陰郡領縣九，山陽郡領縣七，任城國統縣三，東平國統縣七，濟北國統縣五，泰山郡領縣十一。

青州治臨菑，統郡七。齊郡領縣十，濟南郡領縣七，樂安郡領縣八，北海國統縣四，城陽郡領縣十二，東萊郡領縣六，長廣郡領縣六。

徐州治彭城，統郡六。彭城國統縣六，下邳郡領縣十五，東海國統縣十一，琅邪郡領縣八，東莞郡領縣七，廣陵郡領縣九。

涼州治武威，統郡十。金城郡領縣五，西平郡領縣四，安定郡領縣五，北地郡領縣二，武威郡領縣七，張掖郡領縣三，西郡領縣二，酒泉郡領縣九，敦煌郡領縣十二，西海郡領縣一。

秦州治上邽，統郡四。隴西郡領縣七，南安郡領縣三，漢陽郡領縣七，廣魏郡領縣三。

冀州治鄴，徙治信都，統郡十六。魏郡領縣十，廣平郡領縣十五，陽平郡領縣八，朝歌郡領縣六，鉅鹿郡領縣二，趙國統縣九，常山郡領縣八，中山國統縣九，安平郡領縣八，平原郡領縣八，樂陵國統縣五，博陵郡領縣四，勃海郡領縣十，章武郡領縣四，河間郡領縣十，清河郡領縣七。

幽州治涿，統郡十一。范陽郡領縣八，燕國統縣十，北平郡領縣四，上谷郡領縣六，代郡領縣三，遼西郡領縣三，昌黎郡領縣二，遼東郡領縣八，樂浪郡領縣六，元菟郡領縣三，帶方郡領縣七。

并州治晉陽，統郡六。太原郡領縣十四，上黨郡領縣十二，樂平郡領縣四，西河郡領縣四，雁門郡領縣四，新興郡領縣六。

雍州治長安，統郡五。京兆郡領縣十一，馮翊郡領縣八，扶風郡領縣七，漢興郡領縣五，新平郡領縣二。

荆州治宛，統郡八。南陽郡領縣二十二，南鄉郡領縣八，義陽郡領縣八，江夏郡領縣三，襄陽郡領縣七，魏興郡領縣四，新城郡領縣四，上庸郡領縣五。

揚州治壽春，統郡二。淮南郡領縣十，盧江郡領縣九。"

按洪氏所攷凡州一十三，郡國一百一，縣七百二十九。

蜀圖籍

《蜀志·後主傳》注：王隱《蜀記》曰："禪又遣尚書郎李虎送士民簿領戶二十八萬，男女口九十四萬，帶甲將士十萬二千，吏四萬人，米四十餘萬斛，金銀各二千斤，錦綺綵絹各二十萬匹，餘物稱此。"

《通典·州郡門》："蜀主全制巴蜀，置益、梁二州，有郡二十二。以漢中興勢，白帝並爲重鎮。"按蜀未嘗置梁州。《通典》此條誤。

洪亮吉《蜀漢疆域志》曰："漢建安十九年，先主定益州。二十四年，進定漢中。後主建興七年，復得涼州之武都郡。改益州郡爲建寧郡，遙領交州。凡得漢舊郡十一。漢末及蜀漢增置郡十一，共領郡二十二。治成都又設庲降都督，統南中七郡，治肥縣。

益州蜀郡領縣七，犍爲郡領縣五，江陽郡領縣三，汶山郡領縣八，漢嘉郡領縣四，朱提郡領縣五，越巂郡領縣六，牂牁郡領縣七，建寧郡領縣十五，興古郡領縣十，永昌郡領縣八，雲南郡領縣八，漢中郡領縣八，廣漢郡領縣九，梓潼郡領縣五，巴郡領縣五，巴西郡領縣五，巴東郡領縣四，涪陵郡領縣六，宕渠郡領縣三，武都郡領縣五，陰平郡領縣二。"

按洪氏所攷凡州一，郡二十二，縣一百三十八。

吳圖籍

《吳志·孫皓傳》："天紀四年三月壬申，晉龍驤將軍王濬受皓之降。"注引《晋陽秋》曰："濬收其圖籍，領州四，郡四十二，縣三百一十三，戶五十二萬三千，吏三萬二千，兵二十三萬，男女口二百三十萬，米穀二百八十萬斛，舟船五千餘艘，後宮五千餘人。"

《通典·州郡門》："吳主據江南盡海，置交、廣、荆、郢、揚五州，有郡四十三，以建平、西陵、南郡、巴丘、夏口、武昌、皖城、牛渚、赭圻、濡須、隖並爲重鎮，其後得沔口、邾城、廣陵。"

洪亮吉《吳疆域志》曰："揚州治建業，統郡部共十六。丹陽郡領縣十六，新都郡領縣六，蘄春郡領縣二，會稽郡領縣十，臨海郡領縣七，建安郡領縣九，東陽郡領縣九，吳郡領縣十，毗陵典農校尉領縣三，吳興郡領縣九，豫章郡領縣十七，廬陵郡領縣十，鄱陽郡領縣九，臨川郡領縣十，安城郡領縣六，廬陵南部都尉領縣六。

荆州治南郡，統郡十六。南郡領縣九，宜都郡領縣三，建平郡領縣四，江夏郡領縣三，武昌郡領縣五，武陵郡領縣十一，天門郡領縣三，長沙郡領縣十，衡陽郡領縣十，湘東郡領縣六，零陵郡領縣十，始安郡領縣七，邵陵郡領縣五，桂陽郡領縣六，始興郡領縣七，臨賀郡領縣六。交州治蒼梧廣信縣，徙治番禺，又徙治龍編，統郡八。合浦郡領縣五，交阯郡領縣十四，新興郡領縣四，武平郡領縣七，九真郡領縣六，九德郡領縣六，日南郡領縣五，珠崖郡領縣二。

廣州治番禺，統郡部共七。南海郡領縣六，蒼梧郡領縣十一，鬱林郡領縣九，桂林郡領縣六，高涼郡領縣三，高興群領縣五，合浦北部都尉領縣三。"

按洪氏所攷凡州四，郡都尉部共四十七，縣三百三十六。

右三國版圖戶籍之屬。

張晏　地理記　晏始末具正史類。

《爾雅·釋鳥》郭璞注：“鳥鼠同穴，鼠在内、鳥在外。今在隴西首陽縣，鳥鼠同穴山中。孔氏《尚書傳》云其爲雄雌，張氏《地理記》云不爲牝牡。”

《水經·禹貢山水澤地所在》：“鳥鼠同穴。山在隴西首陽縣西南。”酈道元注：“張晏言不相爲牝牡，故因以名山。”

洪亮吉《曉讀書齋初錄》曰：“張晏《漢書注》於地理最詳。郭璞注《爾雅》引張氏《地理記》云云。《水經注》即作張晏，是張晏所著又有《地理記》，惜不傳。”疑即《漢書·地理志》注，姑從洪説錄之。

譙周　蜀本紀　周始末具經部禮類。

《華陽國志》序：“《志》曰：司馬相如、嚴君平、揚子雲、陽城子玄、鄭伯邑、尹彭城、譙常待、任給事等各集傳記以作本紀，略舉其隅。”

侯《志》曰：“《蜀志·秦宓傳》注引譙周《蜀本紀》曰：‘禹本汶山廣柔縣人也，生於石紐，其地名刳兒坪。’《先主傳》注亦引之。其文與揚雄《蜀王本紀》同，則無以定其必爲譙書也。”

按《蜀本紀》之書據常道將言，則司馬長卿倡爲之，諸家遞有增益。鄭伯邑名廑，尹彭城名貢，並詳見《後漢藝文志》地理類。任給事名熙，入晋不仕，見《後賢志》。自司馬氏以迄任氏，爲《蜀本紀》者凡八家。

譙周　三巴記一卷

《隋書·經籍志》“《三巴記》一卷，譙周撰。”《唐·經籍志》同。

《藝文志》：“譙周《三巴記》一卷。”

《華陽國志·巴志》：“漢獻帝初平元年，征東中郎將安漢趙穎建議分巴爲二郡。穎欲得巴舊名，故白益州牧劉璋，以墊江以上爲巴郡，江南龐羲爲太守，治安漢。以江州至臨江爲永寧郡，胊忍至魚復爲固陵郡，巴遂分矣。建安六年，魚復、蹇允白璋爭巴名，璋乃改永寧爲巴郡，以固陵爲巴東，徙羲爲巴西太守,是爲三巴。"

章宗源《隋志攷證》曰:"《玉篇·巴部》,《通典·州郡門》,《御覽·地部》、《州郡部》、《人事部》、《禮儀部》,《藝文類聚·樂部》,並引譙周《三巴記》。"

侯《志》曰:"譙周《三巴記》,《續漢書·郡國志》巴郡下屢引之。"

按《宋書·州郡志》益州、巴西郡下亦兩引譙周《巴記》。

譙周　益州志

汪師韓《文選理學權輿》曰:"《選注》所引羣書,有譙周《益州志》。"

章宗源《隋志攷證》曰:"《文選·蜀都賦》注引譙周《益州志》曰:'成都織錦既成,濯於江水,其文分明,勝於初成,他水濯之不如江水也。'"

來敏　本蜀論

《蜀志》本傳:"敏字敬達,義陽新野人,來歙之後也。初爲劉璋賓客,涉獵書籍,善《左氏春秋》,尤精於《倉》、《雅》訓詁,好是正文字。先主定益州,署敏典學校尉。及立太子,以爲家令。後主踐阼,爲虎賁中郎將。丞相亮住漢中,請爲軍祭酒、輔軍將軍。坐事去職。亮卒,爲大長秋,又免。後累遷爲光禄大夫,復坐過黜。前後數貶削,皆以語言不節,舉動違常也。後以爲執慎將軍,欲令以官重自警戒。年九十七,景耀中卒。"

侯《志》曰:"《水經注》二十七又三十三並引來敏《本蜀論》。據此兩條,則是地記之書也。《太平寰宇記》益州條下亦引之。"

韋昭　三吳郡國志　昭始末具經部詩類。

章宗源《隋志攷證》曰:"《寰宇記·江南東道》引韋昭《三吳郡

國志》曰：'孔姥墩昔有孔氏婦，少寡，有子八人，訓以義方，漢哀、平間俱爲郡守，因名之，亦曰八子墩。'《輿地碑記目》曰：'《吳興録》，韋昭作。'"吾友陶慎甫云："今本《湖州府志》亦云吳韋昭有《吳興録》，出宋談鑰《吳興志》。"

《韻府》引《圖經》云："漢分會稽爲吳郡，與吳興、丹陽爲三吳。"

按吳興立郡始於孫皓寶鼎二年，見《皓傳》。《輿地碑記目》所載《吳興録》似即是書之子目。故章氏《攷證》不別出，附見於此。兩《唐志》有《分吳會丹陽三郡記》三卷，不著撰人。疑即此書。

朱育　會稽記四卷　育始末具經部詩類。

《隋書·經籍志》"《會稽土地記》一卷，朱育撰。"《唐·經籍志》雜傳類："《會稽記》四卷，朱育撰。"《藝文志》雜傳記類："朱育《會稽記》四卷。"

章宗源《隋志攷證》曰："《世説·言語篇》注引《會稽土地志》，不著朱育名。又《史記·五帝本紀》正義引《會稽舊記》，《太平御覽·禮儀部》引《會稽十城地志》，皆不著撰人。"

按《吳志·虞翻傳》注引《會稽典録》，孫亮太平三年，育爲郡門下書佐，對太守濮陽興訪本郡人物及吳會分郡始末，凡千數百言，似即此書之緣起。《隋志》："《土地記》一卷。"兩《唐志》似合人物、土地爲一書，故四卷。又以其書人物爲多，故入傳記類。

徐整　豫章舊志八卷　整始末具經部詩類。

《唐書·經籍志》雜傳類："《豫章舊志》八卷，徐整撰。"《藝文志》雜傳記類："徐整《豫章舊志》八卷。"

章宗源《隋志攷證》曰："《豫章舊志》三卷，晉會稽太守熊默撰。《唐志》有徐整撰，八卷，無熊默。《續漢·郡國志》注，《世説·規箴篇》注，《水經·廬江水》注，《後漢書·馮衍傳》

注,《藝文類聚·祥瑞部》、《鳥部》,並引《豫章舊志》。"

侯《志》曰:"《世説·規箴篇》注、《水經·廬江水》注俱引此書,而不系人名。此書《隋志》作晋熊默撰,三卷。《唐志》作徐整撰,八卷。今從《唐志》。書似宜入地理類,而《隋》、《唐志》俱入雜傳。"

按《新唐志》雜傳記類:"徐整《豫章舊志》八卷,又《豫章烈士傳》三卷。"諸書所引《舊志》,是否爲徐整本文,雖不盡可辨,而所載有縣邑官守諸事,不皆爲人物傳記之文,實爲地理之屬。今以列士傳別入傳記類,而以此志分析於此。

楊元鳳　桂陽記

《梁書·文學劉杳傳》:"杳在任昉坐,昉曰:'酒有千日醉,當是虚言。'杳云:'桂陽程鄉有千里酒,飲之至家而醉,亦其例也。'昉大驚,曰:'吾自當遺忘,實不憶此。'杳云:'出楊元鳳所撰《置郡事》。元鳳是魏代人,此書仍載其賦云,三重五品,商溪撜里。'時即檢楊記,言皆不差。"《南史》四十九《劉懷珍附傳》同。

按《續漢·郡國志》云:"荆州桂陽郡,高帝置。"攷三國之初,是郡屬劉表,及曹操赤壁敗回,爲先主所得,後與孫權連和,分以與吳,自是遂爲吳地。楊元鳳始末未詳,當是吳、魏閒人。《隋·經籍志》云'梁任昉增陸澄之書八十四家,爲《地記》二百五十二卷',此云時即檢楊記,殆即在昉所集八十四家中。

阮籍　宜陽記　籍始末具經部易類。

《太平御覽·地部七》金門山條引阮籍《宜陽記》曰:"金山之竹堪爲笙管。"

《續漢·郡國志》:"司隷弘農郡宜陽縣。"劉昭注曰:"有金門山竹爲律管。"

洪亮吉《魏疆域志》曰:"司州弘農郡宜陽,漢舊縣。"

按《御覽·經史圖書綱目》又有阮籍《秦記》附識於此，不別出。

顧啟期　婁地記一卷

《隋書·經籍志》：“《婁地記》一卷，吳顧啟期撰。”

章宗源《隋志攷證》曰：“《文選》謝靈運《游赤石》詩注，《藝文類聚·草部》，《太平御覽·地部》並引顧啟期《婁地記》。”按《御覽·經史圖書綱目》作顧啟期《婁地説》。

洪亮吉《吳疆域志》曰：“揚州吳郡婁，漢舊縣，吳侯國。”

按啟期始末未詳，但據《隋志》所題知爲吳人耳。吳之顧氏世大族，自丞相雍而下不少知名之士，啟期又似其字，非其名。

右總志郡縣志之屬凡總志一家，一部。郡志六家，八部。縣志二家，二部。

蔣濟　三州論 濟始末具儀制類。

《魏志》本傳：“黃初中，徵爲尚書。車駕幸廣陵，濟表水道難通，又上《三州論》以諷帝。帝不從，於是戰船數千皆滯不得行。”

嚴可均《三國文編》曰：“蔣濟《三州論》，《水經·淮水》注引之。”

趙一清《水經·淮水》注釋曰：“一清按蔣子通作《三州論》，本詩人淮有三洲之義，言水淺也。”

鄧艾　濟河論

《魏志》本傳：“艾字士載，義陽棘陽人也。太祖破荆州，徙汝南，爲農民，爲都尉學士、稻田守叢草吏，後爲典農綱紀，上計吏，因使見太尉司馬宣王。宣王奇之，辟爲掾，遷尚書郎。時欲廣田畜穀，爲滅賊資，使艾行陳、項以東至壽春。艾以爲田良水少，不足以盡地利，宜開河渠，可以引水澆溉，大積軍糧，又通漕運之道。乃著《濟河論》以喻其指，宣王善之。正始二年,乃開廣漕渠。每東南有事,大軍興眾,泛舟而下,達於江淮。資食有儲而無水害,艾所建也。艾後以征西將軍平蜀,爲鍾會所搆,父子皆死於緜竹。"

虞翻　川瀆記　翻始末具經部易類。

章宗源《隋志攷證》曰:"《太平寰宇記·江南東道》,虞仲翔《川瀆記》曰:'太湖東通長洲松江水,南通烏程霅谿水,西通義興荆谿水,北通晋陵滆湖水,東連嘉興韭谿水,凡五通,謂之五湖。'"

按李氏兆洛《地理今釋》:"晋陵郡縣始於南宋,非吳時所當有。又吳大帝以立太子和,改禾興爲嘉興,事在赤烏五年。時翻已前卒,亦非翻所及知。此或爲樂史改稱,或別有虞仲翔其人,今姑過而存之。"

嚴畯　潮水論　畯始末具經部孝經類。

《吳志》本傳:"畯著《孝經傳》、《潮水論》,又與裴玄、張承論管仲、季路,皆傳於世。"

右河渠之屬凡四家,四部。

西南夷　夷經

《華陽國志·南中志》:"夷中有桀黠能言議屈服種人者,謂之耆老,便爲主,議論好譬喻物,謂之《夷經》。今南人言論,雖學者亦半引《夷經》。"

按《夷經》緣起當在三國以前,至晋世始聞其言論稱説。蓋西南夷自相記述之書。

諸葛亮　哀牢國譜　亮始末具正史類。

《華陽國志·南中志》:"永昌郡,古哀牢國。哀牢,山名也。其先有一婦人名曰沙壺,依哀牢山下居,以捕魚自給。忽於水中觸一沈木,遂感而有娠。度十月,産子男十人。後沈木化爲龍。其小子名元隆,長大才武,九兄共推以爲王。元隆死，世世相繼，分置小王。往往邑居散在谿谷絕域。荒外山川阻深，生民以來未嘗通中國。南中昆明祖之，故諸葛亮爲其國譜也。”

又曰：“南人輕爲禍變，徵巫鬼，好詛盟，官常以盟詛要之。諸葛亮乃爲夷作圖譜，先畫天地、日月、君長、城府，次畫神龍，龍生夷，及牛、馬、駝、羊，後畫部主吏乘馬幡蓋，巡行安卹，又畫夷牽牛負酒、齎金寶詣之之象，以賜夷，夷甚重之。許致生口直。又與瑞錦、鐵券，今皆存。每刺史、校尉至，齎以呈詣，動亦如之。”

康泰　吳時外國傳

《梁書·諸夷列傳》：“海南諸國，大抵在交州南及西海大海洲上，相去或四五千里，遠者二三萬里。其西與西域諸國接。漢元鼎中，遣伏波將軍路博德開百越，置日南郡。其徼外諸國自武帝以來皆朝貢。後漢桓帝世，大秦、天竺皆由此道遣使貢獻。及吳孫權時，遣宣化從事朱應、中郎康泰通焉。其所經過及傳聞則有百數十國，因立記傳。”《南史·海南諸國列傳》同。

《太平御覽·圖書綱目》有康泰《扶南土俗傳》。又七百八十七云：“吳時康泰爲中郎，表上《扶南土俗》。”所引凡十二條。又三百五十九引康泰《吳時外國傳》。《史記·秦本紀》正義引吳人《外國圖》。《大宛傳》正義引康氏《外國傳》。

侯《志》曰：“康按《水經》卷一、卷三十六及《御覽》屢引康泰《扶南傳》，又引康泰《扶南土俗》。《藝文類聚》及《御覽》屢引《吳時外國傳》。竊意康泰徧歷百數十國，必不至專記扶南一方。其大名當是《吳時外國傳》，而《扶南傳》則其中之一種。《扶南土俗》又《扶南傳》之別名也。”

按《隋志》有《交州已南外國傳》一卷。兩《唐志》“南”作“來”，並不著撰人，似即此書之殘本。據《梁書》、《南史》，則康泰及朱應所記，并及西域天竺土俗。

朱應　扶南異物志一卷

《隋書·經籍志》:"《扶南異物志》一卷,朱應撰。"《唐·經籍志》同。《藝文志》:"米應《扶南異物志》一卷。"此作米應,寫誤也。侯《志》曰:"康按《南史》稱朱應官吳宣化從事,與中郎康泰經過傳聞百數十國,因立記傳。而《隋志》獨載此書者,意他卷盡亡,而此卷廑存也。又《梁書·劉杳傳》稱:'長頸是毗騫王,朱建安《扶南以南記》云:古來至今不死。'疑即此書。"

章宗源《隋志攷證》曰:"《唐志》作米應,《通典·邊防門》注引大宛馬、大月氏牛二事,《史記·大宛傳》正義引大秦國二事,並稱宋膺《異物志》,省"扶南"二字,朱應作宋膺,未知孰是。"按《梁書》、《南史》,則朱應、康泰並有《外國傳》。此書或《外國傳》佚本或別自爲書。攷《梁書·扶南國傳》云"又有毗騫國,去扶南八千里,傳其王身長丈二,頭長三尺,自古來不死,莫知其年,南方號曰長頸王"云云。此即據朱建安所傳與劉杳所言合。然則杳稱朱建安《扶南以南記》,其即此書無疑矣。所記蓋不止扶南一國,亦不廑扶南異物一端,其爲殘佚本又可知矣。朱應字建安,賴是以傳。

萬震　南州異物志一卷

《隋書·經籍志》:"《南州異物志》一卷,吳丹陽太守萬震撰。"《唐·經籍志》:"《南州異物志》一卷,萬震撰。"《藝文志》:"萬震《南州異物志》一卷。"

章宗源《隋志攷證》曰:"《世說·汰侈篇》注:珊瑚生大秦國。《左傳·定公》正義:象身倍數牛。《漢書·武紀》注:能言鳥有三種。《文選·江賦》注:鸚鵡螺狀如覆杯。並引萬震《南州異物志》。《史記·大宛傳》正義引大月氏、天竺事,祇稱萬震《南州志》。"

侯《志》曰:"《藝文類聚》、《御覽》屢引之。其中有用四字韻語者,意此書體例每物各爲一贊語,而別以散文詳釋其形狀,如戴凱之《竹譜》之類。諸書或引散文則無韻,或引贊語則有韻。《御覽》引扶南海隅一條有小注,蓋即取其散文附注各韻之下也。"

按《御覽》七百八十七斯條國一條引《南州異物志》,又接引萬震《南方異物志》,似萬氏書亦曰《南方》其篇目也。又汪師韓《文選注引羣書目錄》有《巴蜀異物志》,注云萬震撰。今按《鵩鳥賦》注所引不云萬震。今附識於此,不別出。

沈瑩　臨海水土異物志一卷

《吳志·孫皓傳》注:"《襄陽記》曰:晉來伐吳,皓使丞相張悌督沈瑩、諸葛靚帥眾三萬渡江逆之。至牛渚,沈瑩曰:'晉治水軍於蜀久矣,今傾國大舉,萬里齊力,必悉益州之眾浮江而下。我上流諸蕃無有戒備,名將皆死,幼小當任,恐邊江諸城盡莫能禦也。晉之水軍必至於此矣,宜畜眾力待來一戰。若勝之日,江西自清,上方雖壞可還取之,今渡江逆戰,勝不可保,若或摧喪,則大事去矣。'悌不從,遂渡江戰,吳軍大敗。"

又干寶《晉紀》曰:"吳丞相軍師張悌、護軍孫震、丹陽太守沈瑩帥眾濟江。沈瑩領丹陽銳卒刀楯五千,號曰青巾兵。前後屢陷堅陣,以馳淮南軍,三衝不動。退引亂,因而乘之,吳軍以次土崩,將帥不能止,大敗於版橋,獲悌、震、瑩等。"

《吳志·孫皓傳》:"天紀四年春,晉安東將軍王渾復斬丞相張悌、丹陽太守沈瑩等,所在戰克。"按沈瑩事蹟見於《吳志》傳注者,惟此三條。蓋身殉難者也,其字里未詳。

《隋書·經籍志》:"《臨海水土物志》一卷,沈瑩撰。"《唐·經籍志》:"《臨海水土異物志》一卷,沈瑩撰。"《藝文志》:"沈瑩《臨海水土異物志》一卷。"

章宗源《隋志攷證》曰:"《後漢書·東南夷傳》注,《廣韻》鮟

字、螆字注,《文選·江賦》、《思玄賦》、江文通《雜體詩》注,
《初學記》、《藝文類聚·歲時部》、《太平御覽·地部》、《時序
部》、《四夷部》、《鱗介部》,《寰宇記·江南東道》,《一切經音
義》多引之,或稱《臨海水土志》,或稱《臨海水土記》、《臨海風
土記》、《臨海異物志》、《臨海水土物志》、《臨海記》。"

按《通志略》地理方物類以是書爲隋沈瑩撰。今攷《隋》、《唐
志》,沈瑩是書並與萬震、朱應相類從,似非隋人。疑《通志
略》"隋"下敓"志"字。

又吳有沈珩,字仲山,吳郡人。孫權時以奉使有稱封永安鄉
侯,至少府。瑩與珩名皆從玉,疑出一家。

薛珝　異物志

《吳志·薛綜傳》:"綜子珝,官至威南將軍,征交阯還,道病
死。"注引《漢晉春秋》曰:"孫休時,珝爲五官中郎將,奉使至
蜀求馬。"《吳主孫皓傳》:"建衡元年十一月,遣監軍虞汜、威南將軍薛珝、蒼梧太
守陶璜,由荊州就合浦擊交阯。三年,汜、璜破交阯,禽殺晉所置守將,九真、日南皆
還屬。"汜卒當在建衡三年,瑩之兄也。

章宗源《隋志攷證》曰:"《一切經音義》鐇鱛鉅鱛引薛珝《異物
志》。"

薛瑩　荆揚巳南異物志　瑩始末具正史類。

章宗源《隋志攷證》曰:"《文選·吳都賦》注、《太平御覽·果
部》並引薛瑩《荆揚巳南異物志》。"

按汪師韓《文選注引羣書目》作薛瑩《荆揚巴南異物志》,"巴"
似"巳"字之誤。

譙周　異物志　周始末具經部禮類。

章宗源《隋志攷證》曰:"《文選·蜀都賦》注:譙周《異物志》
曰:'涪陵多大龜,其甲可以卜,俗名曰靈义。'又曰:'滇池水
乍深廣,乍淺狹,有如倒池,故俗云滇池。'"

按《文選·鵩鳥賦》注、《史記·周勃世家》集解、《屈賈列傳》索隱、《漢書·周勃》《賈誼傳》注並引《巴蜀異物志》，不著撰人，疑即譙氏此書。

城冢記一卷

《宋史·藝文志》："《城冢記》一卷，按序魏文帝三年，劉裕得此記。"

按魏文帝三年即黃初三年也。時《皇覽》將成，或鈔其記冢墓者一篇，劉裕得而傳之。猶《皇覽·冢墓記》之類歟？《集韻》："城，乳勇切，音宂。"劉裕，不詳何人。諸書引《皇覽·冢墓記》，疑即從此出。

右外紀雜記之屬凡十家，十部。

右地理類凡四門，綜二十六家，二十八部。侯《志》有《水經》，已錄入《漢藝文志拾遺》，或謂三國時人撰，終無顯證，今不錄。又萬震《巴蜀異物志》因汪師韓《文選注引羣書目錄》之誤，已詳萬氏《南州異物志》條下，今并刪除。

宋均　注帝譜世本七卷　均始末具經部孝經類。①

《唐書·經籍志》："《帝譜世本》七卷，宋均注。"《藝文志》："宋均注《帝譜世本》七卷。"

高似孫《史略》曰："《世本》凡三，其一曰《帝譜世本》，宋均所作者，七卷。按《世本》敘歷代君臣世系，是書不復見，猶有傳者，劉向、宋衷、宋均三家而已。予閱諸經疏，惟《春秋左氏傳疏》所引《世本》者不一，因采掇彙次爲一書，題曰《古世本》。"

章宗源《隋志攷證》曰："《文選·西京賦》注：隸首，黃帝史也。《史記·五帝紀》索隱：伏羲、神農、黃帝爲三皇，少昊、高陽、高辛爲五帝。《始皇紀》索隱言'如魚之爛，自內而出'。《太平御覽·服章部》'皇帝作旒冕'：'通帛爲旒冕'；'魯昭公作弁'：'制素弁也'。並引宋均《世本注》。"

---

① "始"，原作"史"，據《二十五史補編》本改。

侯《志》曰:"諸書引《世本》宋衷注者多,宋均注者少。今據王謨輯本引出者凡五條,云:女媧,黄帝臣也。原注見《北堂書鈔》、《文選注》,下同。祝融,顓頊臣,爲高辛氏火正。《初學記》。翣,武飾也。《莊子》、釋文。暴辛,平王時諸侯,作塤,有三孔。《文選注》。蘇臣公,平王時諸侯。"《北堂書鈔》。

按《隋志》"《漢氏帝王譜》三卷"之下注云:"梁有《宋譜》四卷,亡。"《宋譜》疑即此書,合《漢氏帝王譜》三卷,正七卷也。

顧啓期　春秋大夫譜十三卷　啓期始末具地理類。

《隋志》經部春秋類:"《春秋左氏諸大夫世譜》十三卷。"不著撰人。《通志·藝文略》云顧啓期。《唐·經籍志》春秋類:"《春秋大夫譜》十一卷,顧啓期撰。"《藝文志》春秋類:"顧啓期《大夫譜》十一卷。"

《崇文總目》曰:"《春秋世譜》七卷,不著撰人名氏,起黄帝至周,見於春秋諸國世系,傳久稍失其次矣。按隋唐書目,《春秋大夫世族譜》十三卷,顧啓期撰。而杜預《釋例》自有《世族譜》一卷,今書與《釋例》所載不同,而本或題云杜預撰者非也,疑此乃啓期所撰云。"

侯《志》曰:"《隋志》有此書十三卷,無撰人。《唐志》有顧啓期《大夫譜》十一卷,書名、卷數皆與《隋志》小異。而《崇文總目》、《通志·藝文略》合爲一書,今從之。"

何晏　官族傳十四卷　晏始末具經部易類。

《隋·經籍志》職官篇:"《官族傳》十四卷,何晏撰。"《唐·藝文志》譜牒類:"《官族傳》十五卷,不著撰人。"

章宗源《隋志攷證》曰:"《官族傳》十四卷,何晏撰。"《唐志》十五卷,入譜牒類。

按《通志·氏族略》序曰:"魏立九品,置中正,州大中正主簿、郡中正功曹各有簿狀以備選舉。晋、宋、齊、梁因之。"《唐書·柳沖傳》：“宋劉湛爲選曹，譔《百家譜》二卷，以助銓序。”《魏志·曹爽傳》云：“爽以何晏爲尚書，典選舉。”注引《魏略》曰：“晏爲尚書，主選舉，其夙與之有舊者，多被拔擢。”晏在正始中爲吏部尚書凡十年，此書似即作於其時，爲劉湛之先聲云。又按《隋志》是書之前有《吏部用人格》一卷，不著撰人。《唐志》似并合此一卷，故云十五卷。

管寧　氏姓論　寧始末具雜傳記類。

《魏志》本傳注：“《傅子》曰：‘寧以衰亂之時，世多妄變氏族者，違聖人之制，非禮命姓之意，故著《氏姓論》以原本世系。’文多不載。”

侯《志》曰：“管寧《氏姓論》見本傳注引《傅子》，‘論’字作‘歌’字，疑誤。今據《玉海》訂正。”按明北監本《三國志》及汲古閣《十七史》本亦皆作“論”字，非“歌”字。

右譜系類凡四家，四部。

魏皇覽簿

《魏志·文紀》：“初，帝好文學，以著述爲務，使諸儒撰集經傳，隨類相從，凡千餘篇，號曰《皇覽》。”

《魏志·楊俊傳》注：“《魏略》曰：‘王象爲常待，受詔撰《皇覽》。使象領祕書監。象從延康元年始撰集，數歲成，藏於祕府。合四十餘部，部有數十篇，通合八百餘萬字。’”

《隋書·經籍志》序曰：“祕書監荀勖又因《中經》更著《新簿》，分爲四部。其三曰丙部，有《皇覽簿》。”

按《皇覽》必有部目，《魏略》稱四十餘部，其總要也。部分數十篇，凡千餘篇，則其子目。荀氏取其門類部分編入新簿之丙，曰《皇覽簿》，蓋即魏之舊名。《隋志》雜家：“梁有《皇覽目》四卷。”則又從殘佚之餘鈔合其目也。

鄭默　魏中經簿

《魏志·鄭渾傳》：“渾，河南開封人也。高祖父眾，眾父興，皆爲名儒。渾兄泰與荀攸等謀誅董卓。爲揚州刺史，卒。"注引《晋陽秋》曰："泰子袤初爲臨菑侯文學，至光禄大夫。袤子默，字思元，《晋諸公贊》曰位至太常。"

《初學記·職官部》引王隱《晋書》曰："鄭默字思元，爲祕書郎，删省舊文，除其浮穢，著《魏中經簿》。中書令虞松謂默曰：'而今而後，朱紫别矣。'"

梁阮孝緒《七録序目》曰："魏晋之世，文籍逾廣，皆藏在祕書中外三閣。魏祕書郎鄭默删定舊文，時之論者謂爲朱紫有别。晋領祕書監荀勖因《魏中經》更著《新簿》。"

《隋書·經籍志》序曰："魏氏代漢，采掇遺亡，藏在祕書中外三閣。魏祕書郎鄭默始制《中經》。祕書監荀勖又因《中經》更著《新簿》。"

按《晋書·鄭袤附傳》："默起家爲祕書郎，至大司農光禄勳。太康元年卒，年六十八，謚曰成，漢大中大夫鄭興八世孫。其書名《中經簿》，自荀勖《新簿》出而此書遂微。《皇覽簿》當在此書中。"

韋昭校定衆書 昭始末具經部詩類。

《吳志·韋曜傳》："孫休踐阼，爲中書郎、博士祭酒。命曜依劉向故事校定衆書。"又《胡綜傳》綜自鄂縣長還爲書部。

《吳志》第二十評曰："薛瑩稱韋曜篤學好古，博見羣籍，有記述之才。"

按《吳主孫休傳》："休鋭意典籍，欲畢覽百家之言。"又《答張布詔》曰："孤之涉學，羣書略徧，所見不少也。其明君闇主、姦臣賊子、古今賢愚成敗之事無不覽也。"按休在位七年，初即位，即命韋昭依劉向故事校定衆書。而昭以史職兼領是事七年之久，必有成書。史文簡略，但著其始，不言其終。後入晋，又爲荀勖《中經新簿》所掩，遂湮没不傳。

陳思王自撰目録

《晋書·曹志傳》：“志字允恭，魏陳思王植之孽子也。帝嘗閱
《六代論》，問志曰：‘是卿先王所作耶？’志對曰：‘先王有手所
作《目録》，請歸尋案。’還奏曰：‘案録無此。’帝曰：‘誰作？’志
曰：‘以臣所聞，是臣族父冏所作。’”

按《魏志·陳思王傳》：“前後所著賦、頌、詩、銘、雜論凡百餘
篇，副藏内外。”此《自撰目録》蓋即所作詩文雜著之録，自爲
一編，當時或編入集後者。又按《魏志·王粲傳》注引《嵇康集目録》曰“孫
登字公和，不知何許人”云云，知當時撰著繁富者皆各自爲目録。

朱士行　漢録一卷

梁沙門慧皎《高僧傳》：“朱士行，潁川人，少懷遠悟，脱落塵
俗。出家已後，專務經典。昔漢靈之時，竺佛朔譯出《道行
經》，即《小品》之舊本也。文句簡略，意義未周。士行嘗於洛
陽講《道行經》，覺文意隱質，諸未盡善。每歎曰此經大乘之
要，而譯理不盡，誓志捐身遠求大本。遂以魏甘露五年西渡
流沙，既至于闐，果得梵書正本，凡九十章。遣弟子送本還
歸，時竺叔蘭等譯爲漢文，稱《放光般若經》。士行遂終於于
闐，春秋八十。依西方法闍維之歛骨起塔焉。”

《隋書·經籍志》曰：“先是西域沙門來此譯《小品經》，首尾乖
舛，未能通解。甘露中，有朱仕行者往西域至于闐國，得經九
十章。晋元康中至鄴譯之，題曰《放光般若經》。”

唐沙門智昇《開元釋教録》曰：“朱士行《漢録》一卷，曹魏時潁
川沙門。朱士行於洛陽講道行經，因撰其録。後往西域求
經，於彼而卒。”

按智昇《録》中屢引朱士行《漢録》，是釋藏中實有其書。士行
卒於于闐，未嘗入晋，故録入魏代。

右簿録類凡五家，五部。

三國藝文志卷三

子之類十有二,曰儒家,曰道家,曰法家,曰名家,曰兵家,曰雜家,曰小説家,曰天文家,曰曆算家,曰五行家,曰醫家,曰雜藝術家。

王肅　孔子家語解二十一卷　肅始末具經部易類。

肅自序曰:"鄭氏學行五十載矣,尋文責實,攷其上下義理不安違錯者多,是以奪而易之。孔子二十二世孫有孔猛者,家有其先人之書。昔相從學,頃還家方取以來與予。所論有若重規疊矩,而恐其將絶,故特爲解以貽好事之君子。"

《禮・樂記》疏引馬昭説曰:《家語》王肅增加,非鄭玄所見。肅私定以難鄭玄。"

《釋文・叙録》曰:"肅又注《尚書》、《禮容服》、《論語》、《孔子家語》。"《隋志》經部論語篇:"《孔子家語》二十一卷,王肅解。"《唐日本國見在書目》:"《孔子家語》廿一卷,王肅撰。"

《唐・經籍志》:"《孔子家語》十卷,王肅撰。"《藝文志》:"王肅注《孔子家語》十卷。"《宋・藝文志》:"《孔子家語》十卷,魏王肅注。"

宋王柏《家語攷》:曰:"四十四篇之《家語》乃王肅自取《左傳》、《國語》、《荀》、《孟》、二戴《記》割裂織成之。孔衍之序亦王肅自爲也。"

《經義攷》曰:"孔安國《家語後序》疑亦後人僞撰。"

《四庫簡明目録》曰:"《孔子家語》十卷,魏王肅注。《家語》雖名見《漢志》,而書則久佚。今本蓋即王肅所依託以攻駁鄭學,馬昭諸儒已論之詳矣。"

張融　當家語二卷

《隋志》經部論語篇：“梁有《當家語》二卷，魏博士張融撰，亡。”

按王肅撰《聖證論》，張融嘗奉詔按經論詰，分別推處，見《舊唐書·元行冲傳》。此《當家語》似亦爲王肅《家語》而作。故《隋志》依《七録》類從於《家語》之次。《日本國見在書目》有《家語鈔》一卷，不著撰人，次王肅《家語》之後。疑即是書，或融鈔輯古本《家語》以别之也。

王肅　太玄解七卷

《魏志》王朗附傳：“肅年十八從宋忠讀《太玄》，而更爲之解。”

《華陽國志·蜀都士女贊》：“其玄，後世大儒張衡、崔子玉、宋仲子、王子雍皆爲注解。”

《隋書·經籍志》：“梁有《揚子太玄》七卷，[①]王肅注，亡。”

李譔　太玄指歸　　譔始末具經部易類。

《蜀志》本傳：“譔父仁與同縣尹默俱游荆州，從司馬徽、宋忠等學。譔具傳其業，著古文《易》、《尚書》、《毛詩》、三《禮》、《左氏傳》、《太玄指歸》，與王氏意歸多同。”

按《梓潼人士贊》作《太玄指》。《册府元龜》作《指歸》，與《蜀志》同。知《贊》文敚“歸”字。

虞翻　太玄注十四卷　　翻始末具經部易類。

《吴志》本傳注引《翻别傳》曰：“又以宋氏解玄頗有繆錯，更爲立法，按“法”似“注”之刊誤。并著《明揚》、《釋宋》以理其滯。”

《隋書·經籍志》：“梁有《揚子太玄經》十四卷，虞翻注，亡。”

《唐·經籍志》：“《揚子太玄經》十四卷，虞翻注。”《藝文志》：“虞翻注《太玄經》十四卷。”

---

① “卷”，原作“經”，據《二十五史補編》本、殿本《隋書》改。

按《書録解題》曰：“《雄本傳》三方、九州、二十七部、八十一家、七百二十九贊，分爲三卷。有首、衝、錯、測、摛、瑩、數、文、挩、圖、告十一篇，皆以解剥玄體。蓋與本經三卷，共爲十四。然則十四卷者，雄本書原第也。”

陸凱　太玄注十三卷 凱始末具史部雜傳記類。

《吳志》本傳：“凱雖領兵統軍眾，手不釋書，好《太玄》，論演其意，以筮輒驗。”

《隋書·經籍志》：“梁有《揚子太玄經》十三卷，陸凱注，亡。”

范望　太玄經義注

望自序曰“建安年中，故五業主事章陵宋衷、鬱林太守吳郡陸績，各以淵通之才，窮核道真，爲十篇解釋，足以根其祕奥，無遺滯者已。然本經三卷，雖有章句，辭尚婉妙，並宜訓解。且此書也淹廢歷久，傳寫文字或有脱謬。宋君挩之於前，鬱林釋之於後，二注并集，或相錯雜，或相理致，文字猥重，頗爲繁多。於教者勞，於誦者勌，望以闇固，學不博識。昔在吳朝校書臺觀，後轉爲郎。讎講歷年，得因二君已成之業，爲作《義注》四萬餘言。寫在觀閣，亡其本末”云云。

范望　太玄經注十卷

望自序又曰：“今更通率爲注，因陸君爲本。録宋所長，捐除其短。并《首》一卷本經之上，散《測》一卷注文之中。訓理其義，以《測》爲據，合爲十卷，十餘萬言。”

《唐書·經籍志》：“《揚子太玄經》十二卷，范望注。”《藝文志》：“范望注《太玄經》十二卷。”

宋晁公武《郡齋讀書志》曰：“《太玄經解》十卷，吳范望叔明注，以《首》分居本經之上，以《測》散處贊辭之下，其前又有陸績序，以子雲爲聖人云。”

按自序之首題晉范望，字叔明。晁《志》稱吳范望叔明。《釋文·叙録》有范望州《老子注訓》二卷,注云字叔文,會稽人,吳尚書郎。"州"字疑衍,"明"、"文"二字聲近,未詳孰是。望在吳爲郎時,因宋、陸二注合併煩重,於是刪除爲《義注》四萬餘言。其後入晋亡失。又作十卷,十餘萬言之注。既《釋文》及晁《志》稱爲吳人,因亦録存其書。望蓋吳之遺老,入晋未嘗仕宦者歟。

任氏　中論注六卷

唐馬總《意林》曰:"《中論》六卷,徐偉長作,任氏注。"

嚴可均《全三國文編》曰:"《中論序》元刊本有之。案此序徐幹同時人作。舊無名氏《意林》:'《中論》六卷,任氏注。'任嘏與幹同時,多著述,疑此序及注皆任嘏作,無以定之。"

按《中論》舊序末云:"故追述其事,麤舉其顯露易知之數,沈冥幽微、深奥廣遠者遺之。精通君子將自贊明之也。"此數語有似乎爲之注者。

右注述前代書凡七家,九部。

孔叢子七卷

《隋志》經部論語篇:"《孔叢子》七卷,陳勝博士孔鮒撰。"又曰:"《孔叢家語》並孔氏所傳仲尼之旨,并附於此篇。"《唐·經籍志》:"《孔叢》七卷,孔鮒撰。""鮒"似"鮒"之刊誤。《藝文志》:"《孔叢》七卷,不著撰人。"《宋史·藝文志》子部儒家:"《孔叢子》七卷,漢孔鮒撰。朱熹曰僞書也。"又經部小學類別出孔鮒《小爾雅》一卷。

《書録解題》曰:"《孔叢子》七卷,孔氏子孫雜記其先世系言行之書也。《小爾雅》一篇亦出於此。《中興書目》稱漢孔鮒撰。按《孔光傳》,夫子八世孫鮒,魏相順之子,爲陳涉博士,死陳下。則固不得爲漢人。而其書記鮒之没,第七卷號《連叢子》者,又記太常臧而下數世,迄於延光三年季彦之卒,則又安得以爲鮒撰耶?"

《四庫提要》曰:"《孔叢子》,舊題孔鮒撰。所載仲尼而下子上、子高、子順之言行,凡二十一篇。又以孔臧所著賦與書上、下二篇附綴於末,別名曰《連叢》。臧,高祖功臣孔聚之子,嗣爵蓼侯。武帝時官太常。《朱子語類》謂《孔叢子》文氣頓弱,不似西漢文字。蓋其後人集先世遺文而成之者。今按其書説《舜典》六宗與僞《孔傳》、僞《家語》並同,是亦晚出之明證也,朱子所疑蓋非無見。"

仁和孫志祖《讀書脞録》曰:"臧玉林《經義雜記》云《禮記·祭法》'相近於坎壇,祭寒暑也',鄭注:'相近'當爲'禳祈',聲之誤也。王肅作'祖迎'。《孔叢子·書論篇》:'祖迎於坎壇,所以祭寒暑也。'與王肅正同。《孔叢子》亦僞書,朱子云似東漢人語,琳疑并非東漢人,當出於魏晋間。故解納於大麓、禋於六宗皆與僞《孔傳》及王肅注合。志祖嘗疑《孔子家語》、孔安國《書傳》、《孔叢子》皆出於肅手。鄭以'相近'爲'禳祈',以爲聲誤;肅改作'祖迎',以爲形似之誤,恐後人不信其説,故著之於《孔叢子》。肅之詭計苦心往往若此。非好學深思心知其義,恐急索解人不得也。"

按臧氏攷出王肅注《祭法》及大麓、六宗三事並與《孔叢》同,則是書始行於魏代,從可知矣,今録於此。其《小爾雅》,據王煦所攷,實爲《漢志》所載之一篇。《宋志》稱孔鮒,固未碻,而録入此書,則亦孔氏先世所遺,未可知也。

魏文帝　典論五卷

《魏志·文紀》:"初帝好學,以著述爲務,自所勒成垂百篇。"注引《魏書》曰:"帝初在東宮,疫癘大起,時人彫傷,帝深感歎,與素所敬者大理王朗書曰:'生有七尺之形,死爲一棺之土,唯立德揚名,可以不朽,其次莫如著篇籍。疫癘數起,士人彫落，余獨何人，能全其壽?'故論撰所著《典論》、詩賦蓋百餘篇。"又引胡沖《吳曆》曰："帝以素書所著《典論》及詩賦餉孫權，又以紙寫一通與張昭。"

《魏志·明紀》："太和四年春二月戊子，詔太傅三公：以文帝《典論》刻石，立於廟門之外。"又《齊王紀》："景初三年二月，西域重譯獻火浣布，詔大將軍、太尉臨試以示百僚。"注引《搜神記》曰："漢世西域舊獻火浣布，中閒久絕，至魏初，時人疑其無有。文帝以爲火性酷烈，無含生之氣，著之《典論》，明其不然之事，絕智者之聽。及明帝立，詔三公曰：'先帝昔著《典論》，不朽之格言。其刊石於廟門之外及太學，與石經並，以永示來世。'至是西域使至而獻火浣布焉，於是刊滅此論，而天下笑之。"《御覽·碑部》："戴延之《西征記》曰：國子堂前有刻碑，魏文《典論》六碑，四存二敗。"侯氏《志》曰："所謂刊滅者，第芟去火浣布一條。"

《隋志》經部小學類："《一字石經典論》一卷。"子部儒家："《典論》五卷，魏文帝撰。"《唐·經籍志》同。《藝文志》："魏文帝《典論》五卷。"嚴可均輯本序曰："魏文《典論》，亡友瀋陽孫馮翼字鳳卿，嘗有輯本，罣漏甚多。又以《典略》當《典論》，今覆檢各書，寫出數十百事，有篇名者十三。聚其複重，會其離散，依《意林》次第之，定著一卷。其遺文墜句無所繫屬者附於後。"

周生子十三卷 周生烈始末具經部春秋類。

馬總《意林》曰："《周生烈子》序云：六蔽鄙夫燉煌周生烈，字文逸。張角敗後，天下潰亂，哀苦之閒故著此書，以堯舜作幹植，仲尼作師誡。"

《宋書·大且渠蒙遜傳》："元嘉十四年，河西王茂虔奉表獻方物，并獻《周生子》十三卷。"

《隋書·經籍志》："梁有《周生子要論》一卷，《錄》一卷，魏侍中周生烈撰，亡。"《唐·經籍志》："《周生烈子》五卷，周生子志。”《藝文志》：“《周生烈子》五卷。”

馬國翰輯本序曰：“崔鴻《十六國春秋》：‘且渠茂虔永和五年遣使如宋，表獻方物，並獻書一百五十四卷，有《周生子》十三卷。’《七録》一卷、《唐志》五卷，皆非茂虔所獻之原帙矣。《意林》載十節，序一節。《北堂書鈔》、《藝文類聚》、《白六帖》、《太平御覽》諸書亦引之，合輯二十二節，別出序於卷首。其語皆讜論法言。自序謂‘以堯舜作幹植，仲尼作師誡’。抗志高睎，言雖大而非夸也。”

按高似孫《子略》載《意林》篇目，《周生烈子》不著卷數。今本《意林》作五卷者，乃後人依《唐志》所加，非馬元會著録五卷也。北涼所獻十三卷當是原書。《七録》《要論》并《録》各一卷，似後人節本。兩《唐志》五卷，則又別本殘帙也。

張茂　要言

《魏志·明紀》青龍三年注：《魏略》曰：“太子舍人張茂上書諫末云：‘臣所以不敢不獻瞽言者，臣昔上《要言》，散騎奏臣書，以《聽諫篇》爲善，詔曰是也。擢臣爲太子舍人。且臣作書譏爲人臣不能諫諍，今有可諫之事而臣不諫，此爲作書虛妄而不能言也。臣年五十，常恐至死無以報國，是以冒昧以聞。’書通，上顧左右曰：‘張茂恃鄉里故也。’以事付散騎而已。茂字彦林，沛人。”

曹羲書三篇

《魏志·曹真傳》：“真字子丹，太祖族子也。《魏略》曰：“真本姓秦，養曹氏。”明帝時，爲大將軍，封邵陵侯。子爽嗣。又詔封真五子羲、訓、則、彦、皚皆爲列侯。齊王即位，爽以大將軍加侍中輔少主，弟羲爲中領軍。爽飲食車服擬於乘輿，作窟室，綺數四周，①數與何晏等會其中，縱酒作樂。羲深以爲大憂，數諫止之。又著書三篇，陳驕淫盈佚之致禍敗，②辭旨甚切，不敢斥爽，託戒諸弟以示爽。爽知其爲己發也，甚不悦。羲或時以諫喻不納，涕泣而起。後與爽、訓、晏等皆誅夷。”

《北堂書鈔》六十四引《傅子》曰：“安鄉亭侯曹羲爲領軍將軍，慕周公之下士，賓客盈坐。”

侯《志》曰：“《晋書·王接傳》魏中領軍曹羲作《至公論》，蓋即其中之一篇。《論》載《藝文類聚》卷二十二。”

杜恕　體論八篇

《魏志·杜畿傳》：“畿字伯侯，京兆杜陵人也。文帝時爲尚書，封豐樂亭侯，子恕嗣。恕字務伯，太和中爲散騎黃門侍郎。在朝八年，出爲弘農太守，數歲轉趙相、河東太守、淮北都督護軍，拜御史中丞，復出爲幽州刺史，加建威將軍，使持節，護烏桓校尉。下廷尉，當死，免爲庶人，徙章武郡。初，恕從趙郡還，陳留阮武亦從清河太守徵，俱自薄廷尉。謂恕曰：‘相觀才性可以由公道而持之不厲，器能可以處大官而求之不順，才學可以述古今而志之不一，此所謂有其才而無其用。今向閑暇，可試潛思，成一家言。’在章武，遂著《體論》。嘉平四年，卒於徙所。”陳壽曰：“恕屢陳時政，經論治體，蓋有可觀焉。”

裴松之曰：“杜氏《新書》曰：‘恕以爲人倫之大綱，莫重於君臣；立身之基本，莫大於言行；安上理民，莫精於政法；勝殘去殺，莫善於用兵。夫禮也者，萬物之體也，萬物皆得其體，無有不善，故謂之《體論》。’”

---

①　“數”，《二十五史補編》本、殿本《三國志》作“疏”。
②　“佚”，《二十五史補編》本、殿本《三國志》作“溢”。

《隋書·經籍志》:"杜氏《體論》四卷,魏幽州刺史杜恕撰。"
《唐·經籍志》:"杜氏《體論》四卷,恕撰。"《藝文志》同。
嚴可均輯本序曰:"恕,晋征南將軍預之父也。著《體論》八篇,一曰《君》,二曰《臣》,三曰《言》,四曰《行》,五曰《政》,六曰《法》,七《聽察》,八《用兵》。四卷者,卷凡二篇。其書蓋亡於唐末。《羣書治要》載有六千餘言,不著篇名。審觀知是《君》、《臣》、《行》、《政》、《法》、《聽察》六篇,其餘《言篇》、《用兵篇》略見《御覽》、《六帖》,而《意林》以《自叙》終焉。今録出校定爲一卷。"馬氏玉函山房亦輯一卷,失采《羣書治要》,未爲詳備。

王子正論十卷 王肅見前。

《隋書·經籍志》:"《王子正論》十卷,王肅撰。"《唐·藝文志》:"王肅《政論》十卷。"
馬國翰輯本序曰:"《晋書·禮志》引王景侯之《論》。《三國志》肅本傳載其對帝及司馬宣王語,當從本書采取。又《通典》引王肅議及諸答問,《太平御覽》引王肅議禮,雖不顯標書目,要是佚説之散見者。並據輯録其説於禮制加詳,多所駁糾,蓋在當日欲與鄭氏角勝拔幟,自成一隊,抗顏高論,亦足名家矣。"

王昶 治論二十餘篇 昶始末具史部職官類。

《魏志》本傳:"文帝時遷兖州刺史。明帝即位,加揚烈將軍,賜爵關内侯。昶雖在外任,心存朝廷,以爲魏承秦、漢之弊,法制苛碎,不大釐改國典以準先王之風,而望治化復興,不可得也。乃著《治論》,略依古制而合於時務者二十餘篇,青龍中奏之。"

王基 新書五卷 基始末具經部詩類。

《魏志》本傳:"基爲大將軍曹爽從事中郎,出爲安豐太守。時曹爽專柄,風化凌遲,基著《時要論》以切世事。"

《隋書·經籍志》："梁有《新書》五卷,王基撰,亡。"

馬國翰輯本序曰："王氏《新書》,《唐志》不著錄,散佚已久。攷《魏志》基本傳載其諫明帝,答司馬景王,以及料敵策戰之言凡七節。又裴注引司馬彪《戰略》載有論胡烈表降一節,雖多談兵事,而具有儒術,知皆從本書采取也,並據補錄。篇序、體格無由盡循其舊,而史稱學行堅白,可於此想見之矣。"

按本傳稱著《時要論》,當亦在《新書》中,特其文無由攷見耳。

諸葛武侯　集誡二卷　武侯見史部正史類。

《蜀志》本傳注："《魏氏春秋》曰:'亮作八務、七戒、六恐、五懼,皆有條章,以訓厲臣子。'"又陳壽重定《諸葛故事集》目錄云:"訓厲第六。"

《文心雕龍·詔策篇》："戒者,慎也。教者,效也。若諸葛孔明之詳約,理得而辭中,教之善者也。"

《隋書·經籍志》："諸葛武侯《集解》二卷。"又集部總集篇:"諸葛武侯《誡》一卷。"《唐·經籍志》:"《集誡》二卷,諸葛亮撰。"《藝文志》:"諸葛亮《集誡》二卷。"

張澍輯《諸葛忠武侯文集》目錄曰:"澍按《梁書》武侯儒家《集誡》二卷,當即《隋志》總集武侯《誡》一卷也。按此當是"《隋志》儒家武侯《集誡》二卷當即總集武侯《誡》一卷",而失於校刊者。《十六國春秋》:李玄盛嘗寫諸葛《誡訓》以示其子弟。今存《誡子》、《誡外生》三篇。"

譙子　法訓八卷　譙周見經部禮類。

《蜀志》本傳:"凡所著述,撰定《法訓》、《五經論》、《古史攷》書之屬百餘篇。"

《隋書·經籍志》:"譙子《法訓》八卷,譙周撰。"《唐·經籍志》同。《藝文志》同。

馬國翰輯本序曰："此書稱《法訓》者，擬於古之格言，亦如揚子雲書稱《法言》之類。《隋》、《唐志》並八卷，原書散佚。陶宗儀《説郛》輯録十節，其輓歌一節文句不全，又雜入譙周《喪服圖》一條。頗爲疏略，兹更蒐采得十三節，合可一卷。"嚴可均《全晉文編》曰："譙子《法訓》，《御覽》四百六引《齊交篇》。其他如《齊民要術》自序、《北堂書鈔》、《文選注》、《初學記》、《御覽》所引無篇名者，凡二十條。"

按宋刻全本《意林》有譙子《法訓》五條，馬、嚴二家輯本皆未采入。張介侯《蜀典》著作類輯存二十二條，亦不及《意林》。

譙子　五教志五卷

高似孫《子略》曰："《意林》目録云：譙周《五教》五卷，並是《禮記》語。"

《隋書·經籍志》："梁有譙子《五教志》五卷，亡。"《唐·經籍志》："譙子《五教》五卷，譙周撰。"《藝文志》："譙子《法訓》八卷，又《五教》五卷，注云譙周。"

按《尚書》"敬敷五教"注："五常之教。"是書命名以此。

顧譚　新言二十篇

《吳志·顧雍傳》："雍字元歎，吳郡吳人也。長子邵早卒，邵子譚，字子默，按宋本《意林》云字默造。弱冠與諸葛恪等爲太子四友，從中庶子轉輔正都尉。赤烏中，代恪爲左節度。加奉車都尉。爲選曹尚書，拜太常，平尚書事。爲全琮父子所搆，坐徙交州。幽而發憤，著《新言》二十篇。其《知難篇》蓋以自悼傷也。見流二年，年四十二，卒於交阯。"

《隋書·經籍志》："顧子《新語》十二卷，吳太常顧譚撰。"

《唐·經籍志》："顧子《新語》五卷，顧譚撰。"《藝文志》："顧子《新論》五卷，注云顧譚。"

馬國翰輯本序曰：《吳志》本傳云："著《新言》二十篇，《隋志》

作《新語》,《唐志》作《新論》,皆非原目。今惟《太平御覽》引數節。又本傳載疏一篇。《隋志》無譚集,疏當在《新言》中,如賈誼《治安疏》在《新書》。董仲舒《天人策》在《春秋繁露》之類,合訂爲卷。”

侯《志》曰:“《御覽》四百六十七,八百六十一俱引《顧子》,當出《新言》。惟七百五十五引顧子《義訓》,未知是一書否。”按《隋志》:“梁有《顧子》十卷,晉揚州主簿顧夷撰。”兩《唐志》:“顧子《義訓》十卷,顧夷撰。”然則《御覽》稱《顧子》及《義訓》者,未必碻是此書。侯氏失於攷訂耳。

按宋刻全本《意林》有《新言》一條。汪師韓《文選理學權輿》曰:“《選注》所引羣書,有顧譚《顧子》。”

周子　新論九卷 　周昭撰。

《吳志·步騭傳》:“潁川周昭著書稱步騭及嚴畯等。周昭者,字恭遠,與韋曜、薛瑩、華覈並述《吳書》,後爲中書郎,坐事下獄。覈表救之,孫休不聽,遂伏法云。”

《隋書·經籍志》:“梁有《周子》九卷,吳中書郎周昭撰,亡。”

嚴可均《全三國文編》曰:“周昭有《周子新論》九卷,《御覽》二百四十一引周紹《新論》即昭之誤。又四百六引周昭《新撰》亦《新論》之誤。今存四篇,一贈孫奇詩序,二論步騭、嚴畯等,三論薛瑩等,四立交。並見《御覽》及《步騭傳》。”

馬國翰輯本序曰:“《七錄》儒家有《周子》九卷,《隋志》云亡,《唐志》不著録,佚已久。《御覽》引論交一節,稱周昭《新撰》。白《六帖》引二語而已。《吳志》載其論步騭、嚴畯等,猶爲完篇,兹據合輯。其論平情準理,不爲低昂,則在當時臧否人物當具有特識。遇暴主不以善終,惜哉。”

侯《志》曰:“‘昭’一作‘招’,《抱樸子·正郭篇》引中書郎周恭遠論郭林宗,當出此書。”

陸景　典語十卷　典語別二卷

《吴志·陸遜傳》:"遜字伯言,吴郡吴人也。子抗,字幼節。抗子晏、景、玄、機、雲,分領抗兵。景字士仁,尚公主,拜騎都尉,封毘陵侯。既領抗兵,拜偏將軍、中夏督,澡身好學,著書數十篇。天紀四年,晉軍伐吴,龍驤將軍王濬順流東下,所至輒克。二月壬戌,晏爲王濬別軍所殺。癸亥,景亦遇害,時年三十一。景妻,孫皓適妹,與景俱張承外孫也。"

《隋書·經籍志》:"梁有《典語》十卷,《典語別》二卷,並吴中夏督陸景撰,亡。"《唐·經籍志》:"《典訓》十卷,陸景撰。"《藝文志》:"陸景《典訓》十卷。"

《史通·自叙篇》:"夫開國承家,立身立事,一文一武,或出或處。雖覽愚壤隔,善惡區分,苟時無品藻,則理難銓綜。故陸景《典語》生焉。"

嚴可均輯本序曰:"陸景有《典語》十卷,《典語別》二卷。《舊唐志》有《典語》無《典語別》,《新唐志》作《典訓》,皆十卷。其書宋不著録,而民間僅或流傳。三年前,聞紹興王君理堂游幕山左,攜有宋寫殘本二卷,余未獲見之。僅從《羣書治要》寫出七篇,益以各書所載爲一卷,凡十七條。他日理堂獲吾書,合訂之以廣其傳,豈非美事。嘉慶十九年歲次甲戌二月。"

馬國翰輯本序曰:"徐堅《初學記》卷九引陸景《典語》,《太平御覽》卷七十八作陸景《典略》。又歐陽詢《藝文類聚》卷二十三引吴陸景《誡盈》,疑是《典語》中之一篇,合輯爲卷,凡十一條。"

按宋本《意林》有陸景《典語》二條,嚴、馬二家皆未采。又馬氏諸輯本皆不及《羣書治要》,故此所輯止十一條。

殷禮　通語數十篇

《吴志·顧邵傳》:"初,雲陽殷禮起乎微賤,邵拔而友之,爲立聲譽，至零陵太守。"裴松之曰："禮子基作《通語》曰：'禮字德嗣，弱不好弄，潛識過人。少爲郡吏，年十九，守吳縣丞。孫權爲王，召除郎中。後與張溫俱使蜀，諸葛亮甚稱歎之。稍遷至零陵太守，卒官。'"《文士傳》曰："禮子基，無難督，以才學知名，著《通語》數十篇。"又《張溫傳》："權罪溫，幽之有司，下令曰：'又殷禮者，本占候召，而溫先後乞將到蜀，扇揚異國，爲之譚論。又禮之還，當親本職，而令守尚書户曹郎，如此署置，在溫而已。'"又《趙達傳》云："闞澤、殷禮皆名儒善士，親屈節就學，達秘而不告。"

《唐書·經籍志》："《通語》十卷，文禮撰，殷興續。"《藝文志》："文禮《通語》十卷，殷興續。"《隋志》："梁有《通語》十卷，晉尚書左丞殷興撰。"按"撰"當爲"續"。

侯《志》曰："康按《七録》有《通語》十卷，晉尚書左丞殷興撰。《唐志》則作文禮《通語》十卷，殷興續。是必先有其書，而興續之。蓋即續殷基之書，而二書遂合爲一。故《七録》直以爲興撰也。裴松之注《費禕傳》、《顧邵傳》、《朱據傳》、《孫和傳》，俱引殷基《通語》。《意林》載《通語》八卷，不署名，疑亦引殷基書。《御覽》六百十四引殷典《通語》，此'典'字必'興'字之誤。"

馬國翰輯本序曰："'興'或'基'字之譌，或晉代別有殷興就基書修而續之。今據裴松之《三國志注》改題吳殷基撰。"

按嚴氏《全晉文編》曰："殷興一作殷基，雲陽人。吳零陵太守殷禮子。仕吳爲無難督，入晉遷尚書左丞，有《春秋釋滯》十卷，《通語》十卷。"按嚴氏之説蓋據《隋志》春秋、儒家兩類，又證以裴注所稱引，定殷興即殷基。信如所言，則兩《唐志》稱殷興續者即殷基續，續其父禮書也。《蜀志·費禕傳》注引殷基《通語》司馬懿誅曹爽，禕設甲乙論平其是非云云。禮與張溫使蜀，故得見禕，此論筆之《通語》中。又《抱樸子·正郭篇》云："故零陵太守殷府君伯緒，高才篤論之士也。"載其論郭林宗一則，是亦禮撰《通語》之一證。《舊唐志》：“文禮撰。”

“文”或“殷”字之刊誤。禮亦字伯緒，賴《抱樸子》以傳。

楊子太玄經十四卷　　楊泉撰。

《北堂書鈔》六十三引《晉録》曰：“會稽相朱則上書言楊泉清

操自然，徵聘終不就，詔拜泉郎中。”

嚴可均《全三國文編》曰：“楊泉字德淵，梁國人。見《意林》。吳

處士，入晉徵爲郎中，不就。見《書鈔》。有《太玄經》十四卷，《物

理論》十六卷，《集》二卷。”

梁元帝《金樓子·雜記篇》曰：“桓譚有《新論》，華譚又有《新

論》。揚雄有《太玄經》，楊泉又有《太玄經》。談者多誤動形

言色。或云，桓譚有《新論》，何處復有華譚。揚子有《太玄

經》，何處復有《太玄經》，此皆由不學使之然也。”

《隋書·經籍志》“梁有《楊子太玄經》十四卷，晉徵士楊泉撰，

亡。”《唐·經籍志》：“《太玄經》十四卷，楊泉撰。劉緝注。”

《藝文志》：“楊泉《太玄經》十四卷，劉緝注。”

馬國翰輯本序曰：“此書做揚子雲《太玄》爲之，亦擬易之類

也。馬總《意林》載六節，攷《太平御覽》亦有引《太玄經》而不

見子雲書中者，皆此書之佚文也。併輯爲卷，其古法卦名均

不可見，文辭清麗亦可讀玩。”

海寧錢保塘《物理論》輯本序曰：“《藝文類聚》有楊泉《五湖

賦》、《贊善賦》、《蠶賦》、《織賦》、《草書賦》或稱吳，或稱晉。

《初學》引《五湖賦》又稱西晉。泉蓋由吳歷晉，晉初徵拜郎

中，終不應命，故《隋志》稱曰‘徵士’，又曰‘處士’。”

楊子物理論十六卷　　楊泉撰。

《隋書·經籍志》：“梁有《楊子物理論》十六卷，晉徵士楊泉

撰，亡。”《唐·經籍志》：“《物理論》十六卷，楊泉撰。”《藝文

志》：“楊泉《物理論》十六卷。”

平津館輯本，桐城馬瑞辰序之曰："《楊子物理論》不見《宋·藝文志》，則其書自宋已佚之矣。章逢之孝廉曾有輯本，今淵如觀察重加校正，補所未備。其分卷之舊已不可攷，謹以事類次第編錄。自天文地理，以迄古今帝王，用人行政之要，靡不囊括。蓋博采秦漢諸子之説爲之，而引《傅子》爲尤多。其不言《傅子》者，亦多出於《傅子》。《傅子》一百四十卷，今僅從《永樂大典》錄出一卷。楊子是書正足與《傅子》相表裏已。楊泉字德淵，《隋志》稱'徵士'，亦稱'處士'。目爲楊子列入儒家，蓋晉之隱君子閉户著書者。"按今本《意林》所載《物理論》祇前十二條是本文，其下六十八條皆是《傅子》。嚴鐵橋先生嘗校而正之。馬序謂引《傅子》尤多者，蓋沿《意林》顛倒屬越之誤。錢氏輯本已釐剔矣。

錢保塘輯本序曰："周氏廣業、嚴氏可均謂《意林》所載《傅子》、《物理論》互有錯簡，因取孫氏輯本校之，去其誤收《傅子》數十條，以《齊民要術》、《五行大義》、《天中記》所引略加補正，而以《意林》錯簡入《傅子》者八條錄附焉。第周氏言《物理論》見引他書，搜輯遺文，去其重複，得文段完整者百數十條，四千餘字，而諸賦不與焉。此卷祇得三千餘字，知尚有遺佚，惜未得周氏輯本一勘之也。"

汪師韓《文選理學權輿》曰："《選注》所引羣書，有《物理子》，疑即楊泉《物理論》。"

杜恕　家誡　恕見前。

《魏志》邴原附傳："永寧太僕東郡張閣以簡質聞。杜恕著《家誡》稱閣曰：'張子臺視之似鄙樸人，然其心中不知天地閒何者爲美，何者爲好，敦然自如與陰陽合德者。作人如此，自可不富貴，然而患禍當何從而來。世有高亮如子臺者，皆多力慕體之不如也。'"

按《御覽》五百九十三引杜恕《家事戒》文與此略相同。疑此在《篤論》中，或亦在其後人所編杜氏《新書》中。然在當日則自爲一書貽其子孫也。

王昶　家誡　昶見前。

《魏志》本傳："其爲兄子及子作名字，皆依謙實以見其意。故兄子默字處静，沈字處道，其子渾字元沖，深字道沖。遂書戒之曰：'欲使汝曹立身行己遵儒者之教，履道家之言，故以玄、默、沖、虚爲名，欲使汝曹顧名思義，不敢違越也。'"

侯《志》曰："王昶《家誡》見《藝文類聚》二十三，又本傳載其戒兄子及子書，其文與《類聚》所引不同。要皆是《家誡》中語也。"

嚴可均《全三國文編》曰："王昶《家誡》見昶本傳，又略見《郭嘉傳》注，《藝文類聚》。"

王肅　家誡　肅見前。

嵇康　家誡　康始末具經部易類。

嚴可均《全三國文編》曰："王肅《家誡》見《藝文類聚》二十三。嵇康《家誡》見本集又略見《類聚》。"

諸葛武侯　女誡一卷　武侯見前。

《隋志》集部總集篇："諸葛武侯《誡》一卷，《女誡》一卷。"

侯《志》曰："康按《女誡》疑即《集誡》中之一卷，然《隋志》總集內別出之，故今亦分録。"

按《女誡》疑即《唐·藝文志》傳記女訓中之《貞潔記》一卷。

程曉　女典篇　曉始末具史部雜傳記類。

嚴可均《全三國文編》曰："程曉《女典篇》見《藝文類聚》二十三。"

右撰著凡一十八家，二十五部。

右儒家類凡二門，綜二十五家，三十四部。侯《志》有徐幹《中論》、王粲《去伐論》、陸績《太玄經注》，已録入《後漢藝文志》。杜恕《興性論》依嚴氏可均攷定即

《篤論》之首一篇，今并入雜家類《篤論》條下，不別出。

鍾繇　老子訓　<small>繇始末具經部易類。</small>

《世説·言語篇》注："《魏志》曰：繇家貧好學，爲《周易》、《老子訓》。"

侯《志》曰："鍾繇《老子訓》見《世説》注引《魏志》。今無此文，當是《魏書》之訛。"

董遇　老子訓　<small>遇始末具經部易類。</small>

《魏志》王肅附傳注："《魏略·儒宗傳》曰：初遇善治《老子》，爲《老子》作訓注。"

張揖　老子注　<small>揖始末具經部小學類。</small>

汪師韓《文選理學權輿》曰："《選注》所引羣書，有張揖《老子注》。"

侯《志》曰："張揖《老子注》見《文選注》。"

何晏　老子講疏四卷　<small>晏始末具經部易類。</small>

何晏　老子道德論二卷

《魏志》曹爽附傳："晏少以才秀知名，好老、莊言，作《道德論》。"《世説·文學篇》："何晏注《老子》未畢，見王弼自説注《老子》旨，何意多所短，不復得作聲，但應諾諾，遂不復注，因作《道德論》。"又曰："何平叔注《老子》始成，詣王輔嗣，見王注精奇，迺神伏曰：'若斯人可與論天人之際矣。'因以所注爲《道德二論》。"

《世説·文學篇》注《文章叙録》曰："自儒者論以老子非聖人，絕禮棄學。晏説與聖人同，著《論》行於世也。"

《文心雕龍·論説篇》曰："魏之初霸，術兼名法，傅嘏、王粲，校練名理。迄至正始，務欲守文，何晏之徒，始盛玄論。於是聊周當路，與尼父争塗矣。"

《隋書·經籍志》："梁有《老子道德論》二卷，何晏撰。"《唐·

經籍志》："《老子道德論》二卷，何晏撰。"《唐·藝文志》："何晏《講疏》四卷，又《道德問》二卷。"高似孫《子略》："何晏《疏》四卷，何晏《老子指略論》二卷。"按《通志·藝文略》有《道德問》，無《指略論》。高似孫鈔列其目，則反是知《道德問》即《指略論》，亦即《道德論》也。

按《魏志·管輅傳》注引《輅別傳》曰："何平叔説《老》、《莊》則巧而多華。"又裴徽曰："吾數與平叔，其説《老》、《莊》及《易》。"則何晏尚有《莊子説》，今無攷。

王弼　老子道德經注二卷　<small>弼始末具經部易類。</small>

《魏志》鍾會附傳："弼好論儒道，辭才逸辨，注《易》及《老子》。"《釋文·叙錄》："弼又注《老子》。"又曰："其後談論者莫不宗尚玄言，唯王輔嗣妙得虛無之旨。"又曰："《老子王弼注》，二卷，"《隋書·經籍志》："《老子道德經》二卷，王弼注。"《唐·經籍志》："《玄言新記道德》二卷，王弼注。"《藝文志》："王弼注《新記玄言道德》二卷。"《宋·藝文志》："王弼《老子注》二卷。"

明白雲霽《道藏目錄》曰："《道德真經》四卷，山陽王弼注，言陰陽道理。"

《四庫簡明目錄》曰："《老子注》二卷，魏王弼撰。弼以《老》、《莊》説《易》，論者互有異同。至於解《老》，則用其所長，故是注詞義簡遠，妙得微契。《老子》注本此爲最古。"

王弼　老子指例略二卷　<small>或作《指略例》。</small>

《魏志》鍾會附傳注：何劭爲弼傳曰："弼注《老子》，爲之指略，致有理統。"

《釋文叙錄》："弼又作《老子指略》一卷。"《唐書·經籍志》："《老子指例略》二卷，不著撰人。"《藝文志》："王弼《老子指例略》二卷。"《宋·藝文志》："王弼《道德略歸》一卷。"

何、王等注老子雜論一卷

《魏志》鍾會附傳注：何劭爲《王弼傳》曰：“弼幼而察惠，年十餘，好老氏，通辨能言。其論道附會文辭，不如何晏，自然有所拔得，多晏也。鍾會每服弼之高致。”

《晋書·王衍傳》：“正始中，何晏、王弼等祖述《老》、《莊》立論，以爲天地萬物皆以無爲爲本，衍甚重之。”

《世説·文學篇》曰：“何晏爲吏部尚書，有位望，時談客盈坐。王弼未弱冠，往見之。晏聞弼名，因條向者勝理，語弼曰：‘此理僕以爲極，可得復難否？’弼便作難，一坐人便以爲屈，於是弼自爲客主數番，皆一坐所不及。”按此似即此書緣起。

《世説·文學篇》注《魏氏春秋》曰：“弼論道約美，不如晏自然出拔過之。”

《隋書·經籍志》：“梁有《老子雜論》一卷，何、王等注，亡。”

按《鍾會傳》注引《弼別傳》云：“注《道略論》，注《易》往往有高麗言。”《道略論》似即此書。又《玉海》五十三云：“魏王弼《老子略論》。”亦似此書，又疑是《指略例》，無以定之。

夏侯玄　道德論

阮籍　道德論　籍始末具經部易類。

《魏志·夏侯尚傳》：“尚字伯仁、淵從子也。封昌陵鄉侯，子玄嗣。玄字太初，少知名，弱冠爲散騎黄門侍郎，累遷常侍、中護軍。出爲征西將軍，假節都督雍、涼州諸軍事。曹爽誅後，徵爲大鴻臚。數年，徙太常。玄以爽抑絀，内不得意。中書令李豐雖宿爲大將軍，司馬景王所親待，然私心在玄，遂結皇后父光禄大夫張緝，黄門監蘇鑠，永寧署令樂敦、宂從僕射劉賢等欲誅大將軍以玄代之。事露，皆夷三族。玄格量弘濟，臨斬東市，顔色不變，舉動自若，時年四十六。”《齊王紀》：“嘉平六年二月庚戌，中書令李豐與皇后父光禄大夫張緝等謀廢易大臣，以太常夏侯玄爲大將軍。事覺，諸所連及者皆伏誅。”

《世説·文學篇》注《晉諸公贊》曰：“自魏太常夏侯玄、步兵校尉阮籍等皆著《道德論》。”

按嚴氏《全三國文編》曰：“《御覽》卷一、卷七十七引阮籍《通老論》凡三條。”《通老論》似即《道德論》。

王肅　玄言新記道德二卷　肅始末具經部易類。

《唐書·藝文志》：“王肅《玄言新記道德》二卷。”《通志·藝文略》：“《元言新記道德》二卷，王肅撰。”高似孫《子略》：“王肅《元言道德新記》二卷。”

《四庫提要》曰：“《隋書·經籍志》載老子《道德經》二卷，王弼注。《舊唐書·經籍志》作《元言新記道德》二卷，亦稱弼注，名已不同。《新唐書·藝文志》又以《元言新記道德》爲王肅撰，而弼所注者別名《新記元言道德》，益爲舛互，疑一書而誤分爲二，又顛錯其文也。”

鍾會　老子道德經注二卷　會始末具經部易類。

《釋文·叙録》：“《老子鍾會注》二卷。”《隋書·經籍志》：“《老子道德經》二卷，鍾會注。”《唐·經籍志》：“《老子》二卷，鍾會注。”《藝文志》：“鍾會注二卷。”

汪師韓《文選理學權輿》曰：“選注所引羣書，有鍾會《老子注》。”

按會父成侯，有《易説》，有《老子訓》。會爲其母傳曰：“雅好書籍，涉歷眾書，特好《易》、《老子》。”則會於《易》、《老》固家學也。

孟子　注老子二卷

《釋文·叙録》曰：“《老子孟子注》二卷。或云孟康字公休，安平廣宗人，魏中書監，廣陵亭侯。”

嚴可均《全三國文編》曰：“孟康有《老子注》二卷。”

按《隋志》：“梁有《老子》二卷，孟氏注，亡。”似即此書。唐張君相《三十家集解》中有大孟、小孟二家。小孟或是孟智周，大孟當即此孟康。康有《漢書音義》，見史部正史類中。

荀融　老子義　融始末具經部易類。

《魏志·荀彧傳》注《荀氏家傳》曰："融與王弼、鍾會俱知名，與弼、會論《易》、《老》義，傳於世。"

侯《志》曰："荀融論《老子》義，見《荀彧傳》注引《荀氏家傳》。"

虞翻　老子注二卷　翻始末具經部易類。

《吳志》本傳："翻又爲《老子》、《論語》、《國語》訓注，皆傳於世。"

《釋文·叙錄》："《老子虞翻注》，二卷。"《隋書·經籍志》："梁有虞翻注《老子》二卷，亡。"

范望　老子注訓二卷　望始末具儒家類。

《釋文·叙錄》："《老子》范望州注訓二卷，字叔文，會稽人，吳尚書郎。"

《册府元龜》學校部注釋門："吳范望州，字淑文，爲尚書郎。作《老子注訓》三卷。"

按范望有《太玄解》，其自序稱名曰望，不曰望州，此"州"字似衍。其訓注《老子》，《隋》、《唐》諸志皆不載，惟陸元朗著於錄。

葛玄　老子序次一卷

《晋書·葛洪傳》："洪，丹陽句容人也，從祖玄，吳時學道得仙，號曰葛仙公。"

《隋書·經籍志》："梁有《老子序次》一卷，葛仙公撰。"

嚴可均《全三國文編》曰："葛玄，字孝先，大帝時方士，有《道德經序》，見《老子》河上公注本，又略見《太平御覽》六百六十。"

侯《志》曰："《玉海·藝文》引葛玄《序》：老子西游天下，關令尹喜曰：'大道將隱乎，願爲我著書。'於是作《道》、《德》二篇五千文上、下經。《史記·老子傳》索隱引葛玄曰:'李氏女所生,因母姓也。'又云:'生而指李樹,因爲姓焉。'又《初學記》卷廿三、《御覽》六百六十七並引《道德經序訣》。"

按《宋史·藝文志》有葛玄《老子道德經節解》二卷,似即此書。

任子道論十卷　任嘏撰,嘏始末見史部雜傳記類。

《魏志·王昶傳》注《嘏別傳》曰:"嘏爲人淳粹愷悌,虛己若不足,恭敬如有畏。其修身履義,皆沈默潛行,不顯其美,故時人少得稱之著。著書三十八篇,凡四萬餘言。嘏卒後,故吏東郡程威、趙國劉固、河東上官崇等録其事行及所著書奏之。詔下祕書,以貫羣言。"

《隋書·經籍志》:"《任子道論》十卷,魏河東太守任嘏撰。"

《唐·經籍志》:"《任子道論》十卷,任嘏撰。"《藝文志》道家神仙類:"《任子道論》十卷,任嘏。"按"任嘏"二字是注文,誤寫作大字。《通志略》道家遂誤連下文,云:"任嘏顧道士論三卷。"殊爲炫惑,并附訂之。

侯《志》曰:"《王昶傳》注稱其著書三十八篇,凡四萬餘言,當即此書也。《初學記》卷十七引任嘏《道德論》。"

馬國翰輯本序曰:"馬總《意林》載《任子》十卷,注云名奕。攷諸史志無任奕著書之目,奕蓋嘏之僞。《意林》載十七節,又從《北堂書鈔》、《初學記》、《太平御覽》輯得九節,參互攷訂,並附別傳爲卷。《初學記》引作任嘏《道德論》,他皆引作任子。兹依《隋》、《唐志》題《任子道論》。既訂名奕之譌,因改題魏任嘏焉。"

按嚴氏《全三國文編》以《意林》稱任子名奕,不采其文,則從諸類書輯存十一條。

桓威　渾輿經一卷

《魏志》王粲附傳:"景初中,下邳桓威出自孤微,年十八而著

《渾輿經》,依道以見意。從齊國門下書佐、司徒署吏,後爲安成令。"

《隋書·經籍志》:"梁有《渾輿經》一卷,魏安成令柏威撰。"

《唐·經籍志》:"《渾輿經》一卷,姬威撰。"《藝文志》道家神仙類:"姖威《渾輿經》一卷。"宋本《隋志》固避諱書作"桓",而傳寫誤作"柏"。兩《唐志》又轉寫誤作"姬"、"姖"。

嵇康　養生論三卷　康始末具經部易類。

《魏志》王粲附傳:"康兄喜爲康傳曰:'長而好老、莊之業,恬靜無欲。性好服食,常采御上藥。善屬文論,彈琴詠詩,自足於懷抱之中。以爲神仙者,稟之自然,非積學所致。至於導養得理,以盡性命,若安期、彭祖之倫,可以善求而得也。著《養生篇》。'"[1]

《隋書·經籍志》:"梁有《養生論》三卷,嵇康撰,亡。"

嚴可均《全三國文編》曰:"嵇康《養生論》見本集、《文選》及《藝文類聚》七十五。又本集有《答向子期難養生論》。"

唐子十卷　唐滂撰。

馬總《意林》曰:"《唐子》十卷,名滂,字惠潤,生吳太元二年。"

《隋書·經籍志》:"《唐子》十卷,吳唐滂撰。"《唐·經籍志》:"《唐子》十卷,唐滂撰。"《藝文志》:"《唐子》十卷。"注云唐滂。

馬國翰輯本序曰:"滂字惠潤,生吳太元二年,見《意林》注。據本書言,大晉應期一舉席卷云云,則撰述之成定在吳亡入晉之後也。《意林》載十九節。又從《北堂書鈔》、《藝文類聚》、《文選注》、《太平御覽》諸書采輯,除已見《意林》者,得佚說八節,合訂一卷。其書論政談兵,不盡述道家之言。"

侯《志》曰:"《意林》引《唐子》,有'大晉應期,一舉席卷'之語,

---

① 此段文字爲王粲附傳注文,非本文。

則濤已入晉。又稱濤生於太元二年,下距吳亡時年僅三十,其入晉宜也。而《隋志》仍系之吳,豈其入晉不仕,猶當爲吳人耶?"

按《唐書·世系表》,丹陽太守翔二子固、濤。固,吳尚書僕射,是濤爲固之弟。固見《吳志》闞澤附傳,云黃武四年卒。注引《吳錄》云時年七十餘,則固卒於是年審矣。後二十七年始爲太元二年,兄弟年紀相距幾及百歲,殊非事理。《意林》稱生於太元二年者,"生"當爲"卒"。凡後人記事,多詳其卒年。濤後其兄二十七年乃卒,庶得具實歟?

又按嚴氏可均《意林》校文云,今本《意林》,《中論》、《傅子》、《物理論》三家文皆屬越,以《物理論》爲《傅子》,以《傅子》爲《中論》,以《傅子》、《中論》爲《物理論》,有數十條皆錯者。有半句在此,半句在彼者,蓋由所據本破爛零落,隨手黏聯,勻分五卷云云。是《意林》多錯簡,前人已言之矣。又今本《意林》卷五第十二葉所載《傅子》十二條,據昭文張氏本皆爲《唐子》,是《傅子》、《唐子》又有所屬越。大晉應期云云,疑是《傅子》,非《唐子》本文。

右道家類凡一十八家,二十一部。侯《志》有孟子注《莊子》十八卷。以爲亦是孟康,別無碻據,今不錄。又虞翻注《參同契》。據《釋文》卷首言虞翻注《參同契》云"易字從日下月"。今覆勘,乃虞氏《易注》引《參同契》,非虞氏注《參同契》也,今刪除。又鍾會《四本論》,今析入集部總集類。又《學津討原》刊本《子略》云《隋·經籍志》有何晏《老子序決》一卷,葛仙公《雜論》一卷,何、王等《私記》十卷。又云《通志·藝文略》有王弼《節解》二卷,又《章門》一卷。今勘驗本書,皆傳寫顛舛,不足爲據。

丁季　黃復　平正春秋決事比十卷

《唐書·藝文志》:"董仲舒《春秋決獄》十卷,黃氏正。"

《崇文總目》曰:"《春秋決事比》十卷,漢董仲舒撰。丁氏平,黃氏正。初,仲舒既老病致仕,朝廷每有政議,武帝數遣廷尉張湯問其得失。於是作《春秋決疑》二百三十二事,動以經

對。至吳太史令吳汝南丁季、江夏黃復平正得失。今頗殘
缺，止有七十八事。"

按《崇文目》稱吳汝南，此"吳"字疑衍，或吳時亦僑置汝南郡。
又吳有太史令吳範，或脫一"範"字，皆未可知。"丁季"似"丁
孚"之譌。孚爲太史令，與郎中項峻撰《吳書》，見史部正史
類。黃復始末未詳。

劉廙　政論五卷　廙始末具史部雜傳記類。

《魏志》本傳："廙著書數十篇，及與丁儀共論刑禮，皆傳
於世。"

《隋書・經籍志》："梁有《政論》五卷，魏侍中劉廙撰，亡。"
《唐・經籍志》："《劉氏政論》五卷，劉廙撰。"《藝文志》："《劉
氏政論》五卷。"注云劉廙。

嚴可均輯本序曰："劉廙有《政論》五卷，《隋志》法家云亡。
舊、新《唐志》著於錄，至宋復亡。今所見僅《羣書治要》載有
八篇，題爲《劉廙別傳》，而目錄作《政論》。據裴松之所引，
《別傳》似與《政論》各爲一書。則目錄作《政論》者是也。各
書都未引見，《治要》有此彌復可貴，因錄出以廣其傳。其目
曰《正名》，曰《慎愛》，曰《審愛》，曰《欲失》，曰《疑賢》，曰《任
臣》，曰《下視》。"馬氏玉函山房輯本但錄存傳注引《別傳》廙表論治道一篇。

侯《志》曰："廙有《先刑後禮論》，見《陸遜傳》，當出此書。即
本傳所謂'與丁儀共論刑禮，傳於世者'也。李善注《三都賦》
序引《劉廙答丁儀刑禮書》。"

按《政論》似全載《別傳》中，故《治要》標曰《別傳・刑禮論》，
有與丁儀諸人論難之文，似亦別行。《吳志・陸遜傳》："南陽
謝景善劉廙先刑後禮之論，遜呵之曰：'禮之長於刑久矣，廙
以細辨而詭先聖之教，皆非也。君今侍東宮，宜遵仁義以彰
德音，若彼之談，不須講也。'"則所謂先刑後禮者，亦從可

知矣。

劉卲　法論十卷　卲始末具經部樂類。

《魏志》本傳:"散騎侍郎夏侯惠薦卲曰:凡所錯綜,源流弘遠,
是以羣才大小,咸取所同而斟酌焉。故法理之士明其分數精
比,文章之士愛其著論屬辭。臣數聽其清談,覽其篤論,漸漬
歷年,服膺彌久。"又曰:"凡所撰述《法論》、《人物志》之類百
餘篇。"

《隋書‧經籍志》:"梁有《法論》十卷,劉卲撰。"《唐‧經籍
志》:"《劉氏法言》十卷,劉卲撰。"《藝文志》:"《劉氏法論》十
卷。"注云劉卲。

桓範　世要論二十卷

《魏志》曹爽附傳注《魏略》曰:"範字元則,沛國人,世爲冠族。
建安末,入丞相府。延康中,爲羽林左監。明帝時爲中領軍
尚書、征虜將軍、東中郎將,使持節都督青、徐諸軍事,免還,
復爲兗州刺史。正始中拜大司農。範嘗鈔撮《漢書》中諸要
事,①自以意勘酌之,名曰《世要論》。蔣濟爲太尉,嘗與範會
社下,羣卿列坐有數人,範懷其所撰,欲以示濟,謂濟當虛心
觀之。範出其書以示左右,左右傳之示濟,濟不肯視,範心恨
之。因論他事,乃發怒濟曰:'我祖薄德,公輩何似耶?'濟性
雖強毅,亦知範剛毅,睨而不應,各罷。"範後與曹爽、何晏等同爲司馬
懿所殺。

《隋書‧經籍志》:"《世要論》十二卷,魏大司農桓範撰。梁有
二十卷。"《唐‧經籍志》:"《桓氏代要論》十卷,桓範撰。"《藝
文志》:"《桓氏世要論》十二卷。"注云桓範。

嚴可均輯本序曰:"各書徵引或稱《政要論》,或稱《桓範新

_____

① "要",《二十五史補編》本、殿本《三國志》均作"雜"。

書》，或稱《桓範世論》，或稱《桓公世論》，或稱《桓子》，或稱《魏桓範》，或稱《桓範論》，或稱《桓範要集》，互證之，知是一書。宋時不著録，《羣書治要》載有《政論》十四篇，據各書徵引補改缺譌定爲一卷。曰《爲君難》，曰《臣不易》，此下篇名缺，《治要》連屬上篇，審觀之別是一篇也，篇名當是《治本》。曰《政務》，曰《節欲》，曰《詳刑》，曰《兵要》，此下篇名缺，《御覽》二百七十三引凡五條，篇名當是《擇將》。曰《簡騎》，曰《辨能》，曰《尊嫡》，曰《諫諍》，曰《決壅》，曰《讚象》，曰《銘誄》，曰《序作》，餘無篇名者又一十四條。"

馬國翰輯本序曰："桓範《世要論》，《北堂書鈔》、《初學記》、《文選注》、《太平御覽》等書引之，或作《新論》，或作《要集》，或作《世論》，皆此一書。輯録二十五節，附攷事蹟爲一卷。"

按宋刻全本《意林》有《世要論》四條，嚴、馬二家輯本皆未采。

阮子正論十八篇　阮武撰。

《魏志·杜恕傳》注："阮武者，亦拓落大才也。"按《阮氏譜》："武父諶，字士信，徵辟無所就，造《三禮圖》傳於世。"《杜氏新書》曰："武字文業，闊達博通淵雅之士，位止清河太守。"《杜恕傳》云初恕從趙郡還陳留，阮武亦從清河太守徵，俱自簿廷尉。

《世説·賞譽篇》注杜篤《新書》曰："阮武字文業，陳留尉氏人。父諶侍中。"《陳留志》曰："武魏末，清河太守族子籍年總角，未知名，武見而偉之，以爲勝己，知人多此類。著書十八篇，謂之《阮子》，終於家。"按此稱杜篤《新書》者，似因《杜氏新書》而譌。

《隋書·經籍志》："梁有《阮子正論》五卷，魏清河太守阮武撰，亡。"《唐·經籍志》："《阮子政論》五卷，阮武撰。"《藝文志》同。

馬國翰輯本序曰："馬總《意林》載《阮子》四卷，録存五節而已。復搜輯《御覽》、《文選注》得數節，合録一卷。"嚴氏《全三國文編》輯存六條，而失采《意林》所載五節。

鍾會　道論二十篇　會始末具經部易類。

《魏志》本傳：“及會死後，於會家得書二十篇，名曰《道論》，而實刑名家也。其文似會。”

按此疑即鍾會《芻蕘論》五卷，別見雜家。

陳子要言十四卷　陳融撰。

《吳志‧陸瑁傳》：“陳國陳融、陳留濮陽逸、沛郡蔣纂、廣陵袁迪等皆單貧有志，就瑁游處，瑁割少分甘，與同豐約。”

《隋書‧經籍志》：“梁又有《陳子要言》十四卷，吳豫章太守陳融撰，亡。”《唐‧經籍志》：“《陳子要言》十四卷，陳融撰。”《藝文志》同。

馬國翰輯本序曰：“融，陳國人，附見《吳志‧陸瑁傳》，僅載里居。《隋志》題吳豫章太守，此官爵之可見者。《七錄》法家載《陳子要言》十四卷，《隋志》云亡，《唐志》復著錄，今惟《御覽》引二節，附攷爲卷。”

按宋刻全本《意林》有《陳子要言》一條，馬氏輯本失采。

右法家類凡七家，七部。

魏文帝　士操一卷

《隋書‧經籍志》：“《士操》一卷，魏文帝撰。”《唐‧經籍志》同。《藝文志》：“魏文帝《士操》一卷。”

按魏武諱操，而魏文著書不諱操，未喻其故。

劉邵　人物志三卷　邵始末具經部樂類。

《隋書‧經籍志》：“《人物志》三卷，劉邵撰。”《唐‧經籍志》同。《藝文志》：“劉邵《人物志》三卷。”《宋史‧藝文志》：“即郡《人物志》二卷。”此“劉邵”誤爲“即郡”，“三卷”誤爲“二卷”。

晁氏《讀書志》曰：“《人物志》三卷，魏邯鄲劉邵孔才撰。以人之材器志尚不同，當以‘九徵’、‘八觀’審察而任使之，凡十六篇。邵，郤慮所薦，慮，譖殺孔融者，不知在邵書爲何等，而邵受其知也。”

《玉海》五十七《中興書目》：“劉邵《人物志》二卷，述人性品有上下，材質有邪正，欲攷諸行事，而約之中庸十二篇：《九證》、《體別》、《流業》、《才理》、《才能》、《利害》、《接識》、《英雄》、《八觀》、《七繆》、《效難》、《釋事》。”

《四庫提要》曰：“邵書凡十二篇，首尾完具。晁公武《讀書志》作十六篇，疑傳寫之誤。其書主於論辨人才，以外見之符驗內藏之器。分別流品，研析疑似，故《隋志》以下皆著録於名家。然所言究悉物情而精覈近理，其學雖近乎名家，其理則弗乖於儒者也。”

盧毓　九州人士論一卷

《魏志》本傳：“毓字子家，涿郡涿人也。父植，有名於世。裴注：“植有四子，毓最小。”毓十歲而孤，以學行見稱。文帝爲五官將，召毓署門下賊曹。崔琰舉爲冀州主簿，丞相法曹、西曹議令史。魏國既建，爲吏部郎。文帝踐祚，徙黃門侍郎，出爲濟陰相，梁、譙二郡太守，左遷睢陽典農校尉，安平、廣平太守。青龍二年，入爲侍中、吏部尚書。齊王即位，爲廷尉、光禄勳，復爲吏部尚書，加奉車都尉，轉僕射、光禄大夫，加侍中。正元三年，爲司空，進爵封容城侯，邑二千三百戶。甘露二年薨，謚曰成侯。”

《隋書·經籍志》：“梁有《九州人士論》一卷，魏司空盧毓撰，亡。”《唐·經籍志》：“《九州人士論》一卷，盧毓撰。”《藝文志》，“盧毓《九州人士論》一卷。”

姚信　士緯新書十卷　信始末具經部易類。

《隋書·經籍志》：“梁有《士緯新書》十卷，姚信撰，亡。”《唐·經籍志》：“《士緯》十卷，姚信撰。”《藝文志》：“姚信《士緯》

十卷。"

馬國翰輯本序曰："《士緯新書》十卷，吳姚信撰，今佚。從《意林》、《藝文類聚》、《初學記》、《太平御覽》諸書輯録。如以吳季札讓國謂開篡殺之路，非所謂從忠教也。謂揚雄智似蓬瑗，而高不及。謂周勃之勳不如霍光。説皆覈確，書中推尊孟子，亦識仁義爲中正之途，而其論清高之士則以老、莊爲上，君平、子貢爲下，擬非其倫。此所以不能醇乎儒術乎？"

姚氏新書二卷

《隋書·經籍志》："梁有《士緯新書》十卷，姚信撰。又《姚氏新書》二卷，與《士緯》相似。"

右名家類凡四家，五部。

魏武帝　太公陰謀解三卷

《隋書·經籍志》："梁又有《太公陰謀》三卷，魏武帝解。"《通志·藝文略》："《太公陰謀》三卷，魏武帝注。"

魏武帝　司馬法注

汪師韓《文選理學權輿》曰："《選注》所引羣書，有曹操《司馬法注》。"

侯《志》曰："魏武帝《司馬法注》，見《文選注》。"

魏武帝　孫子略解三卷

魏武自序有曰："吾觀兵書戰策多矣，孫武所著深矣。審計重舉，明畫深圖，不可相誣。而但世人未之深亮訓説，況文煩富，行於世者失其旨要，故撰爲《略解》焉。"

《魏志·武紀》注孫盛《異同雜語》云："太祖注《孫武》十三篇，傳於世。"

唐杜牧著書序曰："武書大略用仁義，使機權，曹公所注解，十不釋一。"

《隋書·經籍志》："《孫子兵法》二卷，吳將孫武撰，魏武帝注。

梁三卷。"《日本見在書目》:"《孫子兵書》三卷,魏武解。《孫子兵書》一卷,魏祖略解。"《唐·經籍志》:"《孫子兵法》十三卷,孫武撰,魏武帝注。"《藝文志》:"魏武帝注《孫子》三卷。"《宋史·藝文志》同。

晁氏《讀書志》曰:"魏武注《孫子》一卷。按《漢·藝文志》:'《孫子兵法》八十二篇。'今魏武所注止十三篇。杜牧以爲武書數十萬言,魏武削其繁盛,筆其精粹,成此書云。"又曰:"唐李荃注《孫子》以魏武所解多誤,陳皥注《孫子》以曹公注隱微。"

陳氏《書錄解題》曰,《漢志》八十一篇。魏武帝削其繁宂,①定爲十三篇。"

孫星衍刻書序曰:"宋雕本《孫子》三卷,魏武帝注。見《漢·藝文志》者,《孫子》篇卷不止此,然《史記》已稱十三篇,則此爲完書。篇多者反由漢人輯錄。阮孝緒作《七錄》時《孫子》爲上、中、下三卷,見《史記正義》。此本每篇有卷上、中、下題識。"孫星衍校刊《孫子十家注》序曰:"兵家言惟《孫子》十三篇最古,稱爲'兵經',比於六藝。而或祕其書不肯注以傳世,魏武始爲之注,云撰爲《略解》,謙言解其觕略也。"

魏武　王淩　集解孫子兵法一卷

《魏志》本傳:"淩字彥雲,太原祁人也。叔父允,爲漢司徒,誅董卓。卓將李傕、郭汜等爲卓報仇,入長安,殺允,盡害其家。淩及兄晨,時皆年少,踰城得脫,亡命歸鄉里。淩舉孝廉,爲發千長、中山太守,太祖辟爲丞相掾屬。文帝踐祚,拜散騎常侍,出爲兗州刺史,轉青州,徙揚、豫州刺史。正始初,爲征東將軍,假節都督揚州諸軍事,進封南鄉侯,邑千三百五十户,遷車騎將軍,儀同三司。就遷爲司空。司馬宣王既誅曹爽,

---

① "削",原作"前",據《二十五史補編》本改。

進淩爲太尉，假節鉞。後與外甥兗州刺史令狐愚密協計，謂
齊王不任天位，欲迎立楚王彪都許昌。嘉平三年，宣王將中
軍討淩，淩勢窮出迎，送還京都，至項，飲藥死。”

《隋書·經籍志》：“《孫子兵法》一卷，魏武、王淩集解。”

孫星衍《校刊孫子十家注序》曰：“書中或多出杜佑，而置在其
孫杜牧之後。杜佑實未嘗注《孫子》，其文即《通典》也。多與
曹注同，而文較備。疑佑用曹公、王淩諸人古注，故有‘王子
曰’，即淩也。”

賈詡　鈔孫子兵法一卷

《魏志》本傳：“詡字文和，武威姑臧人也，察孝廉爲郎。董卓
入洛陽，詡以太尉掾爲平津都尉，遷討虜校尉。卓壻中郎將
牛輔屯陝，詡在輔軍。卓敗，輔又死，眾恐懼，李傕、郭汜、張
濟等欲解散，間行歸鄉里。詡説傕、汜等西攻長安。臣松之以爲，
自古兆亂，未有如此之甚者。長安陷，詡爲左馮翊，拜尚書，典選舉。
後去傕託段煨，又去從張繡，説繡歸太祖。太祖表詡爲執金
吾，遷冀州牧，徙爲太中大夫。文帝即位，以爲太尉，進爵魏
壽鄉侯。年七十七，薨，諡曰肅侯。”

《隋書·經籍志》：“《鈔孫子兵法》一卷，魏太尉賈詡鈔。”《日
本國見在書目》：“《孫子兵書》一卷，臣詡撰。”

賈詡　注吳起兵法一卷

《隋書·經籍志》：“《吳起兵法》一卷，賈詡注。”《隋書·藝文
志》：“賈詡注《吳子兵法》一卷。”注云吳起。《通志·藝文
略》：“《吳起兵法》一卷，魏將吳起撰，賈詡注。”

右注鈔前代兵家書凡三家，六部。

魏武子　續孫子兵法二卷

《隋書·經籍志》：“《續孫子兵法》二卷，魏武帝撰。”《日本國
見在書目》同。《唐書·藝文志》：“魏武帝《續孫子兵法》

二卷。”

按此疑取《孫子》十三篇外之文以爲是編。

魏武帝　兵書接要十卷

《魏志·武紀》注孫盛《異同雜語》云：“太祖博覽羣書，特好兵法。鈔集諸家兵法，名曰《接要》，傳於世。”

《隋書·經籍志》：“《兵書接要》十卷，魏武帝撰。”《唐·經籍志》：“《兵書接要》七卷，魏武帝撰。”《藝文志》：“魏武帝《兵書捷要》七卷。”

汪師韓《文選注引羣書目録》曰：“《兵書接要》，魏武帝鈔集。”

孫志祖曰：“按《舊唐志》：‘《兵法捷要》七卷，魏武帝撰。’按《舊唐志》作《兵書接要》。‘捷要’即‘節要’也。魏諱‘節’，改耳。”按“接”、“捷”古通。《漢·藝文志》道家《捷子》二篇。《史記·孟荀列傳》作《接子》，此其證也。

侯《志》曰：“本紀注引孫盛《異同雜語》及《文選·魏都賦》注引皆作《接要》，與《隋志》同。《唐志》作《捷要》，《御覽》卷八引其文又作《輯要》，又卷十一引凡三條。”

按《御覽·經史圖書綱目》又有魏武《兵書輯略》，亦即《節要》之謂也。

魏武帝　兵書接要別本五卷

魏武帝　兵書要論七卷

《隋書·經籍志》：“梁有《兵書接要別本》五卷，又有《兵書要論》七卷，亡。”《日本國見在書目》：“《兵書論要》一卷，魏武帝撰。”

按《隋志》引《七録》，此二書並在魏武《兵書接要》十卷之次，知皆爲魏武書，疑皆是別本。其《要論》七卷似即《唐志》《捷要》七卷之異名。

魏武帝　兵書十三卷　　亦稱《新書》。

《魏志·武紀》注《魏書》曰:"太祖自統御海内,芟夷羣醜,其
行軍用師大較依孫吳之法。而因事設奇,譎敵制勝,變化如
神,自作兵書十餘萬言。諸將征伐皆以《新書》從事,臨事又
手爲節度,從令者克捷,違教者負敗。"《太平御覽》三百八十九引《益部
耆舊傳》曰:"張松識達精果有材幹,劉璋乃遣詣曹公。曹公不甚禮。楊修深器之。
修以公所撰兵書示松,飲讌之間一省即便闇誦。"

杜牧《注孫子序》曰:"曹公所注解,十不釋一。蓋惜其所得,
自爲《新書》爾。"

唐《日本國人佐世見在書目》:"魏武帝《兵書》十三卷。"

魏武帝　兵書略要九卷

《隋書·經籍志》:"《兵書略要》九卷,魏武帝撰。"《通志·藝
文略》同。《日本國見在書目》:"《兵書要略》魏武帝撰,不著
卷數。"

嚴可均《全三國文編》曰:"魏武《兵書要略》,《御覽》三百五十
七引之。"

按此似《新書》別本。《隋志》是書之下又云:"梁有《兵要》二
卷。"次在魏武諸書中,疑亦魏人鈔録武帝書。

魏武帝　兵法接要三卷

《隋書·經籍志》:"《兵法接要》三卷,魏武帝撰。"《日本國見
在書目》:"《兵書接要》三卷,魏武帝撰。"

按此兩《唐志》不載,或自爲一書,或後人鈔《兵書接要》及《新
書》爲是帙。《隋志》有《太公三宫兵法》一卷,而是書之下又
有《三宫用兵法》一卷,叙次在魏武諸書中,疑亦魏武鈔撰《太
公書》而失注撰人者。

魏武帝　兵法一卷

《隋書·經籍志》:"魏武帝《兵法》一卷。"

按此《兩唐志》不載,似亦當時鈔節之別本。

魏文帝　兵書要略十卷

《唐書·經籍志》：“《兵書要略》十卷，魏文帝撰。”《藝文志》：“魏文帝《兵書要略》十卷。”

侯《志》曰：“《御覽》三百五十七引魏文帝《兵書要略》曰：‘銜枚毋讙譁，惟令之從。’”按此條嚴氏可均所見本作魏武帝。

按此疑亦是武帝書，即《隋志》《兵書略要》九卷是也。或黃初時臣下編輯文帝行軍方略爲是書，亦未可知。

魏羣臣表　伐吳策一卷　諸州策四卷　軍令八卷

《隋書·經籍志》：“梁有魏時羣臣表《伐吳策》一卷，《諸州策》四卷，《軍令》八卷。”

侯《志》曰：“此《隋志》在亡書內。三書相承，未知下兩部亦是魏人書否。然《通典》一百四十九引魏武《軍令》、《船戰令》、《步戰令》。《御覽》兵部亦引之。又有《魏書》《曹公令》，疑即所謂《軍令》八卷者也。”

按《魏志·傅嘏傳》云：“時論者議欲伐吳，三征獻策各不同。詔以訪嘏。”注引司馬彪《戰略》曰“嘉平四年四月，孫權死，征南大將軍王昶、征東將軍胡遵、鎮南將軍毋丘儉等表請征吳。朝廷以三征計異，詔訪尚書傅嘏，嘏對”云云。《七錄》所載羣臣表《伐吳策》一卷，似即其事。《唐六典》刑部注：“魏命陳羣等撰《州郡令》、《尚書官令》、《軍中令》，合若干篇。此《軍令》八卷似即從《魏令》中析出別行者。其《諸州策》及《軍令》皆蒙上魏時二字似無可疑。

王昶　兵書十餘篇　昶始末具史部職官類。

《魏志》本傳：“又著《兵書》十餘篇，言奇正之用。青龍中奏之。”

諸葛亮　兵法五卷　亮始末具史部正史類。

《隋書·經籍志》：“梁有《諸葛亮兵法》五卷。”《崇文總目》：“《諸葛亮兵機法》五卷。”《宋史·藝文志》：“《諸葛亮行兵法》

五卷。"

張澍輯《諸葛集》目録曰:"澍按《隋書·經籍志》《諸葛亮兵
法》五卷,《崇文總目》《兵機法》五卷。《隋志》之《兵法》即《總
目》之《兵機法》也,故其卷數同,今存四條。"

侯《志》曰:"《通典》一百五十六引《諸葛亮兵法》,一百五十七
引《諸葛亮兵要》。《御覽·兵部》亦屢引。《諸葛亮兵法》、
《兵要》大約即一書而異名耳。《御覽》復引《諸葛亮軍令》,當
亦出此書。《通志·藝文略》又載《武侯十六策》、《將苑》、《平
朝陰府二十四機》、《六軍鏡心訣》及後世所傳《新書》,皆出依
託,今不取。"按武侯《兵法》陳壽重編《故事集》盡收載之。
《南征》、《北出》、《兵要》、《軍令》上、中、下等篇皆其類也,此
《七録》所載,殆相傳別行之本。《宋志》又有《用兵法》一卷、
《行軍指掌》二卷、《占風雲氣圖》一卷、《兵書》七卷、《兵書手
訣》一卷、《文武奇編》一卷,此即《十六策》之異名。及侯氏所舉五
種,並後世依託,今本概不録。

諸葛亮　木牛流馬法
諸葛亮　八陣圖一卷

《蜀志》本傳:"亮性長於巧思,損益連弩、木牛流馬,皆出其
意。推演兵法,作《八陣圖》,咸得其要云。"

裴注引《魏氏春秋》曰:"亮又損益連弩,謂之元戎,以鐵爲矢,
矢長八寸,一弩十矢俱發。"《亮集》載作木牛流馬法。

《水經·江水注》:"江水又東逕魚復縣,諸葛亮圖壘南,石磧
平曠,望兼川陸,有亮所造八陣圖。東跨故壘,皆纍細石爲
之。自壘西去,聚石八行,行間相去二丈,因曰八陣。既成,
自今行師,庶不覆敗,皆圖兵勢行藏之權,自後深識者所不
能了。"

高似孫《子略》曰:"蜀丞相武鄉侯諸葛亮《八陣圖》,其一圖在

沔陽高平故壘，酈道元《水經》以爲傾而難識矣。其一圖在新都八陣鄉，峙土爲魁，植以江石，四門二首，六十四魁。八八成行，兩陣並峙，周凡四百七十二步，魁百有三十。其一圖在魚復者，隨江布勢，填石爲規，前障壁門，後倚卻月，縱八橫八，魁容二丈，内面偃月，九六鱗差。江自岷來，奔怒湍激，驚雷迅馬不足敵其雄也，徙華變滄不足窮其力也。磊磊斯石，載轟載椿，知幾何年，曾不一仄。是非天所愛、神所敬者歟！”

嚴可均《全三國文編》曰：“作木牛流馬法當在《傳運篇》中，其文見亮傳注，又《類聚》九十四、《御覽》八百九十九。”

《通志・藝文略》：“武侯《八陣圖》一卷。”《宋史・藝文志》同。

吳有道　占出軍決勝負事二卷

《吳志・列傳》：“吳範，字文則，會稽上虞人也。以治曆數，知風氣，聞於郡中。舉有道，詣京都，世亂不行。會孫權起於東南。範委身服事，每有災祥，輒推數言狀，其術多效，遂以顯名。初，權在吳，欲討黃祖，範曰：‘今兹少利，不如明年。明年戊子，荊州劉表亦身死國亡。’權遂征祖，卒不能克。明年，軍出，破祖，劉表竟死，荊州分割。其占驗明審類如此。權以爲騎都尉，領太史令，數從訪問。黃武五年病卒。”注引《吳録》曰：“範先知其死日，謂權曰：‘陛下某日當喪軍師。’權曰：‘吾無軍師，焉得喪之？’範曰：‘陛下出軍臨敵，須臣言而後行，臣乃陛下之軍師也。’至其日，果卒。”《魏志・陶謙傳》注引謝承書，有“揚州從事會稽吳範”，當即此吳範也。

《隋書・經籍志》：“吳有道《占出軍決勝負事》一卷，梁二卷。”《通志・藝文略》兵陰陽家著録一卷。

按吳範舉有道見本傳。傳載其占出軍決勝負事尤顯著者數條，大抵皆采自此書。知《隋志》稱吳有道者，即吳範。吳人録其占驗者筆之於書，其下引《七録》稱太史令全範者，“全”乃“吳”字之誤。又《隋志》列此書在黃帝、老子諸書之後，皆兵陰陽一類之書。以時代言之則又近似,緣是證知此書及下二書皆出吳範,無復可疑。

吳範　風氣占軍決勝戰二卷

《吳志》本傳:"範知風氣。權討黃祖,軍出,行及尋陽,範見風氣,因詣船賀,催兵急行,至即破祖。祖夜亡,權恐失之,範曰:'未遠,必生禽祖。'至五更中,果得之。及壬辰歲,範又白言:'歲在甲午,劉備當得益州。'備卒得蜀。後權與魏爲好,範曰:'以風氣言之,彼以貌來,其實有謀,宜爲之備。'劉備盛兵西陵,範曰:'後當和親。'終皆如言。"

《隋書·經籍志》:"梁有《風氣占軍決勝戰》二卷,太史令全範撰。"《通志·藝文略》兵陰陽家著録同。

按《隋志》載此書於吳有道《占決》之下,而此書之下又有吳氏《對敵權變》一書。以是證知此書即吳太史令吳範撰,刊本誤爲全範耳。範領太史令多年,史又稱其善風氣,歷舉軍戰決勝占事,其出吳範似無可疑。《太平御覽·經史圖書綱目》有吳軏《占候風氣祕訣》,蓋即此書,而"範"誤爲"軏"。《隋志》引《七録》,此書之前又有《黃帝出軍雜用訣》十二卷,疑亦是吳範所裒録者。

吳氏　對敵權變一卷

《隋書·經籍志》:"《對敵權變》一卷,吳氏撰。"《通志·藝文略》兵陰陽家著録同。

按《隋志》稱吳氏者,即蒙上文指吳有道其人也。自吳有道至此,凡四書皆出吳範,其叙次略可尋。按其《黃帝出軍雜用訣》別無碻證,故不録。

吳　緣江戌圖

《太平御覽》三百三十五引吳時《緣江戌圖》曰:"每刺姦屯有五兵賊曹一人,皆作烽火,有急以光傳之。"

《吳志·孫皓傳》注:干寶《晉紀》曰:"紀陟奉使如魏,晉文王饗之，問吳之戍備幾何。對曰：‘自西陵以至江都，五千七百里。’又問曰：‘道里甚遠，難爲堅固。’對曰：‘疆界雖遠，而其險要必爭之地不過數四。’”

右兵家類凡九家，二十六部。<small>侯《志》有沈友注《孫子兵法》二卷。按友死在漢獻帝建安九年，是漢人，非吳人，故編入《後漢藝文志》中。</small>

續尸子九篇

《隋書·經籍志》：“《尸子》二十卷，目一卷。秦相衛鞅上客尸佼撰。其九篇亡，魏黄初中續。”

孫星衍《尸子》輯本序曰：“尸子著書於周末，凡二十篇。《藝文志》列之雜家，後亡九篇，魏黄初中續之。至南宋而全書散佚。”

按《尸子》二十篇，亡其九篇，則所存止十一篇。今見於《羣書治要》所録者尚十三篇，其必有魏人所續者在其中矣。特無以別之。

魏文帝　皇覽千餘篇

《魏志·文紀》：“初，帝好文學，以著述爲務，使諸儒撰集經傳，隨類相從，凡千餘篇，號曰《皇覽》。”

《魏志·劉卲傳》：“黄初中，爲散騎侍郎。受詔集五經羣書，以類相從，作《皇覽》。”<small>卲有《樂論》，見經部樂類。</small>

《魏志·曹爽傳》注：《魏略》曰：“桓範，延康中爲羽林左監，以有文學與王象等典集《皇覽》。”<small>範有《世要論》，見前法家。</small>

《魏志·楊俊傳》注：《魏略》曰：“王象受詔撰《皇覽》，使象領祕書監。象從延康元年始撰集，數歲成，藏於祕府。合四十餘部，部有數十篇，通合八百餘萬字。”<small>象有《集》，見集部別集類。</small>

《太平御覽》六百一引《三國典略》曰：“祖珽等上言，昔魏文帝命韋誕諸人撰著《皇覽》，包括羣言，區分義別。”<small>誕有《筆墨法》，見後雜藝術類。</small>

《隋書·經籍志》：“《皇覽》一百二十卷，繆十等撰。梁六百八十卷。梁又有《皇覽》一百二十三卷,何承天合《皇覽》五十卷,徐爰合《皇覽目》四卷,又有《皇覽鈔》二十卷。梁特進蕭琛鈔,亡。"《唐·經籍志》類事類:"《皇覽》一百二十二卷,何承天撰。又八十四卷,徐爰并合。"《藝文志》類書類:"何承天并合《皇覽》一百二十二卷,徐爰并合《皇覽》八十四卷。"按《皇覽》當是千餘卷,至梁存六百八十卷,至隋存一百二十卷,至唐惟有何、徐兩家鈔合本,而魏時原本亡。至宋并鈔合本亦亡。繆十一作繆卜,蓋即繆襲。《劉卲附傳》云:"襲有才學,多所述叙。"《史記·五帝本紀》索隱云:"《皇覽》是魏人王象、繆襲等所撰。"襲有《鼓吹曲》,見經部樂類。

《玉海·藝文》曰:"類事之書始於《皇覽》,韋誕諸人撰。建雲臺者非一枝,成珍裘者非一腋,言集之者眾也。"

侯《志》曰:"《史記索隱》卷一云:'《皇覽》記先代冢墓之處,此司馬貞爲裴駰引《皇覽》而發。宜皇王之省覽,故曰《皇覽》。'康按《御覽·禮儀部》三十九引《皇覽·冢墓記》二十餘條。《水經注》引《皇覽》十三條,言冢墓者十之九。冢墓蓋即四十餘部中之一。《御覽》卷五百九十又引《皇覽·記陰謀》,疑亦書中篇名也。覆按'陰謀'上有'太公'二字,蓋即錄《太公陰謀》。《論語·三省章》釋文稱《皇覽》引魯讀六字,則兼及經義。此《文紀》所謂'撰集經傳,隨類相從'者。"

按《御覽》數引《皇覽·逸禮》,即《漢志》所謂《禮古經》多三十九篇,劉子駿《移書讓太常博士》稱《逸禮》三十九是也。王莽時立博士,漢末尚未亡,故《皇覽》亦具載之。又《陳思王傳》注:"臣松之按田巴事出《魯連子》,亦見《皇覽》,文多不載。"是《皇覽》中有《魯連子》。又《説郛》中有繆襲《尤射》一篇,亦似《皇覽》逸文,其所收集者多矣。

孫炎著書十餘篇　炎始末具經部易類。

《魏志》王肅附傳:"炎作《周易》、《春秋例》,《毛詩》、《禮記》、《春秋》三傳、《國語》、《爾雅》諸注,又著書十餘篇。"

夏侯子　夏侯玄撰。玄始末具道家類。

嚴可均《全三國文編》曰:"夏侯玄有《夏侯子》,《太平御覽》八百九十七又九百四十五引凡三條。"

蔣濟　萬機論十卷　濟始末具史部儀制類。

《魏志》本傳:"文帝踐祚,出爲東中郎將。濟上《萬機論》,帝善之。"

《隋書·經籍志》:"《蔣子萬機論》八卷,蔣濟撰。"《唐·經籍志》:"《萬機論》八卷,蔣濟注。"按"注"當爲"撰"。《藝文志》:"《蔣子萬機論》十卷,注云蔣濟。"《宋史·藝文志》:"《蔣子萬機論》十卷,魏蔣濟撰。"

《玉海》六十二引《館閣書目》曰:"《蔣子萬機論》十卷,凡五十五篇,雜論立政、用人、兵家之説,及玫論前賢故事雜問。"按"問"當爲"聞"。

《書録解題》曰:"《蔣子萬機論》二卷,魏太尉平阿蔣濟子通撰。按《館閣書目》十卷,五十五篇。今惟十五篇,恐非全書也。"

侯《志》曰:"《蜀志》許靖、龐統兩傳注,《世説·品藻篇》注俱引之。《通典》引一條駁《禮記》嫂叔無服之誤。何晏、夏侯泰初難之,濟復申其説,蓋亦援經據典之書。餘見《御覽》引者尤多。"

嚴可均輯本序曰:"《隋志》雜家《蔣子萬機論》八卷,《舊唐志》同。《新唐志》作十卷,《書録解題》作二卷,至明而二卷本亦亡。焦竑《國史經籍志》以八卷入儒家,二卷入雜家,虛列書名,又誤分爲兩鍾,不足據。今從《羣書治要》寫出三篇,益以各書所徵引,定著一卷。凡《政略》、《刑論》、《用奇》三篇,又缺篇名者二十二條。"馬氏玉函山房輯本止十六條,又失采《羣書治要》,多所遺漏。

按《魏志·鍾會傳》云:"中護軍蔣濟著論'謂觀其眸子'足以

知人。"此論當在此書。又宋刻全本《意林》有《萬機論》一條，
嚴輯本未采。

杜恕　篤論四卷　恕始末具儒家類。

《魏志》杜畿附傳："恕在章武徙所又著《興性論》一篇，蓋興於
爲己也。"又曰："恕奏議論駁皆可觀。"

《隋書·經籍志》："梁有《篤論》四卷，杜恕撰，亡。"《唐·經籍
志》："《篤論》四卷，張儼撰。"按此作張儼誤。《藝文志》："杜恕《篤
論》四卷。"

嚴可均輯本序曰："《隋志》雜家：'梁有《篤論》四卷，杜恕撰。'
舊、新《唐志》著於録，至宋復亡。《魏志》本傳稱恕所著有《體
論》、《興性論》，無《篤論》。據《意林》引《篤論》水性勝火，人
性勝志，攷實性行二事，證知《興性論》即《篤論》之首篇。據
《意林》及《御覽》證知裴松之所引《杜氏新書》，即《篤論》之末
篇。其書前數卷出恕手，後述叙家世歷官，引及《魏書》，并引
及王隱《晋書》，證知東晋時編附，故稱《新書》，猶今之全書，
而《篤論》其總名也。故《七録》、《唐志》有《篤論》，無《新書》。
余既校輯《體論》，因并采録《篤論》，依《意林》次第編定之，凡
一十九條。"又云《篤論》即《杜氏新書》。本傳三疏皆當在《篤論》中。《類聚》八
十七引杜恕《篤邊論》，蓋《篤論》之言邊事者。邊亦是篇名。

馬國翰輯本序曰："傳稱恕奏議論駁皆可觀，而《隋志》無恕
集，知所謂奏議論駁統在《篤論》。傳又稱其議論亢直，此《篤
論》之所繇名也。《意林》引凡五節，其第二、三節並見《魏志》
本傳，據以補録。末二節乃後人叙述之詞，別爲附録。又采
得《御覽》數節，合録爲卷。"按所輯僅七節，附録二節，不及嚴氏本遠矣。

袁亮　譏何鄧等論

《魏志·袁渙傳》："渙字曜卿，陳郡扶樂人也。從弟霸，魏初
爲大司農。霸子亮，貞固有學行，疾何晏、鄧颺等，著論以譏

切之。位至河南尹、尚書。”

鍾會　芻蕘論五卷 <small>會始末具經部易類。</small>

《隋書·經籍志》：“梁有《芻蕘論》五卷，鍾會撰，亡。”《唐·經籍志》：“《芻蕘論》五卷，鍾會撰。”《藝文志》：“鍾會《芻蕘論》五卷。”《通志·藝文略》諸子儒術類：“《芻蕘語論》五卷，鍾會撰。”

侯《志》曰：“《文選·魏都賦》注、《御覽》一百九十一、又四百二、又四百六、又八百十三、八百七十一俱引之。中載東方朔《與公孫弘書》，後人編入朔集者，即從此采出。”

嚴可均《全三國文編》曰：“鍾會有《芻蕘論》五卷，今見於《初學記》、《文選注》、《白孔六帖》、①《御覽》者凡七條。”

按宋刻全本《意林》有《芻蕘論》二條，嚴輯本未采。

吕雅　格論十五篇

《蜀志·吕乂傳》：“乂字季陽，南陽人也。代董允爲尚書令，延熙十四年卒。次子雅爲謁者。雅清厲有文才，著《格論》十五篇。”

按《蜀志·霍峻傳》注引《襄陽記》：“羅憲於泰始中薦高陽吕雅。”高陽實南陽之譌。則雅當爲晋人，今姑從《蜀志》錄其書。

陳術　釋問七篇 <small>術始末具史部傳記類。</small>

《蜀志》李譔附傳：“漢中陳術亦博學多聞，著《釋問》七篇。”

諸葛子五卷 <small>諸葛恪撰，恪始末具史部傳記類。</small>

《隋書·經籍志》：“梁有《諸葛子》五卷，吴太傅諸葛恪撰，亡。”

馬國翰輯本序曰：“《諸葛子》，《唐志》不著錄，佚已久。《北堂

---

① “白”，原作“日”，據《二十五史補編》本改。

書鈔》、《太平御覽》引三節。攷《恪傳》載其與陸遜及弟公安
督融二書，又《諸大臣諫伐魏著論諭眾意》一篇。恪無文集，
當皆采自本書中，並據輯録爲一卷。夫恪抱才氣，而以驕矜
致敗。陳壽評云：'若躬行所與陸遜及弟融之書，則悔吝不
至，何尤禍之有哉？'蓋惜其人，未嘗不取其言也。”

按宋刻全本《意林》有《諸葛子》一條，馬氏未采。又《抱朴
子·正郭篇》引故太傅諸葛元遜論郭林宗一條，當亦采自
本書。

張儼　默記三卷

《吳志·孫皓傳》：“寶鼎元年正月，遣大鴻臚張儼、五官中郎
將丁忠弔祭晉文帝。及還，儼道病死。”注引《吳録》曰：“儼字
子節，吳人也。弱冠知名，歷顯位，以博聞多識拜大鴻臚。”_按
《隋·經籍志》集部有吳侍中張儼集，蓋即此張儼，而書其官曰侍中。

《蜀志·諸葛亮傳》注曰：“吳大鴻臚張儼作《默記》。其《述佐
篇》論亮與司馬宣王云云。”又曰：“亮聞孫權破曹休，魏兵東
下，關中虛弱，十一月上言曰'先帝慮漢賊不兩立，王業不偏
安'云云。”此表亮集所無，出張儼《默記》。按武侯《後出師表》賴《默
記》以存，《默記》亡佚，賴裴注引文以傳。

《隋書·經籍志》：“《默記》三卷，吳大鴻臚張儼撰。”《唐·經
籍志》：“《默記》三卷，張儼撰。”《藝文志》：“張儼《默記》
三卷。”

《史通·直書篇》：“張儼發憤，私存《默記》之文。”

嚴可均《全三國文編》曰：“《北堂書鈔》卷十三引張儼《默記》，
《蜀志·諸葛亮傳》注引《默記·述佐篇》，又見《御覽》四百四
十五。”

馬國翰輯本序曰：“張儼《默記》，今惟《蜀志·諸葛傳》注載其
《述佐篇》及武侯《後出師表》一篇。《初學記》亦引一節，裒録

爲帙。”

按宋刻全本《意林》有《默記》一條，嚴、馬二家輯本未采。

張儼　誓論三十卷

《唐書·經籍志》：“《誓論》三十卷，張儼撰。”《藝文志》：“張儼《默記》三卷，又《誓論》三十卷。”

裴玄　新言五卷

《吳志·嚴畯傳》：“畯又與裴玄、張承論管仲、季路，皆傳於世。玄字彥黄，下邳人也，亦有學行，官至太中大夫。問子欽齊桓、晋文、夷、惠四人優劣，欽荅所見，與玄相反覆，各有文理。欽與太子登游處，登稱其翰采。”按《孫登傳》登遺表云：“裴欽博記，翰采足用。”

《隋書·經籍志》：“裴氏《新言》五卷，吳大鴻臚裴玄撰。”按此下始云梁有某書，此書與《默記》似皆大字，隋時有轉寫誤入注文。《唐·經籍志》：“《新言》五卷，裴玄撰。”《藝文志》：“裴玄《新言》五卷。”

馬國翰輯本序曰：“裴氏《新言》五卷，《隋志》以爲梁有，今亡。《唐志》復著録，今佚。輯録八節，中一條論管仲奪伯氏駢邑三百，《吳志·嚴畯傳》所謂與裴玄、張承論管仲、季路者，佚説廑存。至問子欽齊桓，晋文、夷、惠四人優劣，反覆各有文理，則泯絶不可見矣。”

侯《志》曰：“《文選·羊叔子讓開府表》注引裴氏《新語》，《藝文類聚》卷四引裴玄《新語》，《御覽》八百十四引裴玄《新言》。據此三條皆攷證故事，其體例與《風俗通》、《古今注》略同，亦有用書也。餘見《御覽》引者尚多，或稱《新語》，或稱《新言》，或稱《新書》。”

按宋刻全本《意林》有裴玄《新言》二條，馬輯本未采。

劉廞　新義十八篇

《隋書·經籍志》：“梁有《新義》十八卷，吳太子中庶子劉廞撰，亡。"《唐・經籍志》："《新義》十八卷，劉廞撰。"《藝文志》：
"劉廞《新義》十八卷。"

嚴可均《全三國文編》曰："劉廞，一作欽，爲太子中庶子，有
《新義》十八卷。"又曰："《御覽》四百六引《新義》凡三條。"

馬國翰輯本序曰："《七録》雜家有劉廞《新義》十八卷。《吳
志》無廞傳，字里皆無攷。據《隋志》知爲吳太子中庶子而已。
《唐志》復著録，題作劉欣。按此所見《唐志》不知何本。今其書佚，從
《書鈔》、《類聚》、《御覽》所引得四節，或作劉歆，或作劉欽，或
同《唐志》作劉欣，皆誤也。"

秦子三卷　　秦菁撰。

《隋書・經籍志》："梁有《秦子》三卷，吳秦菁撰，亡。"《唐・經
籍志》："《秦子》三卷，秦菁撰。"《藝文志》："《秦子》三卷。"注
曰秦菁。

侯《志》曰："《意林》載《秦子》二卷，所引數條中有顧彦先難
語。彦先者，顧榮之字。榮仕吳，爲黃門郎，後及事晋元帝。
秦菁與之同時，亦吳末人也。《藝文》、《御覽》屢引此書，多
《意林》所無。"

馬國翰輯本序曰："菁於史傳無攷，楊慎《丹鉛總録》引二條，
與《苻子》同列，云'二子之姓名人罕知，況見其書乎？馬總
《意林》亦不載'云云。按《意林》載其書五節，升庵言不載者，
疏也。兹即據《意林》爲本，復從《書鈔》、《類聚》、《御覽》諸書
輯得十餘節，佚説略備矣。"

范慎　矯非論二十篇　　慎始末具經部書類。

《吳志・孫登傳》注：《吳録》曰："慎著論二十篇，名曰《矯
非》。"

薛瑩　新議八篇　　薛始末具史部正史類。

《吳志》薛綜附傳："天紀四年，晋軍征皓，皓奉書於司馬伷、王

渾、王濬請降，其文，瑩所造也。瑩既至洛陽，特先見叙，答問處當，皆有條理。著書八篇，名曰《新議》。"注引干寶《晉紀》："武帝從容問吳士存亡者之賢愚，瑩各以狀對。"

右雜家類凡一十七家，一十八部。侯《志》有王粲書數十篇，已録入《後漢藝文志》。又任嘏書三十八篇，即《任子道論》，已見道家，此重出，今並不録。

魏文帝　列異傳三卷

《隋志》史部雜傳家："《列異傳》三卷，魏文帝撰。"又曰："魏文帝作《列異》以叙鬼物奇怪之事，相繼而作者甚眾。"

侯《志》曰："裴氏注《三國志》凡兩引此書：《華歆傳》引一條，記歆自當爲公；《蔣濟傳》引一條，記濟亡兒爲泰山録事。惟濟於齊王時始徙領軍將軍，而書中已有濟爲領軍之語，則非出自文帝。又《御覽》七百七引一條，景初時事，八百八十四引一條，甘露時事，皆在文帝後，豈後人又有增益耶？又《史記·封禪書》索隱引一條，記秦穆公獲陳寶。《水經·渭水》注、《後漢書·光武紀》注引一條，記秦文公時梓樹化爲牛，則所載不獨時事也。"

按《唐·經籍志》雜傳家有《列異傳》三家，張華撰。《唐·藝文志》小説家有張華《列異傳》一卷。意張華續文帝書，而後人合之。《御覽》所引文帝後事，當出張華。《初學記·果木部》引魏文帝《列異傳》言袁本初時事，則實出文帝。

高貴鄉公　謎語

《文心雕龍·諧讔篇》曰："讔者，隱也。漢世《隱書》，十有八篇，歆、固編文，録之歌末。自魏代以來，化爲謎語。謎也者，迴互其辭，使昏迷也。或體目文字，或圖象品物。纖巧以弄思，淺察以衒辭。義欲婉而正，辭欲隱而顯。荀卿《蠶賦》已兆其體，至魏文、陳思約而密之。高貴鄉公博舉品物，雖有小巧，用乖遠大，然文辭之有諧隱，譬九流之有小説云。"

按劉勰言,則文帝、陳王、高貴鄉公集中皆有謎語,至公博舉品物,尤多於前云。

邯鄲淳　笑林三卷

《魏志・王粲傳》注:《魏略》曰:"淳一名竺,字子叔。按《藝文類聚》七十四引《魏略》"邯鄲淳,字淑",似敚一"子"字。《法書要録》作"子淑"。似"子叔"爲"子淑"之誤。潁川人,博學有才章,善《倉》、《雅》、蟲篆、許氏字指。初平時,從三輔客荆州。荆州內附,爲臨菑侯植官屬。黃初初,爲博士給事中。"

《北史・江式傳》:"式上論書表曰:'陳留邯鄲淳與張揖同時,博聞古藝,特善《倉》、《雅》、許氏字指、八體、六書。精究閑理、有名於揖。以書教諸皇子,又建三字石經於漢碑西。'"

《隋書・經籍志》:"《笑林》三卷,後漢給事中邯鄲淳撰。"《日本國見在書目》同。《唐・經籍志》:"《笑林》三卷,邯鄲淳撰。"《藝文志》:"邯鄲淳《笑林》三卷。"

馬國翰輯本序曰:"此書皆記可笑之事,《隋》、《唐志》並三卷。今從《類聚》、《御覽》、《太平廣記》、贊寧《筍譜》諸書輯錄爲卷,凡二十六條。"

按《文心雕龍・諧讔篇》:"至魏文因俳説以著《笑書》。"《笑書》疑即是編,淳奉詔所撰,或淳因《笑書》別爲《笑林》,亦未可知。

右小説家凡三家,三部。

王蕃　渾天象注一卷

《吳志》本傳:"蕃字永元,廬江人也。博覽多聞,兼通術藝。始爲尚書郎。孫休即位,與賀邵、薛瑩、虞汜俱爲散騎常侍,皆加駙馬都尉。時論清之。遣使至蜀,還爲夏口監軍。孫皓初,復入爲常侍,蕃體氣高亮,不能承顏順旨,時或迕意,積以見責。甘露二年,皓大會羣臣,呵左右於殿下斬之,年三十九。”

《晉書・天文志》：“吳時中常侍廬江王蕃善數術，傳劉洪《乾象曆》，依其法而制渾儀，立論攷度。”又《曆志》曰：“中常侍王蕃以洪術精妙，用推渾天之理以制儀象及論。”

《隋書・天文志》：“蕃以古製局小，以布星辰，相去稠概，不得了察。張衡所作，又復傷大，難可轉移。蕃今所作，以三分爲一度，周一丈九寸五分、四分分之三。長古法三尺六寸五分、①四分分之一，減衡法亦三尺六寸五分、四分分之一。”

《開元占經》二：“吳時，廬江王蕃，字興元，爲中常侍，善曆數之學，嘗造渾儀及《渾天象説》。”

《隋書・經籍志》：“《渾天象注》一卷，吳散騎常侍王蕃撰。”

《唐・經籍志》：“《渾天象注》一卷，王蕃撰。”《藝文志》：“王蕃《渾天象注》一卷。”

阮元《疇人傳》論曰：“蕃立論攷度通達平正，可謂言天家之圭臬矣。”

嚴可均《全三國文編》曰：“王蕃《渾天象説》，《晉書》、《宋書》、《隋書・天文志》、《北堂書鈔》一百三十、《開元占經》一、《太平御覽》二並引之。”

葛衡　渾天儀注

《吳志・趙達傳》注：《晉陽秋》曰：“吳有葛衡，字思真。明達天官，能爲機巧。作渾天，使地居中，以機動之，天轉而地止，以上應晷度。”

姚信　昕天論一卷 信始末具經部易類。

《禮記・月令》疏：“昕天，昕讀爲軒，言天北高南下，若車之軒。是吳時姚信所説。”

---

① “長”，《二十五史補編》本、殿本《隋書》作“張”。

《隋書·經籍志》："梁有《昕天論》一卷，姚信撰。"《唐·經籍志》："《昕天論》一卷，姚信撰。"《藝文志》："姚信《昕天論》一卷。"

嚴可均《全三國文編》曰："姚信《昕天論》，《晉書》、《宋書》、《隋書·天文志》、《太平御覽》二並引之。"

馬國翰輯本序曰："此論主蓋天爲説，兹據《晉書·天文志》及《太平御覽》所引輯録成編。"

侯《志》曰："晉、宋《天文志》俱引《昕天論》。沈約謂'應作軒昂之軒，而作昕者，所未詳也'，不知昕、軒聲相近，故可通用。《御覽》卷二引此論，有出《晉》、《宋》二志之外者。"

按《通志·藝文略》，《昕天論》一卷，梁姚信撰。似"梁"下脱"七録"二字。

宋均　妖瑞星圖一卷　均始末具經部孝經類。

《崇文總目》天文占書類："《妖瑞星圖》一卷，宋均撰。"《通志·藝文略》天文雜星占類："《妖瑞星圖》一卷，宋均撰。"

按此不知是否即此宋均，今姑過而存之。

右天文類凡四家，四部。　侯《志》有陸績《渾天圖》一卷，已録入《後漢藝文志》。又有陳卓《天文集占》十卷、《四方宿占》四卷、《五星占》一卷、《石氏星經》七卷、《天官星占》十卷，據《隋書·天文志》三國時吳太史令陳卓之説，謂著書在吳時，故系三國時。然攷《晉書·天文志》載此條稱武帝時太史令陳卓，而陳卓至東晉時尚存。《晉書·藝術戴洋傳》載太史令陳卓奏元帝登祚吉日。是卓仕晉，歷五朝數十年，固不得謂之吳人。而其著書之時在吳在晉，史文亦互異，未有碻證，今概置不録。

魏韓翊　黄初曆

《晉書·律曆志》："魏文帝黄初中，太史令高堂隆復詳議曆數，更有改革。太史丞韓翊以爲《乾象》減斗分太過，劉洪《乾象曆》已録入《後漢藝文志》。後當先天，造《黄初曆》，以四千八百八十三爲紀法，一千二百五爲斗分。其後尚書令陳羣奏，以爲：'曆數難明，前代通儒多共紛争。《黄初》之元以《四分曆》久遠疏闕,大魏受命,宜改曆明時,韓翊首建《黃初》,猶恐不審,故以《乾象》互相參校。其所校日月行度,弦朢朔晦,校曆三年,更相是非,無時而決。案三公議皆綜盡典禮,殊塗同歸,欲使效之璿璣,各盡其法,一年之間,得失足定。'奏可。後太史令許芝、董巴、徐岳、郎中李恩、楊偉等校議未定,會帝崩而寢。"

《魏志·杜恕傳》注:《魏略》曰:"河東樂詳,黃初中,徵拜博士。五業並授,詳學既精悉,又善推步三五,別受詔與太史典定律曆。"

汪曰楨《古今推步諸術攷》:"魏韓翊《黃初術》,見晋、宋二書《志》、《開元占經》。"

魏太史　太和曆

《魏志·高堂隆傳》注:《魏略》曰:"先是太史上漢曆不及天時,因更推步弦朢朔晦,爲太和曆。明帝以隆學問優深,於天文又精,乃詔使隆與尚書郎楊偉、太史待詔駱禄參共相校。偉、禄是太史,隆故據舊曆更相劾奏,紛紜數歲,偉稱禄得日蝕而月晦不盡,隆不得日蝕而月晦盡,詔從太史。隆所爭雖不得,而遠近猶知其精微也。"

汪曰楨《古今推步諸術攷》:"魏高堂隆《太和術》,見《三國志》本傳注引《魏略》。按《三國志·魏明帝紀》云:'景初元年,改《太和術》曰《景初術》。'疑此即楊偉《景初術》也。"

按此是太和中太史所上者,行用數年,即改用《景初曆》。參攷《魏略》及楊偉《上景初曆表》,知是曆亦仍用後漢《四分曆》,別更推步,改名《太和曆》。汪謝城先生以爲高堂隆撰,非是;又疑此即《景初曆》,亦不然。

魏甲子元三統曆一卷

《隋書·經籍志》:"《魏甲子元三統曆》一卷。"《通志·藝文略》曆數正曆類:"《魏甲子元三統曆》三卷。"

按此是當時廢曆，《隋志》不著撰人。攷《高堂隆傳》注引《魏略》有曰："隆故據舊曆，更相劾奏。所爭雖不得，而遠近猶知其精微。"《三統曆》，舊曆也。劉歆重修《太初曆》爲《三統曆》，以説《春秋》。隆豈用三統法別以甲子爲曆元歟？

魏楊偉　景初曆三卷

《魏志·曹爽傳》注：《世語》曰："楊偉字世英，馮翊人。"

嚴可均《全晉文編》曰："楊偉仕魏文帝、明帝爲尚書郎，後參大將軍曹爽軍事。入晉，爲征南軍師。有《景初曆》三卷，《桑丘先生書》二卷，《時務論》十二卷。"下兩書當入晉代，不具錄。

《魏志·明紀》："景初元年春正月壬辰，山茌縣言黄龍見。於是有司奏，以爲魏得地統，宜以建丑之月爲正。三月，定曆改年爲孟夏四月。注引《魏書》曰："甲子詔曰：'其改青龍五年三月爲景初元年四月。'"改太和曆曰景初曆。其春夏秋冬孟仲季月雖與正歲不同，至於郊祀、迎氣、礿祠、蒸嘗、巡狩、蒐田、分至啟閉、班宣時令、中氣早晚、敬授民事，皆以正歲斗建爲曆數之序。"又《齊王紀》："景初三年十二月，詔曰：'烈祖明皇帝以正月棄背天下，臣子永惟忌日之哀，其復用夏正。以建寅之月爲正始元年正月，以建丑月爲後十二月。'"

《隋書·經籍志》："《景初曆》三卷，晉楊偉撰。"《唐·經籍志》："《魏景初曆》三卷，楊偉撰。"《藝文志》："楊偉《魏景初曆》三卷。"

《元史》：郭守敬《授時術議》："《景初術》，魏景初元年丁巳楊偉造，行二百六年，至宋元嘉癸未，先天五十刻。"汪曰楨曰："按此言行用年數譌。"

汪曰楨《古今推步諸術攷》："魏楊偉《景初術》，自明帝景初元年丁巳始用此術，迄元帝延熙二年乙酉，凡二十九年。晉仍用此術，更名《泰始術》，自武帝泰始元年乙酉，迄恭帝元熙二年庚申,凡一百五十六年。宋初仍用此術,更名《永初術》,自武帝永初元年庚申,迄文帝元嘉二十一年甲申,凡二十五年。北魏初亦用此術,自道武帝五興元年戊戌,迄太武帝正平元年辛卯,凡五十四年。大凡行用二百一十五年。"

按《景初曆法》,《晉書》、《宋書·曆志》並載之。

楊偉　景初曆術二卷

楊偉　景初曆法三卷

楊偉　景初曆法五卷

《晉書》、《宋書·曆志》楊偉表曰:"至元和二年,復用《四分術》,施而行之,至於今日,攷察日蝕,率常在晦,是則斗分太多,故先密後疏而不可用也。是以臣前以制典餘日,推攷天路,稽之前典,驗之食朔,詳而精之,更兼密曆,則不先不後,古今中天。欲使當今國之典禮,凡百制度,皆韜合往古,郁然備足,乃改正朔,更曆數,以大呂之月爲歲首,以建子之月爲曆初。"又曰:"臣之所建《景初術》,法數則約要,施用則近密,治之則省功,學之則易知。雖復使研桑心算,隸首運籌,重黎司晷,羲和察景,以攷天路,步驗日月,究極精微,盡數術之極者,皆未如臣如此之妙也。"

阮元《疇人傳》論曰:"乾象術推合朔用日法,推遲疾用周法,[①]推陰陽用月周,[②]各異其法而不相通。偉術通數會通通周,並以滿日法而一爲日,用算省約,此李淳風總法之所祖。壬辰元首有交會遲疾差數,此又楊忠輔諸差、郭守敬諸應之所自出。至其推交會月蝕,以去交度十五爲法,論虧之多少,以先會後交,先交後會,論虧起角之東西南北,皆密於前術,足以

<hr/>

① "法",原脱,據清道光阮氏刻本《疇人傳》、上下文意補。
② "月",原作"日",據清道光阮氏刻本《疇人傳》正文。

爲後世法者也。"

按《通志·藝文略》曆數類以正曆、曆術分目,魏《景初曆》三卷,正曆也。此曆術、曆法并別本五卷,皆曆術也。《七錄》又有《略要》二卷,或非楊偉自作,故不復錄。

吳闞澤 乾象曆注五卷 澤始末具史部儀制類。

吳闞澤 乾象曆三卷

《吳志》本傳:"澤究覽羣籍,兼通曆數,著《乾象曆注》,以正時日。"

《吳志·孫權傳》:"黄武二年春正月,改四分,用《乾象曆》。"

《晉書》、《宋書·曆志》曰:"劉氏在蜀,不見改曆,當是仍用漢四分法。吳中書令闞澤受劉洪《乾象法》於東萊,徐岳又加解注,中常侍王蕃以洪術精妙,用推渾天之理以制儀象及論,故孫氏用《乾象曆》,至於吳亡。"

北周甄鸞《數術記遺》注曰:"漢會稽太守劉洪付《乾象曆》於東萊徐岳。按此稱"會稽太守",當是"會稽都尉"之偶誤。岳授吳中書闞澤,澤甚重焉,爲注解。"

《隋書·經籍志》:"《乾象曆》三卷,吳太子太傅闞澤撰。梁有《乾象曆》五卷,漢會稽都尉劉洪等注。又有闞澤注五卷,亡。"《唐·經籍志》:"《乾象曆》三卷,闞澤注,闞澤撰。"按此當是"劉洪撰,闞澤注",轉寫亂之。《藝文志》:"劉洪《乾象曆術》三卷,闞澤注。"

汪曰楨《古今推步諸術攷》:"後漢劉洪《乾象術》,自吳大帝黄武二年癸卯始用此術,迄歸命侯天紀四年庚子,凡行用五十八年。"

吳吳範 曆術一卷 範始末具兵家類。

《隋書·經籍志》:"《曆術》一卷,吳太史令吳範撰。"《通志·藝文略》曆數、曆術類著錄同。

汪曰楨《古今推步諸術攷》："吳吳範《術》上元積年並無攷,見
《隋·經籍志》。"

魏楊偉　漏刻經一卷　偉始末見前。

《隋書·經籍志》："梁有後漢待詔太史霍融、何承天、楊偉等
撰《漏刻經》三卷,亡。"

按《七錄》所載偉是書,已并入霍、何二家爲一帙。

右曆術凡六家,一十一部。

徐岳　九章算經注九卷

《宋書·律曆志》曰："吳中書令闞澤受《乾象法》於東萊徐岳,
字公和。"

《太平御覽》七百五十四:魏王朗《塞勢》曰："余所與游處,唯
東萊徐先生素習《九章》,能爲計數。"

《四庫提要》曰："或稱漢徐岳。據《晉書·律曆志》所載,魏黃
初中,岳與太史丞韓翊論難日月食五事,則岳已仕於魏,不得
繫之於漢矣。"按《晉書》載徐岳議,次太史令許芝及徐欽、董巴之後。時欽、巴
皆爲博士,疑岳亦官博士也。

《隋書·經籍志》："《九章算經》二卷,徐岳注。又《九章算術》
二卷,徐岳、甄鸞重述。又《九章算經》二十九卷,徐岳、甄鸞
等撰。"《唐·經籍志》："《九章算經》一卷,徐岳撰。"《藝文
志》："徐岳《九章算術》九卷。"

按唐釋慧琳《大藏音義》卷六引劉洪《九京算經》,蓋即《九章
算經》,傳寫誤爲"京"。岳自言受業於劉會稽,則是書與《乾
象法》,岳皆受之於洪也。

徐岳　算經要用百法一卷

《唐書·經籍志》："《算經要用百法》一卷,徐岳撰。"《唐·藝
文志》："徐岳《算經要用百法》一卷。"

徐岳　數術記遺一卷

《唐書·經籍志》:"《數術記遺》一卷,徐岳撰,甄鸞注。"《唐·藝文志》:"徐岳《數術記遺》一卷,甄鸞注。"《宋史·藝文志》:"徐岳《數術記遺》一卷。"

《四庫提要》曰:"《數術記遺》一卷,舊題漢徐岳撰,北周甄鸞注。《隋志》無此書,至《唐·藝文志》始著於録書中。稱於泰山見劉會稽,余因受業時問曰:'數有窮乎?'會稽曰'吾昔曾游天目山中,見有隱者'云云。大抵言其傳授之神祕。至天門、金虎等語,乃道家詭談之説,尤爲隱僻不經。注所言算式、數位,按之正文,多不相蒙。唐代選舉之制,算學《九章》、《五曹》之外,兼習此書。此必當時購求古算好事者因託爲之,而嫁名於岳耳。"

劉徽　九章算術注九卷

《晉書·律志》曰:"魏陳留王景元四年,劉徽注《九章》。"

徽自序曰:"《記》稱'隸首作數',其詳未之聞也。按周公制禮而有九數,九數之流則《九章》是矣。往者暴秦焚書,經術散壞。漢北平侯張蒼、大司農中丞耿壽昌皆以善算命世。蒼等因舊文之遺殘,各稱删補,故校其目,則與古或異,而所論者多近語也。徽幼習《九章》,長再詳覽,觀陰陽之割裂,總算術之根源。探賾之下,遂悟其意,是以敢竭頑魯,采其所見爲之作注。"

《隋書·經籍志》:"《九章算術》十卷。按此十卷者,有《重差圖》一卷在内也。劉徽撰。"《日本國見在書目》:"《九章》九卷,劉徽注。"《宋史·藝文志》:"《注九章算經》九卷,魏劉徽,唐李淳風注。"

《四庫提要》曰:"《九章算術》蓋《周禮》保氏之遺法,舊本有注,題曰劉徽所作。攷《晉書》稱魏景元四年劉徽注《九章》,然注中所云'晉武庫銅斛',則徽入晉之後又有增損矣。"

劉徽　九章重差圖一卷

徽《注九章算術序》又曰："徽尋九數有重差之名，凡望極高，測極深，而兼知其遠近者必有重差，句股則必以重差爲率，故曰重差也。輒造《重差》，並爲注解，以究古人之意，綴於《句股》之下。度高者重表，測深者累矩，孤離者三望。離而又旁求者四望，觸類而長之，則雖幽遐詭伏，靡所不入，博物君子，詳而覽焉。"

《隋書‧經籍志》："《九章重差圖》一卷，劉徽撰。"《唐‧經籍志》同。又曰："《海島算經》一卷，劉徽撰。"《唐‧藝文志》："劉徽《海島算經》一卷，又《九章重差圖》一卷。"

《四庫簡明目錄》曰："徽書本名《重差》，皆測望之術。唐代乃改稱《海島算經》，蓋因第一條以海島立表設問，遂以卷首之字名之耳。"

《四庫提要》曰："徽是書但附於《句股》之下，不別爲編，故《隋志》《九章算術》增爲十卷，蓋以《九章》九卷合此而十也。其書亦另本單行，故《隋》、《唐志》皆別著於錄，而一書兩出。兩《唐志》兼列劉向《九章重差》一卷，譌劉徽爲劉向而一書三出矣。"

按劉徽入晉始末不可攷見，《疇人傳》列之魏代，今從之。

闞澤　九章　澤始末見前。

《初學記‧器物部》引闞澤《九章》曰："粟飯五十，糯飯七十，稗飯五十，繫飯四十八，御飯四十二。"

按此似澤所答《九章》諸術中之細草。

右算數凡三家，六部。

右曆算類凡二門，綜九家，一十七部。

虞翻　京氏易律曆注一卷　翻始末具經部易類。

《隋書‧經籍志》："《易律曆》一卷，虞翻撰。"《唐‧經籍志》："《易律曆》一卷。"失著撰人。《藝文志》同。《宋史‧藝文志》：

"虞翻注《京房周易律曆》一卷。"

宋王欽臣《談錄》曰:"《京氏律曆》一卷,虞翻爲之解。其書雖存,學者罕究。公從祕府傳其書,究習遂通,屢以占卦甚效。"
按欽臣稱公者,謂其父洙也。

陳振孫《書錄解題》曰:"《京氏參同契律曆志》一卷,虞翻注。專言占象而不可盡通,字亦多誤,未有別本校。"

虞翻　周易集林律曆一卷

《吳志》本傳注:《翻別傳》曰:"翻放棄南方,云:'自恨疏節,骨體不媚,犯上獲罪,當長没海隅,生無可與語,殆以青蠅爲弔客,使天下一人知己者,足以不恨。'以典籍自慰,依《易》設象,以占吉凶。"

《隋書·經籍志》:"《周易集林律曆》一卷,虞翻撰。"《唐·藝文志》:"虞翻《周易集林律曆》一卷。"《通志·藝文略》五行易占家著錄同。

按此似即所注《京氏易律曆》,然攷《隋志》分別著錄而書名各異。證以《別傳》所云依《易》設象、占吉凶之言,似仲翔氏別有自撰之書。

管輅　周易林四卷　輅始末具經部易類。

《魏志》本傳:"安平趙孔曜薦輅於冀州刺史裴徽曰:'輅仰觀天文則同妙甘公、石申,俯覽《周易》則齊思季主。'"注引《輅別傳》曰:"輅始就利漕郭義博讀《易》,數十日中,意便開發。於是分蓍布卦,用思精妙,占覺上諸生疾病死亡貧富喪衰,初無差錯,莫不驚怪,謂之神人也。"

《唐書·經籍志》:"《周易林》四卷,管輅撰。"《藝文志》:"管輅《周易林》四卷。"《通志·藝文略》五行易占家著錄同。

管輅　周易通靈決二卷
管輅　周易通靈要決一卷

《隋書·經籍志》："《周易通靈決》二卷,魏少府丞管輅撰。《周易通靈要決》一卷,管輅撰。"《通志·藝文略》五行易占家著録同。

管公明　算占書一卷

《隋書·經籍志》："梁有管公明《算占書》一卷。"

管公明　隔山照一卷

《崇文總目》卜筮類："管公明《隔山照》一卷。"《通志·藝文略》五行易占家著録同。

管輅　破躁經一卷

《通志·藝文略》五行雜占家："《破躁經》一卷,管輅撰。"

管輅　鳥情逆占一卷

《魏志》本傳注:《輅別傳》曰:"郭義博從輅學鳥鳴之候,輅爲説八風之變,五音之數,以律吕爲衆鳥之商,六甲爲時日之瑞。[1] 反覆譴曲,出入無窮。"又答安德令勃海劉長仁難曰:"夫天雖有大象而不能言,故運星精於上,流神明於下,驗風雲以表異,役鳥獸以通靈。表異者必有浮沈之候,通靈者必有宮商之應。是以宋襄失德,六鶂並退,伯姬將焚,鳥唱其災,四國未火,融風已發,赤烏夾日,殃在荆楚。此乃上天之所使,自然之明符。攷之律吕則音聲有本,求之人事則吉凶不失。昔在秦祖,以功受封,葛盧聽音,著在《春秋》,斯皆典謨之實,非聖賢之虚名也。商之將興,由一燕卵也。文王受命,丹鳥銜書,此乃聖人之靈祥,周室之休祚。夫鳥鳴之聽,精在鶉火,妙在八神,自非斯倫,猶子路之於死生也。"

《唐書·經籍志》："《鳥情逆占》一卷,管輅撰。"《藝文志》："管輅《鳥情逆占》一卷。"《通志·藝文略》五行鳥情家著録同。

----

① "瑞",殿本《三國志》作"端"。

《隋志》有《鳥情逆占》一卷,不著撰人。今證以《通志略》所載前後次序,知即管輅書。按《魏志》本傳但載輅風角、鳥情、射覆諸占驗。輅又自言能相人術,大抵皆據輅弟辰所作《別傳》,而不言其有書,此類之書,莫詳其真僞。

吳範　黃帝四神曆一卷　範始末具兵家類。

《隋書·經籍志》:"《黃帝四神曆》一卷,吳範撰。"《通志·藝文略》五行風角家著録同。

劉惇著書百餘篇

《吳志》本傳:"惇字子仁,平原人也。遭亂避地,客游廬陵,事孫輔。以明天官達占數顯於南土。每有水旱寇賊,皆先時處期,無不中者。輔異焉,以爲軍師,軍中咸敬事之,號曰神明。惇於諸術皆善,尤明太乙,皆能推演其事,窮盡要妙,著書百餘篇,名儒刁玄稱以爲奇。惇亦寶愛其術,不以告人,故世莫得而明焉。"

高堂隆　雜忌曆二卷　隆始末具史部時事故事類。

《隋書·經籍志》:"《雜忌曆》二卷,魏光禄勳高堂隆撰。"《通志·藝文略》五行陰陽家:"《雜忌曆》二卷,魏高堂隆撰。"
按范書《蔡邕傳》:"邕上七事表曰:近者以來,更任太史。忘禮敬之大,任禁忌之書,拘信小故,以虧大典。"《論衡·譏日》、《詰術》等篇亦屢言時俗禁忌之妄。此即禁忌之書也,漢以來皆太史所有事。隆爲太史令,故有此作。

高堂隆　張掖郡玄石圖一卷

《魏志·明紀》青龍三年注:《魏氏春秋》曰"是歲張掖郡删丹縣金山玄川溢涌,寶石負圖,狀象靈龜,廣一丈六尺,長一丈七尺一寸,圍五丈八尺,[1]立於川西。有石馬七,其一仙人騎

---

[1]　"尺",《二十五史補編》本、殿本《三國志》均作"寸"。

之,其一羈絆,其五有形而不善成。有玉匣關蓋於前,上有玉字,玉玦二,璜一。麒麟在東,鳳鳥在南,白虎在西,犧牛在北,馬自中布列"云云。

《魏志》管寧附張琇傳:"青龍四年辛亥詔書:'張掖郡玄川溢涌,激波奮蕩,寶石負圖,狀像靈龜,宅於川西,巍然磐峙,倉質素章,麟鳳龍馬,煥炳成形,文字告命,粲然著明。太史令高堂隆上言,古皇聖帝所未嘗蒙,實有魏之禎命,東序之世寶。'事班天下。任令于綽連齎以問琇,琇密謂綽曰:'夫神以知來,不追已往,禎祥先見而後廢興從之。漢已久亡,魏已得之,何所追興禎祥乎? 此石,當今之變異而將來之禎瑞也。'"

《隋書·經籍志》:"《張掖郡玄石圖》一卷,高堂隆撰。"《唐·經籍志》雜家:"《張掖郡玄石圖》一卷,高堂撰。"按脱一"隆"字。《藝文志》雜家:"高堂隆《張掖郡玄石圖》一卷。"

按《通典》五十五載魏尚書薛悌奏:"涼州刺史所上《靈命瑞圖》,下洛陽留臺,使太尉醮告太祖廟。"即此事也。亦稱《靈命瑞圖》。《隋志》又有《張掖郡玄石圖》一卷,孟眾撰,疑即涼州刺史所上之本。

董巴　建武以來災異　巴始末具史部儀制類。

《續漢書·五行志》:"故泰山太守應劭、給事中董巴、散騎常侍譙周並撰《建武以來災異》,今合而論之,以續前志。"

按此疑即巴所作《後漢書》中之《五行志》,猶《大漢輿服志》之類也。以別無碻證,故與所作《輿服志》、《中官傳》分別著錄。譙周《建武以來災異》即所纂《後漢記》中之一篇,已并入正史類中,此不複出。

譙周　讖記　周始末具經部禮類。

《蜀志·杜瓊傳》:"瓊問譙周曰:'寧復有所怪耶?'周曰:'未達也。'瓊曰:'古者名官職不言曹,始自漢以來,名官盡言曹,吏言屬曹，卒言侍曹，此殆天意也。'周緣瓊言，乃觸類而長之，曰：'《春秋傳》著晉穆侯名太子曰仇，弟曰成師。師服曰，異哉君之名子也。嘉耦曰妃，怨耦曰仇，今君名太子曰仇，弟曰成師，始兆亂矣，兄其替乎，其後果如服言。及漢靈帝名二子曰史侯、董侯，既立爲帝，後皆免爲諸侯，與師服言相似也。先主諱備，其訓具也，後主諱禪，其訓授也，如言劉已具矣，當授與人也。意者甚於穆侯、靈帝之名子。'後宦人黃皓弄權於内，景耀五年，宮中大樹無故自折，周深憂之，無所與言，乃書柱曰：'衆而大，期之會，具而授，若何復。'言曹者衆也，魏者大也，衆而大，天下其當會也，具而授，如何復有立者乎。蜀既亡，咸以周言爲驗。周曰：'此雖己所推尋，然有所因，由杜君之辭而廣之耳，殊無神思獨至之異也。'"按周所言，其別有神思獨至之異者在歟？

《華陽國志·李特雄期壽勢志》讚曰："長老傳譙周讖曰：'廣漢城北有大賊，曰流曰特攻難得，歲在玄宮自相賊。'終如其記。先識預覩，何異古人乎？"又《大同志》曰："武平府君云：'譙周言己没三十年後，當有異人入蜀，蜀由之亡。'蜀亡之歲，去周三十三年云。"

按《蜀志》、《華陽國志》並述譙周《讖記》之文，則周有《讖記》之書審矣。《蜀志》本傳又云："咸熙二年夏，巴郡文立從洛陽還蜀，過見周。周語次，因書版示立曰：'典午忽兮，月酉没矣。'典午者，謂司馬也；月酉者，謂八月也。至八月，而文王果崩。"此亦似陳承祚采讖文以入史者。

又五行類凡七家，一十五部。

魏武　四時食制

《魏志·武紀》注：《傅子》曰："太祖又好養性法，亦解方藥。招引方術之士，左慈、華佗、甘始、郄儉等無不畢至。又習唉野葛至一尺,亦得少多飲鴆酒。"

汪師韓《文選理學權輿》曰:"《選注》所引羣書,有魏武《四時食制》。"

嚴可均《全三國文編》曰:"魏武《四時食制》,《文選·海賦》注,《初學記》卷三十,《太平御覽》九百三十六、七、八、九至四十引見凡十四條。"

按《隋志》有《四時御食經》一卷,又《食經》十四卷,又引《七錄》有《食經》二卷,又一部十九卷,又《太官食經》五卷,《太官食法》二十卷,並不著撰人。蓋合諸家食經爲一編。魏武《四時食制》當在此數書中。

吕博　玉匱鍼經一卷

吕博　衆難經注一卷

《太平御覽》七百二十四《玉匱鍼經》序曰:"吕博少以醫術知名,善診脈論疾,多所著述。吳赤烏二年爲太醫令,撰《玉匱鍼經》及注《八十一難經》,大行於代。"

《隋書·經籍志》:"《玉匱鍼經》一卷。"失著撰人。又曰:"梁有《黄帝衆難經》一卷,吕博望注,亡。"《崇文總目》:"《金縢玉匱鍼經》三卷,吕博撰。"

按《隋志》,《玉匱鍼經》之下,又有《赤烏神鍼經》一卷,不著撰人,兩《唐志》並云張子存撰,子存不知何代人。吕博,《七錄》稱吕博望,或其字歟?

李譡之　藥録三卷

《本草綱目·序例》引韓保昇《蜀本草》曰:"李氏《藥録》,魏李當之撰。當之,華佗弟子,修《神農本草》三卷,而世少行。李時珍曰:其書散見吳氏、陶氏《本草》中,頗有發明。"

《隋書·經籍志》:"梁有李譡之《本草經》一卷,亡。"又曰:"梁有李譡之《藥録》六卷,亡。"《唐·經籍志》:"《李氏本草》,三卷。"失著撰人。《藝文志》同。

按《李氏本草》即李氏《藥録》。《七録》一卷、六卷,據韓保昇言,皆非其原第。吳普《本草》多引李氏,今略見於《御覽·百穀部》、《菜部》、《藥部》中。①

吳普　本草六卷

《魏志·華佗傳》:"廣陵吳普從佗學,普依準佗療,多所全濟。佗語以五禽之戲,普施行之。年九十餘,耳目聰明,齒牙完全。"范書《方術傳》同。

《本草綱目·序例》引韓保昇曰:"吳氏《本草》,魏吳普撰。廣陵人,華佗弟子,凡一卷。李時珍曰:其書分記神農、黃帝、岐伯、桐君、雷公、扁鵲、華陀、李氏所説,性味甚詳。今亦失傳。"《隋書·經籍志》:"梁有華陀弟子吳普《本草》六卷,亡。"《唐·經籍志》:"吳氏《本草因》六卷,吳普撰。"《藝文志》同。

按《御覽》引吳氏《本草》凡數十條,其中言諸藥氣味有引醫和者,在李時珍所舉諸家之外。兩《唐志》作《本草因》,豈其本名歟?

李譡之　藥方一卷

《隋書·經籍志》:"梁有李譡之《藥方》一卷,亡。"

阮炳　藥方十六卷

《魏志·杜恕傳》注:《杜氏新書》曰:"阮武弟炳,字叔文,河南尹。精意醫術,撰《藥方》一部。"

《隋書·經籍志》:"梁又有《阮河南藥方》十六卷,阮文叔撰,亡。"《唐·經籍志》:"《阮河南方》十六卷,阮炳撰。"《藝文志》同。

右醫家類凡五家,七部。

---

① "中"前原脱"部"字,據《二十五史補編》本補。

魏文帝　皇博經一卷

《魏志·文紀》注:《典論自叙》曰:"余於他戲弄之事少所喜,唯彈棊略盡其巧,少爲之賦。昔京師先工有馬合鄉侯、東方安世、張公子,常恨不得與彼數子者對。"《博物志》曰:"帝善彈棊,能用手巾角。"

《唐書·經籍志》:"《皇博經》一卷,魏文帝撰。"《藝文志》:"魏文帝《皇博經》一卷。"

按《隋志》兵家有《皇博法》一卷,不著撰人,似即此書。

邯鄲淳　藝經　淳始末具小説家。

汪師韓《文選理學權輿》曰:"《選注》所引羣書,有邯鄲淳《藝經》。"

馬國翰輯本序曰:"邯鄲淳《藝經》,《隋》、《唐志》不著録,佚已久。甄鸞《數術記遺》注,《廣韻》善字注,《文選》顏延年《赭白馬賦》、曹子建《白馬篇》、魏文帝《與吳質書》、韋宏嗣《博奕論》注,《後漢書·梁冀傳》注,《太平御覽》七百五十五,並引之。輯録爲卷,其目可見者,曰捐悶、曰三不比兩、曰四維、曰馬射、曰彈棊、曰碁局、曰投壺、曰擊壤、曰夾食、曰簺子、曰擲磚,凡十一事。"

高貴鄉公　祖二疏圖

高貴鄉公　盜跖圖

高貴鄉公　黃河流勢圖

高貴鄉公　新豐放雞犬圖

高貴鄉公　於陵子黔婁夫妻圖

高貴鄉公　卞莊子刺虎圖

張彦遠《歷代名畫記》:"魏少帝曹髦字士彦,東海定王霖之子。幼好學,善書畫。初封高貴鄉公,後即帝位,甘露三年卒,年二十。《魏志》有傳。曹髦之迹,獨高魏代。有《祖二疏

圖》、《盜跖圖》、《黃河流勢》、《新豐放雞犬圖》傳於代，又有
《於陵子黔婁夫妻圖》。"

宋郭若虛《圖畫見聞志》："古之祕畫珍圖，雖不能盡見其蹟，
前人載之甚詳，典範則後漢蔡邕有《講學圖》，壯氣則魏曹髦
有《卞莊刺虎圖》。"

按《名畫記》載魏帝所撰《雜畫圖》一卷，不云魏之何帝，疑即
此諸畫圖裝爲一卷者。又有魏《順應圖》四十卷，《大駕鹵簿
圖》三卷，《明帝太學圖》三卷，似皆魏代人作。

嵇康　獅子擊象圖　康始末具經部易類。

嵇康　巢父許由圖

張彥遠《歷代名畫記》："嵇康字叔夜，譙國銍人。工書畫，有
《獅子擊象圖》、《巢由圖》傳於代。"

曹不興　赤龍圖　又雜紙畫四種。

曹不興　兵符圖

《吳志·趙達傳》注:《吳錄》曰："曹不興善畫，孫權使畫屏風，
誤落筆點素，因就以作蠅。既進御，權以爲生蠅，舉手彈之。"

唐朱景玄《名畫錄》："吳赤烏元年冬十月，帝游青谿，見一赤
龍自天而下，淩波而行，遂命弗興圖之，帝爲之贊。"

張彥遠《歷代名畫記》："曹不興，吳興人。謝赫云:不興之迹
代不復見，祕閣內一龍頭而已。觀其風骨，擅名不虛，在第一
品。"又曰:"不興有雜紙畫《龍虎圖》、紙畫《青谿龍》、《赤盤
龍》、《南海監牧十種馬》、《夷子蠻獸樣》、《龍頭樣》，四並傳於
前代。"

《宣和畫譜》曰："曹弗興嘗畫《兵符圖》極工，然不見諸傳記
者，豈非一時祕而不出，故得以傳遠，不坐豐狐文豹之辠也。
今御府所藏。"

鍾繇　筆勢圖　繇始末具經部易類。

張彥遠《法書要錄》王右軍題衛夫人筆陳圖後曰："宋翼是鍾繇弟子。翼先來書惡，晉太康有人於許下破鍾繇墓，遂得《筆勢論》，翼乃讀之，依此法學，名遂大振。欲真書及行書皆依此法。"

按侯《志》小學類有鍾繇《隸書勢》，云《初學記》二十一凡三引鍾氏《隸書勢》，其文同《衛恒傳》。則《隸書勢》出鍾氏無疑也。乃《蔡中郎集》又以爲蔡作，今攷《初學記》所引三條皆在蔡邕《隸書勢》中，見張懷瓘《書斷》引，實爲蔡作。《初學記》偶誤會衛恒《四體書勢》之文，遂以爲鍾氏，鍾氏實未嘗作《隸書勢》也。

張宏　飛白序勢

張懷瓘《書斷》："吳處士張宏，字敬禮，吳郡人。篤學不仕，恒著烏巾，時號張烏巾。並善篆隸，其飛白妙絕當時，飄若雲游，激如驚電，飛仙舞鶴之態有類焉。自作《飛白序勢》，備説其美焉。歐陽詢曰：飛白，張烏巾冠世。"

韋誕　筆墨法一卷

《魏志》劉劭附傳注：《文章叙錄》曰："韋誕字仲將，京兆杜陵人。建安中，爲郡上計吏，特拜郎中，稍遷侍中中書監，以光禄大夫遜位。年七十五，卒於家。"《王粲傳》注魚豢曰："王、繁、阮、陳、路諸人，余又竊怪其不甚見用，以問大鴻臚卿韋仲將。"則誕嘗官鴻臚卿。又《齊王紀》注引《魏書》，司馬景王與羣臣共爲奏永寧宫，有云侍中中書監、安陽亭侯臣誕，則誕嘗封侯。

張懷瓘《書斷》曰："誕服膺於張芝，兼邯鄲淳之法，諸書並善，尤精題署。青龍中，洛陽、許、鄴三都宫觀始成，詔令仲將大爲題署，以爲永制。給御筆墨，皆不任用，因曰：'蔡邕自矜能書，兼斯喜之法，非流紈體素不妄下筆。夫工欲善其事，必先利其器。若用張芝筆、左伯紙、及臣墨，兼此三具又得臣手，然後可以建徑丈之勢，方寸千言。'嘉平五年卒。"

宋本《意林》：韋仲將《筆墨法》一卷。　　引一條。

嚴可均《全三國文編》曰："《齊民要術》九引韋誕《筆方》，《初學記》二十一引《墨方》。"

按舊、新《唐志》經部小學類並有《筆墨法》一卷，不著撰人，似即此書。《御覽》六百五亦引韋仲將《筆墨法》二條。

周宣　占夢書一卷

《魏志》本傳："宣字孔和，樂安人，爲郡吏。太守楊沛、東平劉楨數使占夢，文帝亦數問之，以爲中郎，屬太史。宣之叙夢，十中八九，世以比朱建平之相，明帝末年卒。"

《隋志》五行家："《占夢書》一卷，周宣等撰。"《唐·經籍志》："《占夢書》三卷，周宣撰。"《藝文志》："周宣《占夢書》三卷。"

按本傳宣爲楊沛、劉楨占各一事，爲文帝占三事，爲或人占芻狗三事，末云"宣之叙夢凡此類，其餘效不次列"，大抵撰是書爲之傳。《御覽》九百二十四引周宣《夢書》占鸚鵡一事，則在本傳之外。

朱建平　相書

《魏志》本傳："朱建平，沛國人也。善相術，於閭巷之閒，效驗非一。太祖爲魏公，聞之，召爲郎。文帝爲五官將，坐上會客三十餘人，文帝問己年壽，又令徧相衆賓，無不如言。惟相司空王昶、征北將軍程喜、中領軍王肅有蹉跌。建平又善相馬，黃初中卒。"

汪師韓《文選理學權輿》曰："《選注》所引羣書，有朱建平《相書》。"

按本傳載建平相文帝、夏侯威、應璩、曹彪、荀攸、鍾繇、王肅凡七事，又相馬一事。而云屭記數事，不能具詳，蓋亦據是書爲傳。《文選·辨命論》注引一條，在本傳之外。"朱"或引作

"宋"，刊誤也。《隋志》有《相書》四十六卷。又引《七録》有
《雜相書》九卷，《相書圖》七卷，皆裒合爲一編者，建平之書當
在其中。

韋氏相印法一卷　韋誕撰。誕始末見前。

程氏相印法一卷　程喜撰。

嚴可均《全三國文編》曰："程喜字申伯。青龍中青州刺史。
齊王時爲征北將軍。"

《魏志·夏侯玄傳》注：《魏氏春秋》云："《相印書》曰：相印法
本出陳長文，長文以語韋仲將，印工楊利從仲將受法，以語
許士宗。利以法術占吉凶，十可中八九。仲將又問長文從
誰得法，長文曰：本出漢世，有《相印》、《相笏經》，又有《鷹
經》、《牛經》、《馬經》。印工宗養以法語程申伯，故有一十二
家相法。"

《隋書·經籍志》："梁有韋氏《相板印法指略鈔》、魏征東將軍
程申伯《相印法》各一卷，亡。"《通志·藝文略》五行相印家：
"韋氏《相板印法》一卷，魏程申伯《相印法》一卷。"

按《魏氏春秋》引《相印書》云云，似其序文。陳羣字長文，韋
誕字仲將，許允字士宗。《魏氏春秋》言允善相印，程喜字申
伯。《魏志·杜恕傳》言喜爲征北將軍。《七録》作征東，或其
轉官歟？陳長文、許士宗、楊利、宗養四家亦當有《相印法》，
今不可攷。《七録》稱韋氏《相板印法指略鈔》，則其書兼言相
手版者。

高堂隆　相牛經二卷　隆始末具史部故事類。

《世説·汰侈篇》注：《相牛經》曰："《牛經》出甯戚，傳百里奚。
漢世河西薛公得其書，以相牛，千百不失。本以負重致遠未
服輶軘，故文不傳。至魏世，高堂生又傳以與晋宣帝，其後王
愷得其書焉。"

《隋志》五行家："梁有高堂隆《相牛經》二卷，亡。"

按《世說》注引《相牛經》，亦似其序文中之言。據所云云，則是書特爲高堂生所傳，未必是高堂生所撰。然《七録》與甯戚、王良二家書分别著録，則高堂生别有其本可知矣。

右雜藝術類凡一十三家，二十部。

三國藝文志卷四

集之類二，曰別集，曰總集。附録二種，曰佛經，曰道書。

魏武帝集三十卷録一卷

魏武帝逸集十卷

魏武帝集新撰十卷

《魏志·本紀》注：《魏書》曰：“太祖御軍三十餘年，手不捨書。書則講武策，夜則思經傳。登高必賦，及造新詩，被之管絃，皆成樂章。”

《魏志·文紀》注：《典論》自叙曰：“上雅好詩書文籍，雖在軍旅，手不釋卷。每每定省從容，常言人少好學則思專，長則善忘，長大而能勤學者，唯吾與袁伯業耳。”袁遺字伯業，汝南人，袁紹從兄。見《武紀》初平元年裴氏注。

鍾嶸《詩品》曰：“曹公古直，甚有悲涼之句。”

《文心雕龍·時序篇》曰：“建安之末，區宇方輯。魏武以相王之尊，雅愛詩章。”

《隋志·經籍志》：“《魏武帝集》二十六卷，梁三十卷，録一卷。梁又有《武皇帝逸集》十卷，亡。”又曰：“《魏武帝集新撰》十卷。”《唐·經籍志》：“《魏武帝集》三十卷。”《藝文志》同。

明張溥《漢魏六朝百三家·魏武帝集》輯本一卷。凡令、教、表、奏事、策、書、尺牘、序、祭文、樂府歌辭，綜一百四十五篇。嚴可均《全三國文編》輯本三卷，凡賦、策、表、奏、上書、上事、教、令、書、序、家傳、雜文綜一百五十篇。明馮惟訥《詩紀》輯存樂府十四篇，二十一首。

魏文帝集二十三卷

《魏志·本紀》:"初帝好文學,以著述爲務,自所勒成垂百篇。"又曰:"文帝天資文藻,下筆成章,博聞彊識,才藝兼該。"

《魏志·本紀》注:《魏書》曰:"帝八歲能屬文,有逸才,博貫古今經傳諸子百家之書。初在東宮,疫癘大起,時人彫傷。帝深感歎,與素所敬者大理王朗書曰:'生有七尺之形,死爲一棺之土,唯立德揚名可以不朽,其次莫如著篇籍。疫癘數起,士人彫落,余獨何人,能全其壽。'故論撰所著《典論》、詩賦蓋百餘篇。"

鍾嶸《詩品》曰:"魏文帝詩,其源出於李陵,頗有仲宣之體。則所訂百許篇,率皆鄙質如偶語,惟《西北有浮雲》十餘首,殊美贍可翫,始見其工矣。不然,何以銓衡羣彦,對揚厥弟者耶。"

《文心雕龍·才略篇》曰:"魏文之才,洋洋清綺。舊談抑之,謂去植千里。然子建思捷而才儁,詩麗而表逸。子桓慮詳而力緩,故不競於先鳴,而樂府清越,《典論》辨要,迭用短長,亦無懵焉。但俗情抑揚雷同一響,遂令文帝以位尊減才,思王以勢窘益價,未爲篤論也。"又《銘箴篇》云:"魏文九寶,器利辭鈍。"《序志篇》云:"近代論文,若魏文述典,密而不周。"

《隋書·經籍志》:"《魏文帝集》十卷,梁二十三卷。"《唐·經籍志》:"《魏文帝集》十卷。"《藝文志》同。《宋史·藝文志》:"《魏文帝集》一卷。"

《玉海》二十八《中興書目》:"《魏文帝集》六卷,賦、詩各二,書、表、詔一,雜文一。"

張氏《百三家·魏文帝集》輯本二卷,凡賦、詔、令、策、教、表、書、序、論、議、連珠、銘文、哀策、誄制、樂府詩,綜一百九十餘篇。嚴氏《文編》輯本四卷,凡賦、詔、策、令、教、上書、議、書、

叙、論、連珠、銘、誄、雜文，綜一百六十九篇，繫以《典論》一
卷。馮氏《詩紀》輯存樂府詩三十五篇，四十二首，附《甄后樂
府》一首。

魏明帝集九卷録一卷

《魏志·本紀》注：《魏書》曰："帝好學多識，特留意於法理。
自在東宮，不交朝臣，不問政事，唯潛思書籍而已。"

鍾嶸《詩品》曰："曹公古直，甚有悲涼之句。叡不如丕，亦稱
三祖。"

《文心雕龍·時序篇》："明帝纂戎，制詩度曲。徵篇章之士，
置崇文之館，何、劉群才，迭相照耀。"

《隋書·經籍志》："《魏明帝集》七卷，梁五卷，或九卷，録一
卷。"《唐·經籍志》："《魏明帝集》十卷。"《藝文志》同。

嚴氏《文編》輯本二卷，凡賦、詔、璽書、露布、論、雜文，綜九十
篇。馮氏《詩紀》輯存樂府十卷。

魏高貴鄉公集四卷

《魏志·本紀》評曰："高貴公才慧夙成，好問尚辭，蓋亦文帝
之風流也。"

《本紀》注：《魏氏春秋》曰："公神明爽儁，德音宣朗。罷朝，司
馬景王私曰：'上何如主也?'鍾會對曰：'才同陳思，武類太
祖。'"《本紀》注帝《集》載自叙始生禎祥一篇。傅暢《晋諸公
贊》曰："帝嘗與中護軍司馬望、侍中王沈、散騎常侍裴秀、黃
門侍郎鍾會等講宴於東堂，并屬文論。名秀爲儒林丈人，沈
爲文籍先生，望、會亦各有名號。"

《文心雕龍·時序篇》曰："少主相仍唯高貴英雅，顧盼合章，
動言成論。於時正始餘風，篇體輕澹，而嵇、阮、應、繆，并馳
文路矣。"

《隋書·經籍志》："梁又有《高貴鄉公集》四卷，亡。"《唐·經

籍志》:"《魏高貴鄉公集》二卷。"《藝文志》同。

嚴氏《文編》輯本凡賦、詔、論、叙綜二十四篇。

魏陳思王曹植撰定前錄七十八篇　植始末具經部樂類。

《藝文類聚》五十三魏陳王曹植《文章序》曰:"故君子之作也,儼乎若高山,勃乎若浮雲,質素也如秋蓬,摛藻也如春葩,汜乎洋洋,光乎睊睊,與《雅》《頌》爭流可也。余少而好賦,其所尚也,雅好慷慨,所著繁多,雖觸類而作,然蕪穢者衆,故删定,别撰爲《前錄》七十八篇。"

按傳注引《典略》植與楊修書曰:"今往僕少小所著辭賦一通相與。"修答書曰"猥受顧賜,教使刊定"云云。與此錄自序所言相印合。其即此錄嘗以屬楊修點定者,建安十九年徙封臨菑之後事也。

魏陳思王曹植集三十卷

魏陳思王曹植集二十卷

《魏志》本傳:"景初中詔曰,陳思王自少至終,篇籍不離於手,誠難能也。其撰錄植前後所著賦、頌、詩、銘、雜論凡百餘篇,副藏内外。"

鍾嶸《詩品》曰:"魏陳思王詩,其源出於《國風》。骨氣奇高,詞采華茂,情兼怨雅,體被文質,粲溢今古,卓爾不羣。孔氏之門如有詩,則公幹升堂,思王入室。"又曰:"古詩如曹植、劉楨、王粲、阮籍等十二人皆上品。"

《文心雕龍·明詩篇》曰:"四言、五言兼善,則子建、仲宣。"《章表篇》云:"陳思之表,獨冠羣才。觀其體贍而律調,辭清而旨顯。應物制巧,隨變生趣,執轡有餘,故能緩急應節矣。"《頌讚篇》云:"陳思所綴,以皇子爲標。"《雜文篇》云:"陳思《七啟》,致美於宏壯。"又曰:"陳思《客問》,辭高而理疏。"《誄碑篇》云:"陳思叨名,而體實繁緩,文皇誄末,旨言自陳,其乖甚矣。"《論説篇》云："曹植辨道,體同書鈔。"《封禪篇》云："陳思《魏德》,假論客主,問答迂緩,且已千言,勞深勣寡,飆炎缺焉。"《序志篇》云："詳觀近代之論文者,若陳思序書,辨而無當。"

《隋書·經籍志》："《魏陳思王曹植集》三十卷。"《日本國見在書目》："《魏曹植集》三十卷。"《唐·經籍志》："《魏陳思王集》二十卷,又三十卷。"《藝文志》同。《通志略》："《陳思王集》三十卷,又二十卷。"《宋·藝文志》："《曹植集》十卷。"

晁氏《郡齋讀書志》曰："按《魏志》,景初中撰録植所著凡百餘篇。《隋志》植集三十卷,《唐志》二十卷。今集十卷,比隋、唐本有亡佚者。而詩文二百篇,返溢於本傳所載,不曉其故。"

陳氏《書録解題》曰："《陳思王集》二十卷,卷數與《唐志》合。其間亦有采取《御覽》、《書鈔》、《類聚》諸書中所有者。意皆後人附益,然則亦非當時全書矣。"

《四庫提要》曰："《曹子建集》十卷,此本目録後有'嘉定六年癸酉'字,猶從宋寧宗時本翻彫,蓋即《通考》所載也。按《通考》所載十卷本,與晁《志》同。凡賦四十四篇,詩七十四篇,雜文九十二篇,合二百十篇,殘篇斷句錯出其間。《棄婦篇》見《玉臺新詠》。《鏡銘》八字,反覆顛倒皆叶韻成文,實爲迴文之祖,見《藝文類聚》。皆未收入,亦不免有所舛漏。"

嚴氏《文編》叙目曰："《曹植集》十卷,明郭萬程刻本;又二卷,明張溥《百三家集》本今輯本。七卷,凡賦五十六篇,令、章、表、疏、書、序、頌、畫贊、論、説、銘、誄、雜文百四十三篇。馮氏《詩紀》樂府詩五十六篇。"

按陳思王文章有前、後《録》。景初詔撰稱前後所著百餘篇,亦似指《前録》、《後録》而言。除《前録》自定七十八篇,《後録》當二十餘。疑《前録》三十卷,《後録》二十卷。隋時但有

《前録》,唐代乃前、後《録》並出。《通志略》以三十卷在前,二十卷列後,似亦以爲《前録》、《後録》所以別於《唐志》之顛倒歟？然是否即景初原本,不可知已。

魏中山恭王曹袞集

《魏志·武文世王公傳》:"武皇帝二十五男。杜夫人生沛穆王林、中山恭王袞。袞,建安二十一年封平鄉侯。少好學,年十餘歲能屬文。二十二年,徙封東鄉,其年又改封贊。黃初二年,進爵爲公。三年,爲北海王。其年,黃龍見鄴西漳水,袞上書贊頌。四年,改封贊王。七年,徙封濮陽。太和二年就國,五年冬,入朝。六年,改封中山。青龍三年秋,袞得疾病,其年薨。凡所著文章二萬餘言,才不及陳思王而好與之侔。子孚嗣。"《明紀》:"青龍三年冬十月己酉,中山王袞薨。"

嚴氏《文編》輯存本傳所載敕令官屬、敕世子各一篇,皆疾困時作也。

魏侍中劉廙集二卷　廙始末具史部雜傳記類。

本傳:"廙著書數十篇,及與丁儀共論刑禮,皆傳於世。"

《吳志·孫皓傳》注:《江表傳》曰:"初,丹陽刁玄使蜀,得司馬徽與劉廙論運命曆數事。"

《文心雕龍·書記篇》曰:"劉廙謝恩,喻切以至,箋之爲善者也。"

《隋書·經籍志》:"梁又有《劉廙集》二卷,亡。"《唐·經籍志》:"《劉廙集》二卷。"《藝文志》同。

嚴氏《文編》輯存表、疏、上言、奏議、箋、答、難、戒凡十二篇,合以《政論》爲一卷。

魏散騎常侍王象集一卷

《魏志·楊俊傳》:"俊避地并州,本郡王象,少孤特,爲人僕隸,年十七八,見使牧羊。而私讀書,因被箠楚。俊嘉其才

質,即贖象著家,聘娶立屋,然後與別。"《魏略》曰:"象字義
伯。既爲俊所知拔,果有才智。建安中,與同郡荀緯等俱爲
魏太子所禮待。及王粲、陳琳、阮瑀、路粹等亡後,新出之中,
惟象才最高。魏有天下,拜象散騎侍郎,遷常侍,封列侯,領
祕書監。象既性氣和厚,又文采温雅,用是京師歸美,稱爲儒
宗。後文帝殺俊,象自恨不能濟俊,遂發病死。"

《魏志·衛覬傳》:"黃初時,散騎常侍河内王象亦與覬並以文
章顯。"

《隋書·經籍志》:"梁又有《散騎常侍王象集》一卷,亡。"

嚴氏《文編》録存《薦楊俊》一篇。

魏越騎校尉荀緯集

《魏志》王粲附傳:"自潁川邯鄲淳、繁欽、陳留路粹、沛國丁
儀、丁廙、弘農楊修、河内荀緯等,亦有文采,而不在此七人之
列。"按"七人"謂建安七子也。

裴注:"荀勖《文章叙録》曰:'緯字公高。少喜文學。建安中,
召署軍謀掾、魏太子庶子,稍遷至散騎常侍,越騎校尉。年四
十二,黃初四年卒。'"

按《魏志》此一卷所叙凡三十一人,皆文學士,各自著書傳世
者。荀緯有文采,次建安七子,與王象同爲魏太子所禮,又見
於《文章叙録》,必有所作。其集蓋久亡,故《七録》、《隋志》不
及著録。

魏給事中邯鄲淳集二卷録一卷　淳始末具子部小説家。

《魏志》王粲附傳注:《魏略》曰:"淳博學有才章,黃初初,作
《投壺賦》千餘言奏之,文帝以爲工,賜帛千匹。"按"千"字似誤。

《文心雕龍·才略篇》曰:"丁儀、邯鄲,亦含論述之美。"又《封
禪篇》云:"至於邯鄲受命,攀響前聲,風末力寡,輯韻成頌,雖
文理順序,而不能奮飛。"

《隋書·經籍志》:"魏給事中《邯鄲淳集》二卷,梁有録一卷。"
《唐·經籍志》:"《邯鄲淳集》二卷。"《藝文志》同。

嚴氏《文編》輯存《投壺賦》、《受命述》及上表、《漢鴻臚陳紀碑》、《孝女曹娥碑》凡五篇。馮氏《詩紀》輯存四言詩一篇。

魏中書令劉階集二卷

《隋書·經籍志》:"梁又有《中書令劉階集》二卷,亡。"

按劉階始末未詳,疑是桓階之誤。《魏志》列傳,以傅嘏、桓階相先後。《隋志》引《七録》,亦以劉階、傅嘏相連屬。由是推尋,其出於桓階爲多。階,文帝時爲尚書令侍中,別見史部雜傳記類。《七録》云中書令,"中"亦疑"尚"字之譌。嚴氏《文編》從裴注、《宋書·禮志》、《通典》輯存其奏議六篇。

魏西平太守嚴苞集

《魏志·王肅傳》注:《魏略·儒宗傳》曰:"建安初,賈洪應州辟。時州中自參軍事以下百餘人,唯洪與馮翊、嚴苞交通材學最高。[①] 苞歷守二縣,黄初中,以高才入爲祕書丞,數奏文賦,文帝異之,出爲西平太守,卒官。"

按苞數奏文賦,則當時有集可知。

魏新城太守孟達集三卷

《蜀志·劉封傳》:"初,劉璋遣扶風孟達副法正,各將兵迎先主。蜀平後,以達爲宜都太守。建安二十四年,命達北攻房陵,進攻上庸,遣封下統達軍。自關羽圍樊城、襄陽,連呼封、達發兵自助。封、達不承羽命。會羽覆敗,先主恨之。又封與達忿争不和,封尋奪達鼓吹。達既懼罪,又忿恚封,遂發表辭先主,率所領降魏。魏文帝善達之姿才容觀,以爲散騎常侍、建武將軍,封平陽亭侯。合房陵、上庸、西城三郡,達領新

---

① "交",殿本《三國志》作"文"。

城太守,遣征南將軍夏侯尚、右將軍徐晃與達共襲封。封破
走還成都。達字子敬,改字子度。"《魏志·文紀》:"延康元年
秋七月,蜀將孟達率衆降。"《明紀》太和元年十二月,新城太
守孟達反,詔驃騎將軍司馬宣王討之。二年春正月,宣王攻
破新城,斬達,傳其首。"按達反事詳見《明紀》注,又略見《劉曄傳》。
《隋書·經籍志》:"梁又有《新城太守孟達集》三卷,亡。"
《唐·經籍志》:"《孟達集》三卷。"《藝文志》同。兩《唐志》皆誤作
"孟達"。

嚴氏《文編》錄存達《辭先主表》、《在魏奏薦王雄》、《在魏與劉
封書》、《與諸葛亮書》、《兵到又告諸葛亮》凡五篇。

魏司徒王朗集三十四卷　朗始末具經部易類。

本傳:"朗著《易》、《春秋》、《孝經》、《周官傳》、奏議、論記,咸
傳於世。"《魏書》曰:"朗高才博雅。"

《文心雕龍·奏啟篇》曰:"魏代名臣,文理迭興。若高堂天
文、王朗節省,亦盡節而知治矣。"又《才略篇》云:"王朗發憤
以託志,亦致美于序銘。"《銘箴篇》云:"王朗雜箴,乃置巾履,
得其戒慎,而失其所施。觀其約文舉要,憲章戒銘,而水火井
竈,繁辭不已,志有偏也。"

《隋書·經籍志》:"《魏司徒王朗集》三十四卷。(注云)梁三
十卷。"《唐·經籍志》:"《王朗集》三十卷。"《藝文志》同。

嚴氏《文編》錄存表、疏、上事、奏議、書、論、雜箴、貧窶語、《塞
勢》凡三十二篇。按《御覽》八百三十引王朗《新奏議》。似其集分奏議爲兩篇,
入魏之後曰《新奏議》,未可知也。

魏侍中吳質集五卷　質始末具史部雜傳記類。

《魏志》王粲附傳:"質以文才爲文帝所善。"《魏略》曰:"質以
才學通博,爲五官將及諸侯所禮愛。質亦善處其兄弟之間,
若前世樓君卿之游五侯矣。"《質別傳》曰:"及文帝崩,質思慕

作詩。”

《隋書·經籍志》:“梁又有《侍中吳質集》五卷,亡。”《唐·經籍志》:“《吳質集》五卷。”《藝文志》同。

嚴氏《文編》録存賦、箋、書、論凡七篇。馮氏《詩紀》録詩一篇。

魏司徒華歆集二卷

本傳:“歆字子魚,平原高唐人也。靈帝時舉孝廉,除郎中,後爲豫章太守。孫策略地江東,歆乃幅巾迎策。策死,太祖在官渡,表天子徵歆,拜議郎,參司空軍事,入爲尚書,轉侍中,代荀彧爲尚書令。魏國既建,爲御史大夫。文帝即王位,拜相國。及踐阼,改爲司徒。明帝即位,進封博平侯,轉拜太尉。太和五年薨,謚曰敬侯。”《魏書》云:“時年七十五。”

《隋書·經籍志》:“梁有《司徒華歆集》二卷,亡。”《唐·經籍志》:“《魏華歆集》二十卷。”《藝文志》:“《華歆集》三十卷。”按兩《唐志》卷數與《七録》懸殊,必有一誤。

嚴氏《文編》録存《請叙鄭小同表》、《諫伐蜀疏》、《請受禪上言》、《奏討孫吳》凡四篇。

魏尚書傅巽集二卷録一卷　巽始末具史部雜傳記類。

《魏志·劉表傳》注《傅子》曰:“巽瓌偉博達,有知人鑒。”

《隋書·經籍志》:“梁有《尚書傅巽集》二卷,録一卷,亡。”《唐·經籍志》:“《傅巽集》二卷。”《藝文志》同。

嚴氏《文編》録存《槐樹賦》、《蚊賦》、《七誨》、《奢儉論》、《筆銘》凡五篇。

魏司徒陳羣集五卷　羣始末具經部論語類。

本傳:“羣祖父寔,父紀,叔父諶,皆有盛名。羣爲兒時,寔常奇異之,謂宗人父老曰:‘此興吾宗。’魯國孔融,高才倨傲,年在紀、羣之間。先與紀友,後與羣交,更爲紀拜,由是顯名。”

《隋書·經籍志》:"梁又有《司徒陳羣集》五卷,亡。"《唐·經籍志》:"《陳羣集》三卷。"《藝文志》同。

嚴氏《文編》錄存疏、諫、奏議、書及《汝潁人物論》凡一十三篇。

魏尚書衛覬集數十篇 覬始末具經部孝經類。

本傳:"還漢朝爲侍郎,勸贊禪代之儀,爲文誥之詔。"又曰:"覬歷漢、魏,時獻忠言。受詔典著作,凡所撰述數十篇。好古文,鳥篆、隸、草無所不善。河南潘勗、河內王象與覬並以文章顯。"

《古文苑·聞人牟準衛敬侯碑陰文》曰:"所著述注解故訓及文筆等甚多,皆已失墜。所注《孝經固而》、《倉頡篆碑》大篆書在左馮翊利陽亭南道旁,及《華山下亭碑增算狀》、《殷叔時碑》、《魏大饗碑》、《羣臣上尊號奏》及《受禪石表》文,並在許繁昌。《尊號奏鍾元常書》、《受禪表》,覬並金針八分書也。太祖、文帝等臨詔令雜駁議上封事一百餘條,《誡子》等散在門人,及碑石可見。"

《文心雕龍·詔策篇》:"建安之末,文理代興。潘勗九錫,典雅逸羣。衛覬禪誥,符命炳燿,弗可加已。"

嚴氏《文編》輯本一卷,凡詔册、表、疏、奏議、書、碑十七篇,附《聞人牟準衛敬侯碑陰文》一篇。嚴氏曰:"牟準不見于傳記,據碑陰言故吏門生,則去覬未遠也。又言所著述注解故訓及文筆甚多,皆已失墜。攷覬仕漢,入魏卒於明帝時。子瓘仕魏,入晉至惠帝永平初,家世烜赫,何至失墜。此必賈后矯詔殺瓘後之言也。"又曰:"獻帝諸禪詔皆覬作。"

按衛敬侯所撰,今可攷見者,唯《孝經固》、《魏官儀》兩書。其集亦不見於《隋》、《唐志》,蓋皆亡於賈后殺瓘及恒之時。嚴氏極意蒐萃,猶存一卷,可珍也。

魏光禄勳高堂隆集十卷録一卷　　隆始末具史部故事類。

本傳評曰:"高堂隆學業修明,志存匡君,因變陳戒,發于懇誠,忠矣哉! 及至必改正朔,俾魏祖虞,所謂意過其通者歟。"

本傳注習鑿齒曰:"高堂隆可謂忠臣矣。君侈每思諫期惡,將死不忘憂社稷,正辭動於昏主,明戒驗於身後,審諤足以勵物,德音没而彌彰,可不謂忠且智乎? 《詩》云:'聽用我謀,庶無大悔。'又曰:'曾是莫聽,大命以傾。'其高堂隆之謂也。"

《隋書·經籍志》:"魏光禄勳《高堂隆集》六卷,梁十卷,録一卷。"《唐·經籍志》:"《高堂隆集》十卷。"《藝文志》同。

嚴氏《文編》輯本一卷,凡對、詔、表、疏、上言、奏議、對問綜二十九篇。

魏徵士管寧集三卷録一卷　　寧始末具史部雜傳記類。

本傳:"寧與平原華歆、同縣邴原相友,俱游學於異國,並敬善陳仲弓。"

《隋書·經籍志》:"梁又有《魏徵士管寧集》三卷,録一卷。"《唐·經籍志》:"《管寧集》二卷。"《藝文志》同。

嚴氏《文編》輯存《辭疾上書》、《辭徵命上疏》、《辭辟別駕文》、《答桓範書》凡四篇。

魏散騎常侍繆襲集五卷録一卷　　襲始末具經部樂類。

《魏志》劉劭附傳:"劭同時東海繆襲亦有才學,多所述叙,亦著文賦,頗傳於世。"

鍾嶸《詩品》曰:"熙伯挽歌,唯以造哀爾。"

《隋書·經籍志》:"《魏散騎常侍繆襲集》五卷,梁有録一卷。"

《唐·經籍志》:"《繆襲集》五卷。"《藝文志》同。

嚴氏《文編》録存賦、表、奏對、奏、議、贊及祭儀凡一十四篇。

馮氏《詩紀》録存鼓吹曲、挽歌凡十三篇。

魏光禄勳劉劭集二卷　録一卷　　劭始末具經部樂類。

本傳：“卲嘗作《趙都賦》，明帝美之，詔卲作《許都》、《洛都賦》。時外興軍旅，内興宫室，卲作二賦，皆諷諫焉。青龍中，詔書博求衆賢。散騎侍郎夏侯惠薦卲曰：‘伏見散騎常侍劉卲，深忠篤思，體周於數，凡所錯綜，源流弘遠，是以羣才大小，咸取所同而斟酌焉。故性實之士服其平和良正，清静之人慕其玄虚退讓，文學之士嘉其推步詳密，法理之士明其分數精比，意思之士知其沈深篤固，文章之士愛其著論屬辭，制度之士貴其化略較要，策謀之士贊其明思通微，凡此諸論，皆取適己所長而舉其支流者也。臣數聽其清談，覽其篤論，漸漬歷年，服膺彌久，實爲朝廷奇其器量。’”“臣松之以爲凡相稱薦，率多溢美之辭，能不違中者或寡矣。惠之稱卲云‘玄虚退讓’及‘明思通微’，近於過也”。

《文心雕龍·才略篇》曰：“劉卲《趙都》，能攀於前修。”

《隋書·經籍志》：“梁又有《光禄勳劉卲集》二卷，録一卷，亡。”《唐·經籍志》：“《劉卲集》二卷。”《藝文志》同。

嚴氏《文編》録存《趙都賦》、《嘉瑞賦》、《龍瑞賦》、疏、議、序、《七華》、《飛白序勢》、誄凡一十三篇。　按《飛白序勢》，嚴氏從《藝文類聚》七十四卷中録出，今攷張懷瓘《書斷》，乃晋劉紹撰，非此劉卲也。

魏散騎常侍麋元集五卷

《隋書·經籍志》：“梁又有《散騎常侍麋元集》五卷，亡。”

《唐·經籍志》：“《麋元集》五卷。”《藝文志》同。

嚴氏《文編》：“麋元爲散騎常侍，有集五卷。《藝文類聚》三十六引魏麋元《讓許由》一篇，又三十七及《御覽》五百九十六引元《弔夷齊文》一篇。”

按麋元始末無可考。魏有麋信，蜀有麋竺、麋芳，並東海胊人，殆其族歟？《類聚·弔夷齊文》有王粲、阮瑀、麋元三人。粲之辭曰：“歲旻秋之仲月，從王師以南征，濟河津而長驅，覽首陽於東隅。”瑀之辭曰：“余以王事適彼洛師，詹望首陽，敬弔伯夷。”元之辭曰：“少承洪烈，從戎於王側，聞先生處於首陽，敢不敬弔，寄之山岡尋其文。”則元與王、阮從魏武西征馬超、韓遂時作，建安十六年也。大抵初亦爲丞相掾屬，歷官散騎常侍者。《御覽》同卷又有麋元《弔比干文》。

魏游擊將軍卞蘭集二卷　錄一卷

《魏志》武宣卞皇后附傳：“后琅邪開陽人，文帝母也。后弟秉，以功進封開陽侯，爲昭烈將軍。秉薨，子蘭嗣。蘭少有才學，爲奉車都尉游擊將軍，加散騎常侍。”《魏略》曰：“蘭獻賦，贊述太子德美。”

《隋書·經籍志》：“梁又有《游擊將軍卞蘭集》二卷，錄一卷，亡。”《唐·經籍志》：“《卞蘭集》二卷。”《藝文志》同。

嚴氏《文編》錄存《贊述太子賦》、《許昌宮賦》、《七牧》、《座右銘》凡四篇。

魏隰陽侯李康集二卷　錄一卷

《太平御覽》五百八十六引《魏書》曰：“李康字蕭遠，性介立不和俗，爲鄉里所嫉，故官不進。嘗作《游九疑》詩，明帝異其文，問左右斯人安在，吾欲擢之。因起家爲隰陽長，卒。”《文選·運命論》注引宋劉義慶《集林》曰：“李康字蕭遠，中山人也。著《游山九吟》，魏明帝異其文，遂起家爲尋陽長，政有美績，病卒。”

《文心雕龍·論説篇》曰：“李康《運命》，同《論衡》而過之。”

《隋書·經籍志》：“梁有《隰陽侯李康集》二卷，錄一卷，亡。”《唐·經籍志》：“《李康集》二卷。”《藝文志》同。

嚴氏《文編》錄存《髑髏賦》、《游山九吟》、《序運命論》凡三篇。

按《魏書》：“康字蕭遠。”《選注》引《集林》作“蕭遠”，未詳孰是。“隰陽長”，《選注》作“尋陽長”，似非是。《隋志》引《七録》作"隰陽侯"，"侯"當爲"長"。

魏大司農桓範集二卷　範始末具子部法家。

《隋書·經籍志》："梁又有《桓範集》二卷，亡。"《唐·經籍志》："《桓範集》二卷。"《藝文志》同。

嚴氏《文編》録存表、書五篇，并《世要論》逸文爲一卷。

魏中領軍曹羲集五卷録一卷　羲始末具子部儒家。

《隋書·經籍志》："梁又有《中領軍曹羲集》五卷，録一卷，亡。"《唐經籍志》："《曹羲集》五卷。"《藝文志》同。

嚴氏《文編》録存《爲兄爽表司馬懿》、《爲太傅大司馬申蔣濟叔嫂服議》、《九品議》、《至公論》、《肉刑論》凡五篇。

魏尚書何晏集十卷録一卷　晏始末具經部易類。

《魏志》曹爽附傳："晏以才秀知名，作《道德論》及諸文賦，著述凡數十篇。"

《世説·規箴篇》曰："何晏令管輅作卦，云：'不知位至三公否？'卦成，輅稱引古義，深以戒之。晏曰：'知幾其神乎！《詩》不云乎：中心藏之，何日忘之。'"注《名士傳》曰："是時曹爽輔政，識者慮有危機。晏有重名，與魏姻戚，内雖懷憂而無復退也。著五言詩以言志，蓋因輅言懼而賦詩。"

鍾嶸《詩品》曰："平叔《鴻雁》之篇，風規見矣，宜居中品。"

《文心雕龍·明詩篇》曰："及正始，明道詩雜仙心，何晏之徒率多浮淺。"又《才略篇》云："何晏景福，克光於後進。"

《隋書·經籍志》："《魏尚書何晏集》十一卷，梁十卷，録一卷。"《唐·經籍志》："《何晏集》十卷。"《藝文志》同。

嚴氏《文編》録存賦、奏、議、論、叙、頌、銘凡十四篇。馮氏《詩紀》五言詩二首。

魏尚書郎王弼集五卷録一卷　弼始末具經部易類。

《隋書·經籍志》："梁又有《王弼集》五卷，録一卷，亡。"《唐·

經籍志》:"《王弼集》五卷。"《藝文志》同。

嚴氏《文編》錄存弼《戲答荀融書》一篇,《難何晏聖人無喜怒哀樂論》一篇。

魏衛尉卿應璩集十卷　錄一卷

《魏志》王粲附傳:"汝南應瑒,瑒弟璩,咸以文章顯。璩官至侍中。"

《魏志》附傳注:《文章叙錄》曰:"璩字休璉,博學好屬文,善爲書記。文、明帝世歷官散騎常侍。齊王即位,稍遷侍中、大將軍長史。曹爽秉政,多違法度,璩爲詩以諷焉。其言雖頗諧合,多切時要,世共傳之。復爲侍中,典著作。嘉平四年卒,追贈衛尉。"

《文選注》:"李充《翰林論》曰:'應休璉五言詩數十篇,以風規治道,蓋有詩人之旨焉。'"

《文選注》:"孫盛《晋陽秋》曰:'應璩作五言詩百三十篇,言時事,頗有補益,世多傳之。'"

《文選注》:"張方賢《楚國先賢傳》曰:'汝南應休璉作百一篇詩,譏切時事,徧以示在事者,咸皆怪愕,或以爲應焚棄之,何晏獨無怪也。'"

《文選注》:"《今書七志》曰:《應璩集》謂之《新詩》,以百言爲一篇,或謂之《百一詩》。然以字名詩,義無所取。據《百一詩序》云,時謂曹爽曰:'公今聞周公巍巍之稱,安知百慮有一失乎!'百一之名,蓋興於此也。"

鍾嶸《詩品》曰:"魏侍中應璩詩祖襲魏文,善爲古語,指事殷勤,雅意深篤,得詩人激刺之旨。"

《文心雕龍‧明詩篇》曰:"若乃應璩百一,獨立不懼,辭譎義貞,亦魏之遺直也。"又《才略篇》云:"休璉風情,則百一標其志。"

《隋書·經籍志》：“《魏衛尉卿應璩集》十卷，梁有録一卷。”又總集篇：“梁又有應貞注應璩《百一詩》八卷，亡。”《唐·經籍志》總集類：“《百一詩》八卷，應璩撰。”《藝文志》總集類：“應璩《百一詩》八卷。”

張氏《百三家》《應休璉集》輯本一卷，凡牋、書、詩四十餘篇。嚴氏《文編》録存牋四篇，書二十九篇。馮氏《詩紀》存詩七首。

按《百一詩》，《隋》、《唐志》編入總集者，以應貞注本故也。兩《唐志》不著應貞“注”字，疏矣。《通志·藝文略》詩總集類云《百一詩》八卷，應璩集，以爲璩集他人詩，攷《選注》引《七志》云《應璩集》謂之《新詩》，則是詩已編入本集。後其子貞爲之注，析爲八卷別行。豈鄭漁仲以《應璩集》讀爲句，而誤會“譔集”之“集”耶？貞字吉甫，入晋官散騎常侍。泰始五年卒。

應瑒集十卷

《唐書·經籍志》：“《應瑒集》十卷。”《藝文志》同。

馮惟訥《詩紀》曰：“唐·藝文志有《應瑒集》十卷。《初學記》有瑒《雜詩》云：‘貧子語窮兒，無錢可把撮。耕自不得粟，采彼北山葛。簞瓢恒自在，無用相呵喝。’”

張溥《應休璉集》輯本遺句云：“有酒流如川，有肴積如岑。”此二句一作應瑒《侍公宴詩》。

嚴可均《全三國文編》曰：“應瑒仕履未詳，有集十卷。《文選·七命》注引《瑒與桓元則書》曰：‘敢不策勵，敬尋後塵。’”

按《隋志》無《應瑒集》，兩《唐志》無《應璩集》，證以《通志略》，似《唐志》之《應瑒集》十卷，即《隋志》《應璩集》十卷。嚴氏所見《應瑒與桓元則書》。汪師韓《文選理學權輿》作應璩，并疑馮氏、張氏所見引應瑒詩者，亦即應璩之譌，或《應璩集》中有應瑒詩文亦未可知。今無碻證，姑兩存之。

魏光禄大夫韋誕集三卷　　録一卷　誕始末具子部藝術類。

《魏志》劉邵附傳："邵同時光禄大夫京兆韋誕亦著文賦傳於世。"

《世説・巧藝篇》注："《文章叙録》：'誕有文學，善屬辭。'衛恒《四體書勢》曰：'誕善楷書，魏宮觀多誕所題。明帝立淩霄觀，誤先釘牓，乃籠盛誕，轆轤長絙引上使就題之。去地二十五丈，誕甚危懼，乃戒子孫絶此楷法，箸之家令。'"

《隋書・經籍志》："梁又有《光禄大夫韋誕集》三卷，録一卷，亡。"《唐・經籍志》："《韋誕集》三卷。"《藝文志》同。

嚴氏《文編》録存賦、奏、駮、頌、誄及《墨方》、《筆方》凡八篇。

魏太常夏侯玄集三卷　　玄始末具子部道家。

本傳注：《魏氏春秋》曰："玄嘗著《樂毅》、《張良》及《本無肉刑論》，辭旨通遠，咸傳於世。"

《隋書・經籍志》："《魏太常夏侯玄集》三卷。"《唐・經籍志》："《夏侯玄集》二卷。"《藝文志》同。

嚴氏《文編》録存《皇胤賦》、《時事議》、《答司馬宣王書》、《肉刑論》、《答李勝難肉刑論》、《樂毅論》、[①]《辨樂論》凡七篇，繫以《夏侯子》佚文三條。

魏樂安太守夏侯惠集二卷　　録一卷

《魏志・夏侯淵傳》："淵字妙才，沛國譙人。建安二十四年戰死漢中。黄初中，賜淵中子霸。太和中，賜霸四弟，爵皆關内侯。霸弟威，威弟惠，樂安太守。"《文章叙録》曰："惠字稚權，幼以才學見稱。善屬奏議，歷散騎黄門侍郎，與鍾毓數有辨駮，事多見從。遷燕相、樂安太守，年三十七卒。"

《隋書・經籍志》："梁又有《樂安太守夏侯惠集》二卷，録一

---

① "論"後原衍"凡"，據《二十五史補編》本删。

卷,亡。"《唐·經籍志》:"《夏侯惠集》二卷。"《藝文志》同。

嚴氏《文編》録存《景福殿賦》、《薦劉邵表》各一篇。

魏汝南太守程曉集二卷　録一卷 曉始末具史部傳記類。

《魏志》程昱附傳注:《曉別傳》曰:"曉大著文章,多亡失,今之存者不能十分之一。"

《文心雕龍·議對篇》:"若乃程曉之駁校事,事實允當,可謂達議體矣。"

《隋書·經籍志》:"《魏汝南太守程曉集》二卷,梁録一卷。"

《唐·經籍志》:"《程曉集》二卷。"《藝文志》同。

嚴氏《文編》録存《請罷校事官疏》、《與傅玄書》、《女典篇》凡三篇。馮氏《詩紀》録存《贈傅休奕詩》、《嘲熱客詩》凡三首。

魏樂安太守劉修集六篇

《魏志·陳思王傳》注:"《典略》曰:'臨菑侯植與楊修書曰:劉季緒才不逮於作者,而好詆訶文章,掎摭利病。'摯虞《文章志》曰:'劉季緒名修,劉表子。官至東安太守,著詩、賦、頌六篇。'"按魏無東安郡。《文選·楊德祖答臨菑侯箋》注引《魏志》作樂安太守,今從之。

按范書《劉表傳》:"表二子琦、琮。琦出,代黃祖爲江夏太守。操敗於赤壁,劉備表琦爲荊州刺史,明年卒。"《魏志·劉表傳》:"琮舉州降。太祖以爲青州刺史,封列侯。"注引《魏武故事》:"令曰:青州刺史琮,比有牋求還州。今聽所執,表琮爲諫議大夫,參同軍事。"表二子始末如此。《文章志》言修爲劉表子,或表之衆子,史略之歟? 修卒時無可攷,今姑列於齊王末年。又按鍾會爲其母傳,齊王嘉平初有中書令劉表,豈此劉表乎? 然時代殊不相及。

魏武章太守殷褒集二卷

宋郭茂倩《樂府詩集》《殷氏世傳》曰:"殷褒爲滎陽令,廣築學館，會集朋徒。民知禮讓，乃歌之曰：'滎陽令，有異政，修立學校人易性，令我子弟恥訟爭。'"

《隋書‧經籍志》："《魏章武太守殷褒集》一卷，梁二卷。"

《唐‧經籍志》："《殷褒集》二卷。"《藝文志》同。

嚴氏《文編》曰："殷褒字元祚，爲章武太守，有集二卷。"《藝文類聚》五十三有殷褒《薦朱儉表》，又二十三有《誡子書》。

魏太常卿傅嘏集二卷　錄一卷

本傳："嘏字蘭石，北地泥陽人，傅介子之後也。弱冠知名，司空陳羣辟爲掾。正始初，除尚書郎，遷黃門侍郎。免官，起家拜滎陽太守，不行。太傅司馬宣王請爲從事中郎。曹爽誅，爲河南尹，遷尚書。正元二年春，毌丘儉、文欽作亂。嘏及王肅勸司馬景王自行，以嘏守尚書僕射，俱東。以功進封陽鄉侯。是歲薨，時年四十七，追贈太常，謚曰元侯。"

《隋書‧經籍志》："梁又有《太常卿傅嘏集》二卷，錄一卷。"

《唐‧經籍志》："《傅嘏集》二卷。"《藝文志》同。

嚴氏《文編》錄存《對詔訪征吳三計》、《請立貴嬪爲皇后表》、《諸葛恪揚聲欲向青徐表》、《難劉卲考課法》、《皇初頌》凡五篇。

魏鎮東將軍毌丘儉集二卷　錄一卷　儉始末具史部傳記類。

《隋書‧經籍志》："梁有《毌丘儉集》二卷，錄一卷，亡。"《唐‧經籍志》："《毌丘儉集》二卷。"《藝文志》同。

嚴氏《文編》錄存賦、表、疏、上言、書、銘凡九篇。馮氏《詩紀》錄存《答杜摯詩》一篇。

魏征東軍司馬江奉集二卷

《隋書‧經籍志》："梁有《征東軍司馬江奉集》二卷，亡。"

《唐‧經籍志》："《江奉集》二卷。"《藝文志》同。

按江奉始末未詳。

魏衛將軍王肅集五卷　録一卷　　肅始末具經部易類。

《魏志》王朗附傳：“其所論駁朝廷典制、郊祀、宗廟、喪紀、輕重凡百餘篇。”

《隋書・經籍志》：“《魏衛將軍王肅集》五卷，梁有録一卷。”

《唐・經籍志》：“《王肅集》五卷。”《藝文志》同。

嚴氏《文編》輯本一卷，凡賦、表、疏、議、答難、答問、教、書、序、頌、賀正儀、納徵辭、家誡，綜三十五篇。

魏司空王昶集五卷　録一卷　　昶始末具史部職官類。

本傳：“嘉平初，太傅司馬宣王既誅曹爽，乃奏博問大臣得失。昶陳治略五事：其一，欲崇道篤學，抑絶浮華，使國子入太學而修庠序；其二，欲用考試，考試猶準繩也，未有舍準繩而意正曲直，廢黜陟而空論能否也；其三，欲令居官者久於其職，有治績則就增位賜爵；其四，欲約官實禄，勵以廉恥，不使與百姓爭利。其五，欲絶侈靡，務崇節儉，令衣服有章，上下有叙，儲穀蓄帛，反民於樸。”按昶有《治論》二十餘篇，見子部儒家類中。此《治略》一篇，嘉平初所奏，當編入本集。

《隋書・經籍志》：“《魏司空王昶集》五卷，梁有録一卷。”

《唐・經籍志》：“《王昶集》五卷。”《藝文志》同。

嚴氏《文編》録存表、疏、奏、牋、檄、誡、①論凡九篇。

魏校書郎杜摯集二卷

《魏志》劉邵附傳：“邵同時郎中令河東杜摯等亦著文賦，頗傳於世。”《文章叙録》曰：“摯字德魯，初上《笳賦》署司徒軍謀吏。後舉孝廉，除郎中，轉補校書。摯與毌丘儉鄉里相親，故爲詩與儉求仙人藥一丸，欲以感切儉求助也。摯竟不得遷，卒於祕書。”

---

① “誡”，原作“械”，據《二十五史補編》本改。

《隋書・經籍志》:"《魏校書郎杜摯集》二卷。"《唐・經籍志》:"《杜摯集》一卷。"《藝文志》:"二卷。"

嚴氏《文編》錄存《笳賦》一篇。馮氏《詩紀》錄存《贈毌丘儉詩》一篇。

魏陳郡太守孫該集二卷　錄一卷

《魏志》劉卲附傳:"卲同時陳郡太守任城孫該著文賦,傳於世。"《文章叙錄》曰:"該字公達,彊志好學。年二十上計掾,召爲郎中,著《魏書》,遷博士司徒右長史,復還入著作,景元二年卒官。"

《隋書・經籍志》:"梁有《陳郡太守孫該集》二卷,錄一卷,亡。"《唐・經籍志》:"《孫該集》二卷。"《藝文志》同。

嚴氏《文編》錄存《三公山下神祠賦》、《琵琶賦》各一篇。

魏車騎將軍鍾毓集五卷　錄一卷　毓始末具經部易類。

《隋書・經籍志》:"梁有《車騎將軍鍾毓集》五卷,錄一卷,亡。"《唐・經籍志》:"《鍾毓集》五卷。"《藝文志》同。

嚴氏《文編》錄存賦、疏、奏、書凡四篇。

魏中散大夫嵇康集十五卷　錄一卷　康始末具經部易類。

《魏志》王粲附傳注:《魏氏春秋》曰:"康所著諸文論六七萬言,皆爲世所玩詠。"

《晋書》本傳:"康有奇才,遠邁不羣,著《養生論》,又爲《君子無私論》。蓋其胸懷所寄,以高契難期,每思郢質。山濤將去選官,舉康自代,康乃與濤書告絶。東平吕安以事繫獄,辭相證引,遂復收康。康性慎言行,一旦縲紲,乃作《幽憤詩》。康善談理,又有屬文,撰上古以來高士爲之傳贊,又作《太師箴》,亦足以明帝王之道焉,復作《聲無哀樂論》,甚有條理。"又《魏志・邴原傳》注引荀綽《冀州記》曰:"鉅鹿張邈字叔遼,遼東太守,著《自然好學論》,在《嵇康集》。"汪師韓《文選理學權輿》曰:"《選注》所引羣書,有《嵇康文集》

録注."

鍾嶸《詩品》曰:"晋中散嵇康詩頗似魏文,過爲峻切,許直露才,傷淵雅之致。然託喻清遠,良有鑒裁,亦未失高流矣。"

《文心雕龍・明詩篇》曰:"嵇志清峻。"又曰:"四言五言,叔夜含其潤。"《才略篇》云:"嵇康師心以遣論。"《書記篇》云:"嵇康《絕交》,實志高而文偉。"

《隋書・經籍志》:"《魏中散大夫嵇康集》十三卷,梁十五卷,録一卷。"《唐・經籍志》:"《嵇康集》十五卷。"《藝文志》同。《崇文總目》:"《嵇康集》十卷。"《宋史・藝文志》同。

晁氏《讀書志》曰:"《嵇康集》十卷,康美詞氣,有丰儀,土木形骸,不自藻飾。學不師受,博覽該通,長好莊老,屬文元遠。景元初,鍾會譖於晋文帝,遇害。"

陳氏《書録解題》曰:"《嵇中散集》十卷,魏中散大夫譙嵇康叔夜撰。所著文論六七萬言,今存於世者僅如此。《唐志》猶有十五卷。"

《四庫簡明目録》曰:"《嵇中散集》十卷,魏嵇康撰。《晋書》爲康立傳,舊本因題曰晋者,繆也。其集散佚,至宋僅存十卷。此本爲明黄省曾所編,雖卷數與宋本同,然考王楙《野客叢書》稱康詩六十八首,此本僅詩四十二首,合雜文僅六十二首,則又多所散佚矣。"

張氏《百三家・嵇中散集》輯本一卷,凡賦、書、設難、論、贊、箴誡二十二篇,樂府詩五十四篇。

嚴氏《文編》輯本六卷,凡賦、卜疑、書、贊、論、箴、銘、家誡、目録二十一篇,繫以《聖賢高士傳贊》一卷。馮氏《詩紀》存詩五十三篇。嚴氏《文編》又云康有《嵇荀録》,亡。《嵇荀録》未詳何書。

魏徵士呂安集二卷　録一卷

《魏志》王粲附傳注:《魏氏春秋》曰:"初,康與東平呂昭子巽及巽弟安親善。會巽淫安妻徐氏,其事亦見《嵇康集・康與呂長悌絕交書》中。長悌,巽字也。而誣安不孝,囚之,安引康爲證。康義不負心,保明其事。安亦至烈,有濟世志力,鍾會勸大將軍因此除之,遂殺安及康。"

《魏志・杜恕傳》注:《世語》曰:"昭長子巽,字長悌,爲相國掾,有寵於司馬文王。次子安,字仲悌,與嵇康善,與康俱被誅。"《晉書・嵇康傳》:"東平呂安,服康高致,每一相思,輒千里命駕,康友而善之。後安爲兄所枉訴,以事繫獄,辭相證引,遂復收康。"

《隋書・經籍志》:"梁又有《魏徵士呂安集》二卷,録一卷,亡。"《唐・經籍志》:"《呂安集》二卷。"《藝文志》同。

嚴氏《文編》曰:"呂安字仲悌,東平人,徵士。景元中,坐事與嵇康俱誅。有集二卷。《初學記》、《藝文類聚》、《文選》注引安《髑髏賦》凡二條。"

魏步兵校尉阮籍集十三卷　録一卷　籍始末具經部易類。

《晉書》本傳:"籍能屬文,初不留思。作《詠懷詩》八十餘篇,爲世所重。著《達莊論》,叙無爲之貴,文多不録。"

宋顏延年注《詠懷詩》序曰:"阮公身事亂朝,常恐遇禍,因兹詠懷。雖志在譏刺,而文多隱避,百代之下,難以情測。故麤明大意,略其幽旨也。"

鍾嶸《詩品》曰:"晉步兵阮籍詩,共源出於《小雅》,無雕蟲之功,而《詠懷》之作,可以陶性靈,發幽思,言在耳目之内,情寄八荒之表。洋洋乎會於風雅,使人忘其鄙近,自致遠大。頗多感慨之詞,厥旨淵放,歸趣難求。顏延之注解,怯言其志。"

《文心雕龍・明詩篇》曰:"嵇志清峻,阮旨遥深。"又《才略篇》云:"阮籍使氣以命詩。"

《隋書・經籍志》:"《魏步兵校尉阮籍集》十卷,梁十三卷,録

一卷。”《日本國見在書目》:“《阮嗣宗集》五卷,又《阮步兵集》
十卷。”《唐·經籍志》:“《阮籍集》五卷。”《藝文志》同。《崇文
總目》:“《阮步兵集》十卷。”《宋史·藝文志》:“《阮林集》十
卷。”按“林”是“籍”之刊誤。

晁氏《讀書志》曰:“《阮籍集》十卷,籍志氣宏放,博覽羣籍,尤
好莊老,屬文不留思。嗜酒能嘯,善彈琴。當其得意,忽忘形
體。雖不拘禮數,而發言玄遠。”

陳氏《書録解題》別集類:“《阮步兵集》十卷,魏步兵校尉陳留
阮籍嗣宗撰。籍,瑀之子也。”又詩集類:“《阮步兵集》四卷,
其題皆曰《詠懷》。首卷四言,十三篇,餘皆五言,八十篇,通
爲九十三篇。《文選》所收,十七篇而已。”

馮惟訥《詩紀》曰:“京師曹氏家藏《阮步兵詩》一卷,唐人所
書,與世所傳多異。孔宗翰亦有本,與此多同。”

張氏《百三家·阮步兵集》輯本一卷,凡賦、牋、奏、記、書、論、
傳、贊、誄文、帖二十篇。《詠懷詩》三首,又八十二首,歌二
首。按馮氏《詩紀》所輯詩歌八十七首,與此同。

嚴氏《文編》序目曰:“《阮籍集》十卷,明黄省曾刻本。又一
卷,張溥《百三家集》本。今輯本二卷,凡賦、箋、奏、記、書、
贊、論、傳、帖、誄、弔綜二十篇。”

魏司徒鍾會集十卷　録一卷　會始末具經部易類。

本傳:“初,以鄧艾爲太尉,會爲司徒,皆持節、都督諸軍如故,
咸未受命而斃。”

《文心雕龍·檄移篇》:“鍾會檄蜀,徵驗甚明,壯筆也。”

《隋書·經籍志》:“《魏司徒鍾會集》九卷,梁十卷,録一卷。”

《唐·經籍志》:“《鍾會集》十卷。”《藝文志》同。

張氏《百三家·鍾司徒集》輯本一卷,凡賦、檄、奏、書、記、傳
十一篇,繫以《芻蕘論》一條。

嚴氏《文編》録存賦、上言、書、檄、論、傳凡十三篇,繫以《芻蕘論》七條。

右魏人文凡四十九家,五十三部。

蜀司徒許靖集二卷録一卷

本傳:"靖字文休,汝南平輿人。少與從弟劭俱知名,並有人倫臧否之稱。郡舉計吏,察孝廉,除尚書郎,典選舉。董卓秉政,靖奔豫州、揚州、吳郡、會稽。孫策東渡江、走交州。後劉璋使使招靖入蜀,以爲巴郡、廣漢太守。建安十六年,轉蜀郡。十九年,先主克蜀,以爲左將軍長史。先主爲漢中王,靖爲太傅。及即尊號,策爲司徒。靖年逾七十,愛樂人物,誘納後進,清譚不倦。丞相諸葛亮皆爲之拜。章武二年卒。"

《隋書·經籍志》:"梁又有《蜀司徒許靖集》二卷,録一卷,亡。"《唐·經籍志》:"《蜀許靖集》二卷。"《藝文志》同。

嚴氏《文編》録存《奔孔伷自表》、《因衆瑞上言》、《與曹公書》凡三篇。

蜀丞相諸葛亮集二十五卷　亮始末具史部正史類。

本傳:"亮言教書奏多可觀,別爲一集。"又《奏上諸葛氏集》曰:"臣壽等言:臣前在著作郎,侍中領中書監濟北侯臣荀勖、中書令關内侯臣和嶠奏,使臣定故蜀丞相諸葛亮故事。輒删除複重,隨類相從,凡爲二十四篇。《開府作牧》第一,《權制》第二,《南征》第三,《北出》第四,《計算》第五,《訓厲》第六,《綜覈》上、下第七、第八,《雜言》上、下第九、第十,《貴和》第十一,《兵要》第十二、《傳運》第十三,《與孫權書》第十四,《與諸葛瑾書》第十五,《與孟達書》第十六,《廢李平》第十七,《法檢》上、下第十八、十九,《科令》上、下第二十、二十一,《軍令》上、中、下第二十二、二十三、二十四,凡十萬四千一百一十二字。論者或怪亮文采不豔,而過於丁寧周至。臣愚以爲皋陶大賢也，周公聖人也，考之《尚書》，皋繇之謨略而雅，周公之誥煩而悉，何則？皋繇與舜、禹共談，周公與羣下矢誓故也。亮所與言，盡衆人凡士，故其文指不得及遠也。然其聲教遺言，皆經事綜物，公誠之心，形於文墨，足以知其人之意理，而有補於當世。"

《文心雕龍·詔策篇》："諸葛孔明之詳約，教之善也。"又《章表篇》云："孔明之辭後主，志盡文暢，表之英也。"

《隋書·經籍志》："《蜀丞相諸葛亮集》二十五卷，梁二十四卷。"《唐·經籍志》："《諸葛亮集》二十四卷。"《藝文志》同。《宋史·藝文志》："《諸葛亮集》十四卷。"

《玉海》五十五《中興書目》曰："亮集十四卷，後二卷。錄傳及碑記其前，十二篇，章句頗多，字數乃少。"

張氏《百三家·諸葛丞相集》輯本一卷，凡詔、表、奏、疏、公文、教、書、牋、議、法、論、記、碑、令、詩綜七十五首。

武威張澍輯本序曰："明王士祺集《武侯全書》二十卷，楊時偉以王書蕪累，更撰《諸葛忠武全書》十卷，亦無財擇。本朝朱璘輯《諸葛武侯集》二十卷，遂寧張鵬翮之《忠武誌》全襲之，庸俗詩文，盈汗篇牘，侯之著作反多遺漏。澍按采散佚，較諸本增益倍蓰，編《文集》四卷，附錄二卷，別撰《諸葛故事》五卷，都爲十一卷。"按《諸葛集》張氏所舉四本之外，又有明崇禎時武侯三十六世孫羲輯本二十三卷，《道藏輯要》中刻之。

嚴氏《文編》輯本二卷，凡教、軍令、表、疏、上書、上言、公文、箋、書、誡、論、議、算計、兵要、兵法、木牛流馬法、記、序、贊、銘、雜文五十五篇，綜九十一首。

蜀征北將軍夏侯霸集二卷

《魏志》夏侯淵附傳："黃初中，賜淵中子霸爵關內侯。正始中爲討蜀護軍右將軍，進封博昌亭侯。素爲曹爽所厚，聞爽誅，自疑,亡入蜀。以淵舊勳赦霸子,徙樂浪郡。"《魏略》曰:"霸字仲權。奔蜀,南趣陰平失道,糧盡足破,卧儻石下。蜀聞之,乃使人迎霸。初,建安五年,時霸從妹年十三四,在本郡,出行樵采,爲張飛所得。遂以爲妻,産息女,爲劉禪皇后。故淵之初亡,飛妻請而葬之。及霸入蜀,禪相見,釋之曰:'卿父自遇害於行間耳,非我先人之手刃也。'指其兒子示之曰:'此夏侯氏之甥也。'厚加爵寵。"

《蜀志·後主傳》:"延熙十二年春正月,魏誅大將軍曹爽等,右將軍夏侯霸來降。"

《華陽國志》:"劉後主延熙十二年,魏嘉平元年也,魏誅大將軍曹爽,右將軍夏侯霸來降,淵子也,拜車騎將軍。"

《隋書·經籍志》:"梁又有《蜀征北將軍夏侯霸集》二卷,亡。"

《唐·經籍志》:"《魏夏侯霸集》二卷。"《藝文志》同。

按夏侯霸爲征北將軍,自當在車騎將軍之後,尋《蜀志》未見。《舊唐志》誤以爲魏人,《新志》失於刊正。今從《七録》。

蜀祕書令卻正集垂百篇

本傳:"正字令先,河南偃師人也。祖父儉,靈帝末益州刺史,爲盜賊所殺。父揖留蜀,爲孟達營都督,隨達降魏,爲中書令史。正本名纂,少以父死母嫁,單煢隻立,而安貧好學,博覽墳籍。弱冠能屬文。入爲祕書吏,轉爲令史,遷郎,至令。澹于榮利,而尤耽意文章,自司馬、王、楊、班、傅、張、蔡之儔遺文篇賦,及當世美書善論,益部有者,則鑽鑿推求,略皆寓目。自在内職,與宦人黃皓比屋周旋,經三十年。不爲皓所愛憎,官不過六百石,而免於憂患。依則先儒,假文見意,號曰《釋譏》,其文繼於崔駰《達旨》。景耀六年,後主降於鄧艾,其書,正所造也。明年,後主東遷洛陽,賜爵關内侯。泰始中,除安陽令,遷巴西太守,咸寧四年卒。凡所著述詩論賦之屬,垂百篇。”

陳壽評曰：“譙周詞理淵通，爲世碩儒，有董、楊之規，卻正文辭粲爛，有張、蔡之風，加其行止，君子有取焉。二子處晉事少，在蜀事多，故著於篇。”

《隋書·經籍志》：“《晋巴西太守卻正集》一卷。”《唐·經籍志》：“《晋卻正集》一卷。”《藝文志》同。

嚴氏《文編》録存《爲後主作降書》、《姜維論》、《釋譏》凡三篇。

按史言卻令先著述垂百篇，《隋》、《唐志》著録乃祇一卷，所佚多矣。令先卒於晉武帝即位十四年，時爲吳孫皓天紀二年，尚在太康渾一之前，列入三國之末，未嘗不可也。

右蜀人文凡四家，四部。

吳衛將軍士燮集五卷　燮始末具經部春秋類。

《隋書·經籍志》：“梁有《士燮集》五卷，亡。”《唐·經籍志》：“《士燮集》五卷。”《藝文志》同。

吳偏將軍駱統集十卷　録一卷

本傳：“統字公緒，會稽烏傷人也。孫權以將軍領會稽太守，統年二十，試爲烏程相，召爲功曹，行騎都尉，妻以從兄輔女。出爲建忠郎將，遷偏將軍，封新陽亭侯。後爲濡須督，數陳便宜，前後書數十上，所言皆善，文多，故不悉載。年三十六，黄武七年卒。”

《隋書·經籍志》：“《吳偏將軍駱統集》十卷，梁有録一卷。”《唐·經籍志》：“《駱統集》十卷。”《藝文志》同。

嚴氏《文編》曰：“駱統有《集》十卷。”本傳有《民户損耗上疏》一篇。《張温傳》有《表理張温》一篇。《北堂書鈔》未改本有《陳諸將舟船飾嚴箋》。

吳選曹尚書暨豔集三卷　録一卷

《吳志》張温附傳：“豔字子休，吳郡人也。温引致之，以爲選曹

郎,至尚書。豔性狷厲,好爲清議,見時郎署混濁淆雜,多非
其人,欲臧否區別,賢愚異貫。彈射百僚,覈選三署,率皆貶
高就下,降損數等,其守故者十未能一。其居位貪鄙,志節汙
卑者,皆以爲軍吏,置營府以處之。而怨憤之聲積,浸潤之譖
行矣。競言豔及選曹郎徐彪,專用私情,憎愛不由公理,豔、
彪皆坐,自殺。"

《隋書·經籍志》:"《吳選曹尚書暨豔集》二卷,梁三卷,録
一卷。"

《唐·經籍志》:"《暨豔集》二卷。"《藝文志》同。

嚴氏《文編》曰:"《太平御覽》三百四十八引《暨豔集》雜移一
條。"按"雜移",雜文移之屬。集中篇目也。

吳輔義中郎將張温集六卷　　温始末具史部史鈔類。

本傳:"將軍駱統表理温曰:'温雖智非從横,武非虓虎,然其
弘雅之素,英秀之德,文章之采,論議之辨,卓躒冠羣,煒燁曜
世,世人未有及之者也。故論温才即可惜,言罪則可恕。若
忍威烈以赦盛德,宥賢才以敦大業,固明朝之休光,四方之麗
觀也。'權終不納。"

《隋書·經籍志》:"《吳輔義中郎將張温集》六卷。"《唐·經籍
志》:"《吳張温集》五卷。"《藝文志》同。

嚴氏《文編》曰:"張温有《集》六卷。本傳有《奉使至蜀詣闕拜
章》一篇。《文選注》、《類聚》、《御覽》有表二條,自理一條。"

後漢侍御史虞翻集三卷　録一卷　　翻始末具經部易類。

《隋書·經籍志》:"《後漢侍御史虞翻集》二卷,梁三卷,録一
卷。"《唐·經籍志》:"《後漢虞翻集》三卷。"《藝文志》:"吳《虞
翻集》三卷。"

嚴氏《文編》曰:"《隋志》以翻屬後漢,今攷翻卒在權稱尊號之
後,宜編入吳。"傳注及《御覽》諸書引翻《上吳主書》,又《奏上

易注》、《奏鄭玄解尚書違失事因》、《追與客書》、《與丁固同僚
書》、《與徐陵書》、《與士仁書》、《與所親書》、《與某書》、《與弟
書》、又《與弟書》凡十二篇。

按《隋志》易家稱吳侍御史，與此稱後漢者異。本傳云漢召爲
侍御史，不就。孫權以爲騎都尉，徙交州，卒。是翻仕吳，至
騎都尉，未嘗爲侍御史。然攷《釋文・叙錄》稱後漢侍御史。
又傳注引《會稽典錄》：孫亮時太守濮陽興與書佐朱育問答，
興稱翻爲御史，育亦稱翻爲侍御史。又韋昭注《國語》亦稱爲
故侍御史。此從後追述之詞，類皆以漢所授官爲稱號，今仍
從《隋志》，題後漢侍御史。其稱吳者，非其實也。

吳太子少傅薛綜集三卷　錄一卷　綜始末具經部禮類。

本傳：“凡所著詩賦難論數萬言，名曰《私載》傳於世。建衡三
年，皓追歎瑩父綜遺文。”《吳錄》曰：“綜少明經，善屬文，有
秀才。”

《隋書・經籍志》：“梁又有《太子少傅薛綜集》三卷，錄一卷，
亡。”《唐・經籍志》：“《薛綜集》二卷。”《藝文志》：“三卷。”
嚴氏《文編》錄存表、疏、文移、頌凡十一篇，《述鄭氏禮五宗
圖》一篇。

吳侍中胡綜集二卷　錄一卷　綜始末具史部雜傳記類。

本傳：“黃武八年夏，黃龍見夏口，於是權稱尊號，因瑞改元。
又作黃龍大牙，常在中軍，諸軍進退視其所向，命綜作賦。蜀
聞權踐阼，遣使重申前好。綜爲盟文，文義甚美。凡自權統
事，諸文誥、策命、鄰國書、符略，皆綜之所造也。”

《隋書・經籍志》：“《吳侍中胡綜集》二卷，梁有錄一卷。”
《唐・經籍志》：“《胡綜集》二卷。”《藝文志》同。
嚴氏《文編》錄存《黃龍大牙賦》、《中分天下盟文》、《請立諸王
表》、《議奔喪》、《僞爲吳質作降文三條》，《太子賓友目》凡

六篇。

吳太常卿姚信集二卷　錄一卷　信始末具經部易類。

《隋書‧經籍志》:"梁又有《姚信集》二卷,録一卷,今亡。"
《唐‧經籍志》:"《姚信集》十卷。"《藝文志》同。

武進張惠言《易義別録》曰:"《吳興志》有《德祐文集》輯易注
一卷,明人爲之。"

嚴氏《文編》曰:信有《集》二卷。《陸績傳》注引《姚信集》《表
請褒績女鬱生》。晋、宋、《隋書‧天文志》及《御覽》引姚信
《昕天論》。《藝文類聚》二十三引姚信《誡子》。

吳武陵太守謝承集四卷　承始末具史部正史類。

《隋書‧經籍志》:"梁又有《謝承集》四卷,今亡。"《唐‧經籍
志》:"《謝承集》四卷。"《藝文志》同。

嚴氏《文編》曰:"謝承有《集》四卷。《初學記》、《藝文類聚》、
《太平御覽》諸書有謝承《賀靈龜表》、《上丹砂表》、《與步子山
書》、《三夫人箴》凡四篇。"

吳人楊厚集二卷　錄一卷

《隋書‧經籍志》:"《吳人楊厚集》二卷,梁又有録一卷。"
《唐‧經籍志》:"《楊厚集》二卷。"

《通志‧藝文略》:"《吳楊文厚集》二卷。"

按《唐‧藝文志》列是集於後漢人中,自是漢順帝時侍中楊厚
之集。然《隋志》明著吳人楊厚,又引《七録》有録一卷,自非
舛誤。《通志略》又以爲楊文厚。鄭漁仲所據,《隋志》爲多,
豈今本《隋志》敚文字歟? 其人爵里始末並未詳。

吳侍中張儼集二卷　錄一卷　儼始末具子部雜家。

《隋書‧經籍志》:"《吳侍中張儼集》一卷,梁二卷,録一卷。"
《唐‧經籍志》:"《張儼集》二卷。"《藝文志》同。

嚴氏《文編》曰:"張儼有《默記》三卷,集一卷。"《朱桓傳》注引

張儼《賦犬》。《藝文類聚》、《文選注》引張儼《請立太子師傅表》,《諸葛亮傳》注、《北堂書鈔》引《默記》各一篇。

吳丞相陸凱集五卷　錄一卷　凱始末具史部雜傳記類。

本傳:"凱乃心公家,義形於色,表疏皆指事不飾,忠懇內發。"
又曰:"予連從荊、揚來者得凱所陳皓二十事,博問吳人,多云不聞凱有此表。又按其文殊甚切直,恐非皓之所能容忍也。或以爲凱藏之篋笥,未敢宣行。病困,皓遣董朝省問欲言,因以付之。虛實難明,故不著於篇,然愛其指摘皓事,足爲後戒,故鈔列於《凱傳》左云。"

《隋書·經籍志》:"《吳丞相陸凱集》五卷,梁有錄一卷。"

《唐·藝文志》:"《陸凱集》五卷。"《唐·藝文志》別本作"陸覬",刊誤也。

嚴氏《文編》錄存表、疏、奏凡八篇,擊以《吳先賢傳》贊三條。

吳侍中韋昭集二卷　錄一卷　昭始末具經部詩類。

本傳:"華覈連上疏救曜曰:'曜自少勤學,雖老不倦,探綜墳典,溫故知新,及意所經識古今行事,外吏之中少過曜者。'"

又《華覈傳》云:"曜、覈所論事章疏,咸傳於世也。"

《隋書·經籍志》:"梁又有《韋昭集》二卷,錄一卷,亡。"《唐·經籍志》:"《韋昭集》二卷。"《藝文志》同。

嚴氏《文編》錄存《雲陽賦》、《上鼓吹鐃歌十二曲表》、《因獄吏上辭》、《國語解叙》、《博弈論》凡五篇。馮氏《詩紀》錄存《鼓吹鐃歌》十二曲。

吳中夏督陸景集一卷　景始末具子部儒家。

陸抗附傳:"景澡身好學,著書數十篇。"

《隋書·經籍志》:"梁又有《陸景集》一卷,亡。"

嚴氏《文編》曰:"陸景有《集》一卷。《北堂書鈔》一百三引陸景《書》。《藝文類聚》二十一引景《與兄書》、《又與兄書》。《類聚》二十三,《御覽》四百五十九引景《誡盈》。"

吳東觀令華覈集五卷　　録一卷

本傳："覈字永先，吳郡武進人也。始爲上虞尉，典農都尉，以
文學入爲祕府郎，遷中書丞。後爲東觀令，領右國史。覈前
後陳便宜，及貢薦良能，解釋罪過，書百餘上，皆有補益。天
册元年，以微譴免，數歲卒。曜覈所論事章疏，咸傳於世。"又
評曰："胡沖以爲華覈文賦之才，有過於曜，而典誥不及也。
子觀覈數獻良規，期於自盡，庶幾忠臣矣。"

《隋書·經籍志》："梁又有《東觀令華覈集》五卷，録一卷，
亡。"《唐·經籍志》："《華覈集》三卷。"《藝文志》："五卷。"

嚴氏《文編》録存《車賦》、《奏薦陸胤》、《表薦陸褘》、《聞蜀亡詣
宮門上表》、《諫盛夏興工疏》、《上農務禁侈疏》、《乞赦樓玄
疏》、《上疏請召還薛瑩》、《上疏救韋曜》、《奉敕草對》凡十
一篇。

吳中書令紀騭集三卷　　録一卷

《吳志·孫皓傳》："甘露元年三月，皓遣光禄大夫紀陟如魏報
書。"《吳録》曰："陟字子上，丹陽人。初爲中書郎，孫休時，父
亮爲尚書令，而陟爲中書令，每朝會詔以屏風隔其坐，出爲豫
章太守。"按"騭"、"陟"並通。范書"鄧騭"章懷太子注云《東觀記》作"陟"是也。

《隋書·經籍志》："《吳中書令紀騭集》三卷，梁有録一卷。"
《唐·經籍志》："《紀騭集》三卷。"《藝文志》二卷。

嚴氏《文編》曰："紀騭有《集》三卷。"《太平御覽》有《上吳主皓
表》。

吳光禄勳薛瑩集三卷　　瑩始末具史部正史類。

薛綜附傳："建衡三年，皓追歎瑩父綜遺文，且命瑩繼作，瑩獻
詩一篇。是時法政多謬，舉措煩苛，瑩每上便宜陳緩刑簡役
以濟育百姓，事或施行。"

《隋書·經籍志》："《晉散騎常侍薛瑩集》三卷。"《唐·經籍

志》："《晋薛瑩集》二卷。"《藝文志》："《吴薛瑩集》三卷。"

嚴氏《文編》録存《爲吴主皓請降書》，後漢光武、明帝、章帝、安帝、桓帝、靈帝贊，《條列吴事》凡八篇。馮氏《詩紀》録存獻四言詩一篇。

吴尚書閔鴻集三卷

《隋書·經籍志》："《晋徵士閔鴻集》三卷。"《唐·經籍志》："《晋徵士閔鴻集》二卷。"《藝文志》同。

嚴氏《文編》曰："吴閔鴻，廣陵人。仕吴爲尚書，入晋，徵不就。有《集》三卷。"《初學記》諸書引鴻《親蠶賦》、《琴賦》、《羽扇賦》、《芙蓉賦》、《與劉子雅書》凡五篇。按《藝文類聚》八十二引《芙蓉賦》稱後漢閔鴻者，非也。

吴處士楊泉集二卷　録一卷　　泉始末具子部儒家。

《隋書·經籍志》："《晋處士楊泉集》二卷，録一卷。"《唐·經籍志》："《晋楊泉集》二卷。"《藝文志》同。

嚴氏《文編》曰："吴楊泉有《集》二卷。"《書鈔》、《類聚》、《御覽》、《文選注》所載有《五湖賦》、《贊善賦》、《養性賦》、《蠶賦》、《織機賦》、《草書賦》、《請辭》凡七篇。

右吴人文凡一十九家，一十九部。

右別集類凡七十二家，七十六部。

魏文帝　建安七子集

《魏志》王粲附傳注："《典論》曰：'今之文人，魯國孔融、廣陵陳琳、山陽王粲、北海徐幹、陳留阮瑀、汝南應瑒、東平劉楨，斯七子者，於學無所遺，於辭無所假，咸自以騁騏驥於千里，仰齊足而並馳。粲長於辭賦，幹時有逸氣，然非粲匹也。《文選》逸氣作齊氣，無非字。如粲之《初征》、《登樓》、《槐賦》、《征思》，幹之《玄猨》、《漏卮》、《圓扇》、《橘賦》，雖張、蔡不過也，然於他文未能稱是。琳、瑀之章表書記，今之儁也。應瑒和而不壯,劉楨壯而不密。孔融體氣高妙,有過人者,然不能持論,理不勝辭,至於雜以嘲戲,及其所善,楊、班之儔也。'"

又《魏略》曰:"建安二十三年太子《又與元城令吳質書》曰:'昔年疾疫,親故多離其災,徐、陳、應、劉,一時俱逝,痛何可言耶!按《後漢書・獻帝本紀》,建安二十二年,是歲大疫。《續漢・五行志》注引陳思王說疫氣云:"家家有殭尸之痛,室室有號泣之哀。或闔門而殪,或舉族而喪者。"昔日游處,行則同輿,止則接席,何嘗須臾相失。每至觴酌流行,絲竹並奏,酒酣耳熱,仰而賦詩。當此之時,忽然不自知樂也。謂百年已分,長共相保,何圖數年之閒,零落略盡,言之傷心。頃撰其遺文,都為一集。觀其姓名,已為鬼錄,追思昔游,猶在心目,而此諸子化為糞壤,可勝道哉。觀古今文人,類不獲細行,鮮能以名節自立。而偉長獨懷文抱質,恬淡寡欲,有箕山之志,可謂彬彬君子矣。著《中論》二十餘篇,成一家之業,辭義典雅,足傳於後,此子為不朽矣。德璉常斐然有述作意,才學足以著書,美志不遂,良可痛惜。閒歷觀諸子之文,對之拔淚,既痛逝者,行自念也。孔璋章表殊健,微為繁富。公幹有逸氣,但未遒耳,至其五言詩,妙絕當時。元瑜書記翩翩,致足樂也。仲宣獨自善於辭賦,惜其體弱,不足起其文,至於所善,古人無以遠過也。諸子但為未及古人,自一時之儁也。'"

《文心雕龍・明詩篇》曰:"建安之初,五言騰踊。文帝、陳思從轡以騁節,王、徐、應、劉望路而爭驅。並憐風月,狎池苑,述恩榮,敍酣宴,慷慨以任氣,磊落以使才。造懷指事,不求纖密之巧;驅辭逐貌,唯取昭晰之能,此其所同也。"

元郝經《續後漢書・文藝・王粲傳》議曰:"初曹丕及弟植皆好文學,與粲及孔融、徐幹、陳琳、阮瑀、應瑒、劉楨相友善。丕、植咸有逸才奇氣,粲等更酬迭和,遒章雅詠,警動一世,號稱建安七子。二漢質文於是一變，儒學盡爲詩文矣。"

嚴可均《全上古三代秦漢三國六朝文》序目曰："劉楨、王粲、陳琳、阮瑀、徐幹《集》各一卷。又《建安七子集》三册，明楊德明輯本。"

高貴鄉公　夏少康漢高祖優劣論

本紀注：《魏氏春秋》曰："甘露元年二月丙辰，帝宴羣臣於太極東堂，與侍中荀顗、尚書崔贊、袁亮、鍾毓、給事中中書令虞松等並講述禮典，遂言帝王優劣之次。帝慕夏少康，因問顗等少康、高祖功德誰先。顗等對以高祖爲優，帝曰：'宜高夏康而下漢祖，諸卿具論詳之。'翌日丁巳，講業既畢，顗、亮等議少康爲優，宜如詔旨。贊、毓、松等議以爲論德則少康優，課功則高祖多，語資則少康易，校時則高祖難。帝曰：'諸卿論少康因資，高祖創造，誠有之矣，然未知三代之世，任德濟勳，如彼之難，秦、項之際，任力成功如此之易。且太上立德，其次立功，漢祖功高，未若少康盛德之茂也。'於是羣臣悦服。中書令松進曰：'少康之事，去世久遠，自古及今，議論之士莫有言者，德美隱而不宣。陛下既垂心遠鑒，考詳古昔，又發德音，贊明少康之美，使顯於千載之上，宜録以成篇，永垂於後。'於是侍郎鍾會退論次焉。"

錢大昕《三國志攷異》曰："按少康之論，意常在司馬氏也。聰明太露，終爲權臣所忌，失艱貞自晦之義，能處此者，其後周武帝乎！"

嚴氏《文編》曰："太極東堂《夏少康漢高祖論》見《高貴鄉公紀》注引《魏氏春秋》，亦見《藝文類聚》十二、《太平御覽》八十二又四百四十五。"

荀閎等　甲乙疑論

嚴可均《全三國文編》曰："荀閎字仲茂，潁川潁陰人。漢尚書令,彧之兄子,爲太子文學掾,終黃門侍郎。"

《魏志‧荀彧傳》注:"《荀氏家傳》曰:'彧第四兄諶,諶子閎,字仲茂,爲太子字學掾。時有《甲乙疑論》,閎與鍾繇、王朗、袁涣議各不同。文帝與繇書曰,袁王國士更爲脣齒,荀閎勁悍往來銳師。真君侯之勍敵,左右之深憂也。終黃門侍郎。'"

按《蜀志‧費禕傳》注引殷基通語曰:"司馬懿誅曹爽,禕設《甲乙論》平其是非。"與此相類,然費所論祇一人相反覆,此四人相反覆,爲不同耳。

應璩　書林十卷　璩始末具別集類。

《魏志》高堂隆附傳:"初任城棧潛,太祖世歷縣令。"裴松之注:"潛字彦皇,見應璩《書林》。"

《文心雕龍‧書記篇》曰:"休璉好事,留意詞翰。"

《隋書‧經籍志》:"《書林》十卷。"又曰:"梁有《應璩書林》八卷,夏赤松撰。"《唐‧經籍志》:"《書林》六卷,夏赤松撰。"《藝文志》:"夏赤松《書林》六卷。"《通志略》文部書類:"應璩《書林》八卷,夏赤松集。"①

按裴注引應璩《書林》,則《書林》爲應璩所集審矣。蓋集錄諸家書記之文以爲一編,棧彦皇即其中之一也。《隋志》《書林》十卷,不著撰人,是其原編。又引《七錄》八卷,是夏赤松重編。唐時佚其二卷,惟存六卷。《通志略》從《隋志》鈔入,不關存佚。

鍾會等　四本論　會始末具經部易類。

《魏志‧鍾會傳》:"會嘗論才性同異。"《傅嘏傳》亦云:"嘏嘗論才性同異,鍾會集而論之。"裴松之注《傅子》曰:"嘏既達治

---

① "集"上,《二十五史補編》本有"撰"字。

好正，而有清理識要，如論才性，^①原本精微，勗能及之。司隸
校尉鍾會年甚少，勗以明知交會。"

《世説·賢媛篇》注："《魏氏春秋》曰：'王廣字公淵，王陵子
也。有風量才學，名重當世，與傅勗等論才性同異，行
於世。'"

《世説·文學篇》注："鍾會撰《四本論》，始畢，甚欲使嵇公一
見。四本者，言才性同、才性異、才性合、才性離也。尚書傅
勗論同，中書令李豐論異，侍郎鍾會論合，屯騎校尉王廣論
離。"勗始末具別集類。李豐，字安國，嘉平六年爲司馬師所殺，見《夏侯玄傳》，王
廣附見《王淩傳》。

鍾會等　聖人無情論

《魏志·鍾會傳》注："何劭爲王弼傳曰，何晏以爲聖人無喜怒
哀樂，其論甚精，鍾會等述之。弼與不同，以爲聖人茂於人者
神明也，同於人者五情也。神明茂故能體沖和以通無，五情
同故不能無哀樂以應物。然則聖人之情，應物而無累於物者
也。今以其無累，便謂不復應物，失之多矣。"

按《中庸章句》："喜怒哀樂，情也。"此《聖人無喜怒哀樂論》即
《聖人無情論》也。《隋志》道家云："梁有《聖人無情》六卷，不
著撰人。"似即此書。大抵始於何晏，而鍾會等述之，王弼非
之。其後或亦有所傅益，故多至六卷。《七録》以出自衆人非
一家言，故不著撰人。

韋昭等　博弈論八篇　昭始末具經部詩類。

《吳志·孫和傳》："和常言當世士人宜講修術學，校習射御，
以周世務，而但交游、博弈以妨事業，非進取之謂。後羣僚侍
宴，言及博弈，以爲妨事費日而無益於用，勞精損思而終無所

---

① "如"，《二十五史補編》本同，殿本《三國志》作"好"。

成。非所以進德修業，積累功緒者也。且志士愛日惜力，君
子慕其大者，高山景行，恥非其次。夫以天地長久，而人居其
閒，有白駒過隙之喻，年齒一暮，榮華不再。凡所患者，在於
人情所不能絶。誠能絶無益之欲以奉德義之塗，棄不急之務
以修功業之基，其於名行，豈不善哉？夫人情尤不能無嬉娛，
嬉娛之好，亦在於飲宴、琴書、射御之閒，何必博弈，然後爲
歡。乃命侍坐者八人，各著論以矯之。於是中庶子韋曜退而
論奏，和以示賓客。時蔡穎好弈，直事在署者頗敦焉，故以此
諷之。”

按《孫和傳》所載，知《博弈論》有八篇。傳所云云，似即韋昭
論次之文，八篇之叙言歟？《文選》所録止韋昭一家。時闞
澤、薛綜、張純、封俌、嚴維、吾粲、顧譚等皆爲和侍從，意此數
人皆有所作。

薛綜　二京賦解二卷　綜始末具經部禮類。

《吳志》本傳：“綜又述《二京解》，傳於世。”

《文心雕龍·指瑕篇》曰：“若夫注解爲書，所以明正事理。然
謬於研求，或率意而斷。《西京賦》稱中黄育獲之疇，而薛綜
謬注謂之閹尹，是不聞執雕虎之人也。”

《隋書·經籍志》：“梁有薛綜注《張衡二京賦》二卷，亡。”

《唐·經籍志》：“《二京賦音》二卷，薛綜撰。”《藝文志》：“薛綜
《二京賦音》二卷。”

《通志·藝文略》：“張衡《二京賦》二卷，薛綜注并音。”

傅巽　二京賦注二卷　巽始末具史部雜傳記類。

《隋書·經籍志》：“梁有武巽注《二京賦》二卷，亡。”《通志·
藝文略》：“張衡《二京賦》二卷，傅巽注。”

按《隋志》引《七録》作“武巽”。《通志略》作“傅巽”。疑“武
巽”音聲之誤，姑從《通志》録之。

三國詔誥十卷

《隋書·經籍志》："梁有《三國詔誥》十卷,亡。"

魏朝雜詔二卷

《隋書·經籍志》："《魏朝雜詔》二卷。"《通志略》文類制詔門
著錄同。

魏武帝　露布文九卷

《隋書·經籍志》："梁有《魏武帝露布文》九卷,亡。"《通志略》
文類軍書門著錄同。

唐封演《聞見記》曰："露布,捷書之別名也,自漢以來有其名。
所以名露布者,謂不封檢而宣布,欲四方速知。亦謂之'露
版'。《魏武奏事》云有警急輒露版插羽是也。"

魏雜祖餞讌會詩集

《隋書·經籍志》："梁有魏晋宋雜祖餞讌會詩集二十一部,一
百四十三卷,亡。今略其數。"

按《七錄》載魏晋宋三朝是類之詩至二十一部。《隋志》略其
部分,不知魏朝得幾部幾卷。

吳朝士文集十三卷

《隋書·經籍志》："《吳朝士文集》十卷,梁十三卷。"《通志略》
文類總集門:"《吳朝文士集》十三卷。"

按《隋志》引《七錄》作"朝士文集"。《通志略》作"文士集",各
有所是,莫能詳。

吳朝文二十四卷

《隋書·經籍志》："梁有《吳朝文》二十四卷,亡。"

右自三國詔誥以下六家,前史皆不著編輯人姓名,大都魏、
吳、兩晋人所集。既不得其主名,自當以所錄魏吳人文爲斷,
并附著於是類之末。

右總集類凡一十四家，一十五部。

附録佛經道書

僧祇戒本一卷　　見竺道祖《魏世録》，本闕。《別録》云：曹魏天竺沙門曇柯迦羅譯，第一譯。凡此所注皆《開元釋教録》，下並同。

梁沙門慧皎《高僧傳》：“曇柯迦羅，此云法時，本中天竺人，家世大富，常修梵福。迦羅幼而才悟，質像過人，詩書一覽皆文義通暢，善學《四韋陀論》，風雲星宿、圖讖運變莫不該綜。自言天下文理，畢己心腹。至年二十五，入一僧房看，遇見法勝《毗曇》，聊取覽之，茫然不解。於是請一比丘略爲解釋，遂深悟因果，妙達三世，始知佛教宏曠，俗書所不能及。乃棄捨世榮，出家精苦，誦大小乘經及諸部毗尼。常貴游化，不樂專守。以魏嘉平中來至雒陽，於時魏境雖有佛法而道風訛替。亦有衆僧未稟歸戒，止以翦落殊俗耳。設復齋懺，事法祠祀。迦羅既至，大行佛法。時諸僧共請迦羅譯出戒律，迦羅以律部曲制，按“曲制”似“典制”之訛。文言繁廣，佛教未昌，必不承用，乃譯出《僧祇戒心》，止備朝夕。更請梵僧立羯磨法，中夏戒律始自乎此，迦羅後不知所終。”

唐沙門智昇《開元釋教録》曰：“沙門曇柯迦羅，魏云法時，中印度人。以文帝黄初三年壬寅來至洛陽，遂以齊王芳嘉平二年庚午於洛陽白馬寺出《僧祇戒心》，且備朝夕。於是更集梵僧，立羯磨受戒，東夏戒律始自乎此。”

《隋書·經籍志》曰：“魏黄初中，中國人始依佛戒，剃髮爲僧。”

郁伽長者所問經一卷　　或二卷，第三譯。一名《郁伽羅越問菩薩行經》。嘉平四年出。見竺道祖《魏録》，今編入《寶積》，即第十九會是。《別録》云：曹魏三藏康僧鎧譯。

無量壽經二卷　　第四譯，見竺道祖《晉世雜録》及《寶唱録》，與世高出者小異，又與《寶積無量壽會》等同本。

四分雜羯磨一卷　題云《曇無德律部雜羯磨》，以結戒場爲首，新附。　以上三部
四卷其本並在。

慧皎《高僧傳》："又有外國沙門康僧鎧者，亦以嘉平之末來至
雒陽，譯出《郁迦長者》等四部經。"

智昇《開元釋教録》曰："沙門康僧鎧，印度人也。廣學羣經，
義暢幽旨。以嘉平四年壬申於洛陽白馬寺譯《郁迦長者經》
等三部《高僧傳》云譯四部，不具顯名。竺道祖《魏晋録》、僧
祐《寶唱》、《梁代録》等及長房、道宣、靖邁三《録》並云二部。
餘二部既不顯名，校閱未見，今更得一部。按即《四分雜羯磨注》，新
附者是也。餘欠一經，檢亦未獲。"

曇無德羯磨一卷　題云《羯磨》一卷，出《曇無德律》，以結大界爲首。見竺道祖
《魏録》，其本見在。　《別録》云：曹魏安息沙門曇諦譯，或二卷。

慧皎《高僧傳》："又有安息國沙門曇帝，亦善律學，以魏正元
之中來游雒陽，譯出《曇無德羯磨》。"

智昇《開元釋教録》曰："沙門曇無諦，亦云曇諦，魏云法實，安
息國人。善學律藏，妙達幽微，以高貴鄉公正元元年甲戌屆
於洛汭，於白馬寺譯《曇無德羯磨》一部。"

無量清浄平等覺經二卷　與漢世支讖等所出及《寶積無量壽會》並本同文異。
見竺道祖《晋世雜録》及僧祐《録》。　《別録》云：曹魏西域三藏白延譯，第五譯。

叉須賴經一卷　一本無"叉"字。祐《録》作"又"。見竺道祖及僧祐《録》。　《別
録》云第一譯。

菩薩修行經一卷　一名《長者威施所問菩薩修行經》，一名《長者修行經》。見始
興寶唱二録。　《別録》云第二譯。

除災患經一卷　與《除恐災患經》同本見僧祐《録》。　《別録》云第一譯。

首楞嚴經二卷　與漢世支讖等所出本同文異，見竺道祖《晋世雜録》及僧祐《録》。
《別録》云第五譯。右五部，七卷，其本並闕。

慧皎《高僧傳》："又有沙門帛延，不知何許人。亦才明有深

解，以魏甘露中譯出《無量清净平等覺經》等凡六部經，後不知所終。"

智昇《開元釋教錄》曰："沙門白延，西域人也。才明蓋世，深解踰倫。以高貴鄉公甘露三年戊寅游化洛陽，止白馬寺，出《無量清净》等經五部。長房等錄又有《平等覺經》一卷，亦云白延所出。今以此經即是《無量清净平等覺經》，但名有廣略，故不復存也。"

羅摩伽經三卷　見竺道祖、寶唱、法上、靈裕等四錄。是《華嚴經入法界品》少分。《别錄》云曹魏西域三藏安法賢譯，第一譯。

大般涅槃經二卷　略大本前數品爲此二卷。見竺道祖《魏錄》。《别錄》云第二譯。右二部，五卷，其本並闕。

智昇《開元釋教錄》曰："沙門安法賢，西域人。藝業克深，慧解尤峻。振錫游邦，自遠而至。譯《羅摩伽等經》二部。羣錄並云魏世，不辨何帝之年，今依編於魏末。"

右魏　《開元釋教錄》曰："魏自文帝黄初元年庚子至元帝咸熙二年乙酉，凡經五帝四十六年。沙門五人所出經、戒、羯磨總一十二部，合一十八卷。於中四部五卷見在，八部一十三卷闕本。"唐釋道世《法苑珠林》傳記翻譯部云："前魏朝傳譯僧六人所出經律等一十三部，二十四卷。"蓋據唐釋道宣《大唐内典錄》所載之數。其本末見故但從《開元錄》錄之。道宣所叙，不及智昇其第十卷言之詳矣。

法句經二卷　初出，亦云《法句集》。尊者法救撰，與律炎、支謙共出，《見僧祐錄》。《吳錄》云五卷，未詳。《别錄》云吳沙門維祇難等譯，第二譯，二譯一闕。"

阿差末菩薩經四卷　初出，與西晉法護《阿差末》及《無盡意經》等並同。本見《吳》、《别》二錄。

慧皎《高僧傳》："維祇難，本天竺人也。世奉異道，以火祀爲上。既而覩沙門神力勝己，即於佛法大生信樂，乃捨本所事出家爲道，依此沙門以爲和尚。受學三藏，妙善四含。按四含者，《法苑珠林·翻譯部》引道安《翻四含果》云：四姓出家，同一釋種。四姓者，一刹帝利，此是王種。二婆羅門，是高行人。三名毘舍，如此士民。四名首陀，最爲卑下，如此土卑隸。游化諸國，莫不皆奉。以吳黃武三年與同伴竺律炎來至武昌，齎《曇鉢經》梵本。《曇鉢》者，即《法句經》也。時吳士共請出經，難既未善國語，乃共其伴律炎譯爲漢文。炎亦未善漢言，頗有不盡。志存義本，辭近樸質。至晋惠之末，有沙門法立更譯爲五卷。"

智昇《開元釋教錄》曰："沙門維祇難，吳云障礙，本印度人。與同伴竺律炎發自西域，因到江左，以孫權黃武三年甲辰於武昌郡共竺律炎出《阿差末》等經二部。而祇難及炎既未善方音，翻梵之際，頗有不盡。"

摩登伽經三卷　見《法上錄》。與支謙共出，與《舍頭諫經》等同本，或一卷，四譯。《別錄》云吳天竺沙門竺律炎共支謙譯，或二卷，第三譯。

三摩竭經一卷　見《始興錄》。與《分怒檀王經》同本異出。一名《須摩提女經》，一名《難國王經》，一名《恕恕檀王經》。《別錄》云一名《恕和檀王經》，第一譯，兩譯一闕。

佛醫經一卷　與支越共出，非是全典。從大經略出，或云《佛醫王經》。見《寶唱錄》。《別錄》云吳竺律炎共支越譯單本。

梵志經一卷　見《始興錄》。右四部，前三部五卷見在，後一部一卷闕本。

智昇《開元釋教錄》曰："沙門竺律炎，印度人也。解行清屬，內外博通。與維祇難同游吳境，維祇卒後，以孫權黃龍二年庚戌於揚都譯《摩登伽》等經四部。其名羣錄不同，或云將炎，或云持炎，或云律炎，未詳孰是。"

大明度無極經四卷　或六卷，亦直云《大明度經》，與《道行小品》等同本。見竺道祖《魏》、《吳錄》及僧祐等《錄》。《別錄》云月支優婆基支謙譯，第二譯。

阿彌陀經二卷　內題云《佛説諸佛阿彌陀三耶三佛薩樓佛檀過度人道經》。亦名《無量壽》，見竺道祖、僧祐二《錄》，與世高等譯小異。《別錄》云第三譯。

菩薩本業經一卷　亦直名《本業經》，亦名《净行品經》，是《華嚴净行品》異譯。見僧祐、長房二《錄》。

維摩詰經二卷　維摩詰説不思議法門之稱。一名《佛法普入道門三昧經》，或三卷。見竺道祖、僧祐二《録》，與漢佛調等譯少異。《別録》云第二譯。

慧印三昧經一卷　亦直云《慧行經》，一名《寶田慧印三昧經》。與《如來智印經》同本。見道祖、僧祐二《録》。《別録》云第一譯。

九色鹿經一卷　出《六度集》異譯，見《法上録》。《別録》云出《六度經》第六卷。精進度中。

老女人經一卷　安公云出《阿毘曇》。《吳録》直云《老女經》。或云《老母經》。見僧祐《録》。《別録》云第一譯。

犢子經一卷　見《法上録》，與《乳光佛經》等同本。《別録》云第一譯。

貝多樹下思惟十二因緣經一卷　見長房《録》，與唐譯《緣起聖道經》等同本，第三出。《別録》云第二譯。

了本生死經一卷　安公云《出生經》。祐案五卷。《生經》無此名，見僧祐《録》。與《稻稈經》同本異出。《別録》云謙自注解，三譯二闕。

龍施女經一卷　初出，與《龍施菩薩本起經》同本。祐云《别録》所載，安《録》無。《別録》云：“或無‘女’字，第二譯。”

八吉祥神咒經一卷　或無“神”字，或云《八吉祥經》，與《八陽神咒經》等同本。房云見《古録》。《別録》云第一譯。

無量門微密持經一卷　亦直云《微密持經》。一名《成道降魔得一切智經》，與《出生無量門持經》同本。見僧叡《二秦録》、僧祐《録》。《別録》云第一譯。

華積陀羅尼神咒經一卷　見《寶唱録》。或無“神”字，與《華聚陀羅尼》等同本。

持句神咒經一卷　見長房《録》，與《陀鄰尼鉢經》等同本。亦云《陀羅尼句》。《別録》云第一譯。

私訶三昧經一卷　第二出，或云《私訶末》，一名《菩薩道樹》，亦名《道樹》，亦名《道樹三昧》。見道安、支敏度、僧祐等三《録》。祐云此經即是《菩薩道樹》。《別録》云第一譯，二譯一闕。

菩薩生地經一卷　一名《差摩竭經》，見竺道祖《吳録》及僧祐《録》。《別録》云第一譯，前後兩譯，一本闕。

孛經一卷　一名《孛經鈔》。祐云今《孛經》一卷即此是。見僧祐《録》及《別録》。《別録》云第二譯，前後三譯，兩本闕。

月明菩薩經一卷　或加三昧字，一名《月明童子經》，一名《月明童男經》，見僧祐《録》。《別録》云單譯本。

三品弟子經一卷　一名《弟子學》，有《三輩經》，見長房《録》。

法律三昧經一卷　亦直云《法律經》，第三出，見長房《録》。《別録》云第一譯，二譯一闕。

梵志阿颰經一卷　一名《阿颰摩納經》，《安録》直云《阿颰經》，亦名《佛開解梵志阿颰經》，出《長阿含》第十三卷異譯，見長房《録》。《別録》云與《第三分阿摩盡經》同本異譯。

梵綱六十二見經一卷一名《梵綱經》。房云見《別録》，出《長阿含》第十四卷異譯。《別録》云與《第三分梵動經》同本異譯。

七知經一卷　或作"七智"。見長房《録》，出《中阿含》第一卷異譯。《別録》云與《初善法經》同本異譯。

釋摩男本經一卷　祐《録》無"本"字，一名《五陰因事經》。安《録》云出《中阿含》第二十五異譯。見竺道祖《吳録》及僧祐《録》。《別録》云與《苦陰因事經》同本。

諸法本經一卷　出《中阿含》第二十八異譯。見長房《録》。《別録》云與《諸法本經》同本異譯。

弊魔試目連經一卷　一名《魔嬈亂經》。房云見《舊録》，出《中阿含》第三十卷異譯。《別録》云與《降魔經》同本。

賴吒和羅經一卷　或云《羅漢賴吒和羅經》，與後漢支曜出者少異。出《中阿含》第三十一異譯。祐云《別録》所載，安《録》中無。

梵摩喻經一卷　或作"渝"字，見道祖、僧祐二《録》。出《中阿含》第四十一異譯。《別録》云與《梵摩經》同本異譯，比於本經，此稍略耳。

齋經一卷一名《持齋經》，見《別録》及僧祐《録》。出《中阿含》第五十五異譯。《別録》云與《持齋經》同本。

須摩提女經一卷　出《增一阿含》第二十二異譯。見長房《録》。《別録》云與《增一阿含須陀品》同本異譯，比於本經，此稍文略。

不自守意經一卷　或無"意"字，或云"自守"，亦《不自守經》。出《雜阿含》與十二卷異譯。見長房《録》。

五母子經一卷　見長房《録》與《沙彌羅經》同本。《別録》云第一譯。

太子瑞應本起經二卷　黃武年譯，第四出，亦云《太子本起瑞應》，亦直云《瑞應本起》。與孟詳出者小異。陳郡謝鏘、吳郡張試等筆受，魏河東王植詳定。見始興、僧祐二《錄》。按"河東王植"似"東阿王植"之譌。

龍王兄弟經一卷　一名《難龍王經》，或無"王"字。一名《降龍王經》，見長房《錄》。《別錄》云第一譯，兩譯一闕。

長者音悦經一卷　一云《長者音悦不蘭迦葉經》，亦直云《音悦經》。見長房《錄》。《別錄》云第一譯，二譯一闕。

七女經一卷　亦云《七女本經》。安公云出《阿毘曇》，見僧祐《錄》。《別錄》作《七如經》，第一譯，三譯二闕。

八師經一卷　見竺道祖《吳錄》及僧祐《錄》。《別錄》云第一譯，三譯二闕。

萍沙王五願經一卷　或作"蓱"字，一名《弗沙迦王經》，見長房《錄》。安公云出《中阿含》，檢無。《別錄》云第一譯，三譯二闕。

義足經二卷　見竺道祖《吳錄》及僧祐、寶唱二錄，有十六經。《別錄》云第一譯，二譯一闕。

須摩提長者經一卷　一名《會諸佛前》，亦名《如來所説示現衆生》。見長房《錄》。

阿難四事經一卷　見僧祐《錄》及《別錄》。

未生怨經一卷　見長房《錄》。

四願經一卷　見竺道祖《吳錄》及僧祐《錄》。

黑氏梵志經一卷　房云見《別錄》。

獮狗經一卷　見長房《錄》。

孫多耶致經一卷　或云《梵志孫多耶致經》，見長房《錄》。安公云出《中阿舍》，檢無。

戒銷災經一卷　亦云《戒銷伏災經》，見《舊錄》。《別錄》云或名《戒伏銷災經》，單本。

撰集百緣經十卷　見《内典錄》。《別錄》云單本。

菩薩本緣經三卷　亦云《菩薩本緣集經》，或二卷，或四卷，天竺沙門僧迦斯那撰。見長房《錄》。《別錄》云單本。

惟日雜難經一卷　見長房《錄》。《別錄》云單本。以上見存，以下闕下。

摩訶般若波羅蜜咒經一卷　或無"摩訶"字，見《寶唱錄》。

法鏡經二卷　或一卷。祐云見《別錄》。安《錄》中無。又長房等《錄》更有《郁伽長者經》二卷,亦云謙譯,即是此經,不合重載。《別錄》云第二譯。

阿闍世王女阿術達菩薩經一卷　見長房《錄》。《別錄》云第一譯。

阿差末菩薩經四卷　見《吳錄》,與維祇難所譯本同文異。《別錄》云第二譯。

小阿差末經二卷　見《別錄》及僧祐《錄》,既加小字,與次前經應非同本。

大般泥洹經二卷　第三出,此略"大"。本序分《哀歎品》爲一卷,後三紙小異耳。見竺道祖《吳錄》。安公云出《長阿含》,祐今按《長阿含》與此異。《別錄》云謙譯《序品》、《哀歎品》爲二卷,第二譯。

佛以三車喚經一卷　見長房《錄》,云出《法華》應出第二卷譬喻品。

不莊校女經一卷　見《寶唱錄》。《別錄》云第一譯。

須賴經一卷　或云《須賴菩薩經》,第三出,與白延等出者同本,見竺道祖《吳錄》及僧祐《錄》。《別錄》云第二譯。

菩薩修行經一卷　見《寶唱錄》。《別錄》云第一譯。

演道俗業經一卷　見《舊錄》,或無"業"字。《別錄》云第一譯。

方等首楞嚴經二卷　黄武年譯,與後漢支讖等出者同本。見竺道祖《吳錄》。安《錄》中無,祐云無"方等"字,云見《別錄》。《別錄》云第二譯。

惟明二十偈經一卷　或無"經"字,見僧祐《錄》。《別錄》云第一譯。

法滅盡經一卷　或云《法没盡》,或云《空寂菩薩所問經》。見長房《錄》。《別錄》云第一譯。

七佛神咒經一卷　一本無"經"字。見長房《錄》。

摩訶精進經一卷　亦云《大精進經》,見長房《錄》。

十二門大方等經一卷　安《錄》無,祐云見《別錄》。

佛從上所行三十偈經一卷　或無"經"字,見僧祐《錄》。

四十二章經一卷　與摩騰譯者小異,文義允正,辭句可觀,見《別錄》。《別錄》云第二譯。

禪祕要經四卷　或無"經"字,見吳、別二《錄》。《別錄》云第一譯。

堅意經一卷　或云《堅心經》,見長房《錄》。《別錄》云第二譯。

勸進學道經一卷　一本無"勸"字,見長房《錄》。《別錄》云第一譯。

恒水戒經一卷 　或無"戒"字,見《舊錄》。《別錄》云第二譯。

七漏經一卷 　房云見《別錄》。《別錄》云安公《古典錄》中有,亦名《七漏鈔》,云出阿含。

悔過法經一卷 　或無"法"字,一名《序十方禮拜悔過文》,見僧祐《錄》。

賢者德經一卷 　見僧祐《錄》。

梵志結浄經一卷 　見長房《錄》。

阿質國王經一卷 　見長房《錄》。《別錄》云祐《錄》無"國"字。

惟婁王師子渢譬喻經一卷 　一本無"譬喻"字。見長房《錄》。

蓋達王經一卷 　一云《目連功德經》,亦云《目連因緣功德經》。見《吳錄》。

百喻經一卷 　見長房《錄》。

五陰事經一卷 　見長房《錄》。

魔化作比丘經一卷 　見長房《錄》。

優多羅母經一卷 　一本無"母"字,見僧祐《錄》。

人民求願經一卷 　見長房《錄》。

修行方便經二卷 　亦云《修行方便禪經》,見《吳錄》。《別錄》云單本。

法句經二卷 　亦云《法句集》,見《別錄》及僧祐《錄》。《別錄》云第二譯。　右八十八部,一百一十八卷。惟《日雜難經》上五十一部六十九卷見在。《摩訶般若咒》下三十七部四十九卷闕本。[①]

　　慧皎《高僧傳》:"優婆塞支謙字恭明,一名越,本月支國人,來遊漢境。初,漢桓靈之世,有支讖譯出衆經。有支亮,字紀明,資學於讖,謙又受業於亮,博覽經籍,莫不精究,世間伎藝,多所綜習。偏學異書,通六國語。漢獻末亂,避地於吳。孫權聞其才慧,召見,悦之,拜爲博士,使輔導東宮,與韋曜諸人共盡匡益。但生自外域,故《吳志》不載。謙以大教雖行,而經多梵文,未盡翻譯。已妙善方言,乃收集衆本,譯爲漢

---

　① 　"咒"下原衍"若咒",據《二十五史補編》本删。

語。從吳黃武元年至建興中，所出《維摩》、《大般泥洹》、《法句》、《瑞應本起》等四十九經，曲得聖義，辭旨文雅，並行於世。"

智昇《開元釋教錄》曰："越祖父法度，以漢靈帝世率國人數百歸化，拜率善中郎將，時越年七歲。至十歲，學《漢書》，十三學《婆羅門書》，並得精妙。獻帝之末，漢室大亂，與鄉人數十共奔於吳。吳主孫權問經中深隱之義，越應機釋難，無疑不析。權大悦，甚見寵秩。越以經多梵文，莫有解者，既善華戎之語，乃收集衆本譯爲吳言。從權黃武一年癸卯，至亮建興二年癸酉，三十餘載，譯《大明度》等經八十八部。後遂隱於穹隆山，不交世務。從竺法蘭道人更練五戒，凡所游從，皆沙門而已。後卒於山中，春秋六十。吳王孫亮《與衆僧書》曰：'支恭明不救所疾。其業履沖素，始終可高。爲之惻愴不能已已。'其爲時所惜如此。謙所出經部卷多少，諸説不定。僧祐《三藏記》唯載三十六部。祐《錄·謙傳》云出三十七經。慧皎《高僧傳》乃有四十九經。長房《錄》中便載一百二十九部。今以房《錄》所載《鹿子經》等四部、《大慈無滅經》等三十八部，或非支謙所出，或從諸經鈔出不合，足爲翻譯之數，今存實錄，故並删之。"

嚴可均《全三國文編》曰："支謙字恭明，一名越，大月支人，世居中國。獻帝末奔吳，吳主權以爲博士，使侍太子登。登卒，去隱穹隆山，至廢帝時卒，[①]《釋藏》跡字、所字號有支謙合《微密持經記》、《法句經序》。"

六度集經八卷　或九卷，或云《六度無極經》，或云《度無極集》，或云《雜無極經》。見竺道祖《吳錄》及僧祐《錄》。《別錄》云吳天竺三藏康僧會譯，重單合譯。

---

① "时卒"，原脱，據《二十五史補編》本補。

舊雜譬喻經二卷　《内典》有"舊"字，房《錄》中無。亦云《雜譬喻集經》，或無"集"
字。見《高僧傳》及長房《錄》。

吴品經五卷　祐《錄》無"經"字，云凡有十品。房云即是《小品般若》，見僧祐《錄》。
《別錄》云第三譯。

菩薩净行經二卷　是《大集·寶髻品》異譯，或直云《净律經》，云赤烏年出，見竺
道祖《吳錄》。《別錄》云別品初譯，前後兩譯，一存一闕。

權方便經一卷　與《順權方便經》等同本，初出，見《吳錄》及《別錄》。

菩薩二百五十法經一卷　或二卷，以此替《大僧二百五十戒》示孫皓者，見《高
僧傳》及長房《錄》。

坐禪經一卷　見長房《錄》。右七部，二十卷。《六度》等二部十卷見在，《吳品》等
五部十卷闕本。

慧皎《高僧傳》："康僧會，其先康居人，世居天竺，其父因商賈
移於交阯。會年十餘歲，二親並亡，以至性奉孝。服畢出家，
勵行甚竣，爲人宏雅有識量。篤志好學，明解三藏，博覽六
經，天文圖緯，多所綜涉，辯於樞機，頗屬文翰。時吳地初染
大法，風化未全。會欲使道振江左，興立圖寺，乃杖錫東游。
以吳赤烏十年初達建業，營立茅茨，設像行道。孫權即爲建
塔，以始有佛寺，故號建初寺，因名其地爲佛陀里。由是江左
大法遂興。孫皓問罪福之由，會爲數析，辭甚精要。皓先有
才解，欣然大悦，因求看沙門戒。會以戒文禁祕，不可輕宣，
乃取本業百二十五願，分作二百五十事，行住坐卧，皆願衆
生。皓見慈願廣普，益增善意，即就會受五戒，乃於會所住
處，更加修飾，宣示宗室，莫不敬奉。會在吳朝，亟説正法，以
皓性凶麤，不及妙義，唯叙報應近事，以開其心。會於建初寺
譯出衆經，所謂《阿難念彌陀經》、《鏡面王》、《察微王》、《梵皇
經》等，又出《小品》及《六度集》、《雜譬喻》等，並妙得經體，文
義允正。至吳天紀四年四月，皓降晉。九月，會遘疾而終。
是歲晉武太康元年也。"

智昇《開元釋教録》曰："孫皓於會所住，更加修飾，號天子寺。會以權太元元年辛未於所創建初寺譯《六度》等經七部。又長房等録更有《阿難念彌陀經》、《鏡面王經》、《察微王經》、《梵皇經》，並出《六度集》中，不合爲正譯之數，今並刪之。"

《隋書·經籍志》曰："三國時有西域沙門康僧會齎佛經至吳，譯之，吳主孫權甚大敬信。"

嚴可均《全三國文編》曰："康僧會，天竺人。幼隨父居交阯，年十餘出家。其先康居人，因謂之康僧。漢末入吳，吳主權以爲博士。赤烏中，居建初寺，造舍利塔，中國有寺塔自此始。天紀四年吳平，尋卒。"

法華三昧經六卷　一本有"正"字，《與法護正法華》等同本。見竺道祖《魏録》亦見《始興録》。《別録》云吳外國三藏支疆良接譯，出《翻經圖》，第一譯。

智昇《開元釋教録》曰："沙門支疆良接，吳云正無畏，西域人，以孫亮五鳳二年乙亥於交州譯《法華三昧經》。沙門竺道馨筆受。長房、《内典》二録編於曹魏之代。今依交州及始興地割入《吳録》。"

右吳　《開元釋教録》曰："吳孫權黃武元年壬寅，至孫皓天紀四年庚子，凡經四主五十九年，緇素五人所出經律集凡一百二部，一百五十六卷。於中五十七部八十六卷見在，四十五部七十卷闕本。"道世《法苑珠林·傳記篇》翻譯部：南吳孫氏傳譯道俗四人所出經傳等一百四十八部，一百八十五卷。此據《大唐内典》録所載之數。今從智昇釐定者録之。

不思議功德諸佛所護念經二卷　出衆經，或云《不思議功德經》，或直云《功德經》。　《別録》云或四卷，曹魏代譯。失三藏名。

七佛父母姓字經一卷　《舊録》云《七佛姓字經》，出《增一阿含》第四十五異譯。《別録》云與《增一阿含·不善品》同本異譯。

雜阿含經一卷　見《舊録》出《雜阿含中》。　《別録》云在《吳》、《魏録》。

阿毘曇甘露味論二卷　或無"論"字，或云《甘露味經》，亦云《甘露味》，阿毘曇尊者瞿沙造。　《別錄》云單本。

蜀普曜經八卷　似是蜀土所出，第一譯。

長者子誓經一卷　見《舊錄》，第二出。

無端底持經一卷　《舊錄》云《無端底總持經》，第二出。　《別錄》云第三譯。

蜀首楞嚴經二卷　《舊錄》似蜀土所出，第三譯。

後出首楞嚴經二卷　見《舊錄》云有十偈，第四出。

阿惟越致轉經十八卷　見《舊錄》。

摩訶乘經十四卷　或云"摩訶衍"。

摩訶衍優波提舍經五卷　祐云摩訶乘。

三昧王經五卷

梵王請問經五卷

佛從兜率降中陰經四卷　出王宗《錄》。

四天王經四卷　疑一部四本。

魔王請問經四卷

釋提桓因所問經三卷

大梵天王請轉法輪經三卷

法華光瑞菩薩現壽經三卷　今疑鈔《正法華》。

普賢菩薩答難二千經三卷　《別錄》云今疑鈔《度世品》。

梵天王請佛千首經二卷　又《大梵王經》似此。

菩薩常行經一卷　見《舊錄》。

㷿火六度經一卷　《舊錄》有《明度經》一卷，云一名《㷿火明度經》。

內禪波羅密經一卷　見《舊錄》。

大總持神咒經一卷　見《舊錄》，亦云《總梵咒經》。

阿惟越致菩薩戒經一卷　《舊錄》無"菩薩"字。

雜數經二十卷　見《舊錄》。

那先譬喻經四卷　見《舊錄》。

太子試藝本起經二卷

深斷連經二卷

摩訶目犍連與佛㤉能經一卷　見《舊録》。

阿難得道經一卷　見《舊録》。

阿難般泥洹經一卷　見《舊録》。

阿那律念復生經一卷　見《舊録》。

沙門分衛見怪異經一卷　見《舊録》。

弟子本行經一卷　見《舊録》，《高僧傳》云白法祖譯。

爲壽盡天子説法經一卷　《舊録》云《命盡天子經》。

魔試佛經一卷　見《舊録》。

阿須倫問八事經一卷　《舊録》云《阿須倫所問八事經》。

摩竭王經一卷　《舊録》云《摩竭國王經》。

薩波達王經一卷　見《舊録》。祐《録》云《薩和達王經》。

年少王經一卷　見《舊録》。

是光太子經一卷　見《舊録》。

長者難提經一卷　見《舊録》。

女利行經一卷　見《舊録》。

四婦因緣經一卷　見《舊録》。

須多羅經一卷　《舊録》云《須多羅入胎經》。

墮迦經一卷　見《舊録》。晋言"堅强"，既曰晋言，合編《晋録》，或作"墮"字。

盤達龍王經一卷　見《舊録》。

牛米自供養經一卷　《舊録》無"養"字。

行牧食牛經一卷　見《舊録》。或作"放"字。

墮釋迦牧牛經一卷　見《舊録》。或作"隨"字。

法嚴經一卷　見《舊録》，疑即是《等入法嚴經》。

譬四經一卷　見《舊録》。按《別録》作《譬四經》。

止寺中經一卷　見《舊録》。

安般行道經一卷　見《舊録》。

解慧微妙經一卷　　見《舊録》。

失道得道經一卷　　見《舊録》。

心情心識經一卷　　見《舊録》，云有注。

檢意向正經一卷　　見《舊録》。

道德果證經一卷　　見《舊録》。

父子因緣經一卷　　見《舊録》。

小觀世樓炭經一卷　　見《舊録》。

大四諦經一卷　　見《舊録》。

五方便經一卷　　見《舊録》。

五惟越羅名解説經一卷　　見《舊録》。

五陰經一卷　　見《舊録》。

中五濁世經一卷　　見《舊録》。

大七車經一卷　　見《舊録》。

八正邪經一卷　　見《舊録》。祐云《八正八邪經》。

八總持經一卷　　見《舊録》。

八輩經一卷　　見《舊録》。

大十二因緣經一卷　　見《舊録》。

十八難經一卷　　見《舊録》。

五十二章經一卷　　見《舊録》。別有孝明《四十二章經》。

百八愛經一卷　　見《舊録》。似鈔《五蓋疑結經》。

小安般舟三昧經一卷　　見《舊録》。

禪數經一卷　　見《舊録》。

羣生偈經一卷　　見《舊録》。

大戒經一卷　　見《舊録》。

衣服制經一卷　　見《舊録》。

沙彌離威儀一卷　　見《舊録》。　按"離"字似"雜"字之譌。

道本五戒經一卷　　見《舊録》。

威儀經一卷　見《舊録》。《法經録》中無"經"字。

雜譬喻經八十卷　見《舊録》。

智昇《開元釋教録》曰："右魏吴失譯凡八十七部，二百六十一卷。僧祐《失譯録》並載之。《不思議》等四部六卷見在。蜀普曜等八十三部二百五十五卷闕本。又長房等《録》載魏吴失譯總有一百一十部二百九十一卷，云並是古舊。二録失譯諸經今以餘二十三部三十卷，或翻譯有源，或別名異號，或大部流出，或疑僞非真。今並删除，庶免繁雜云。"

右翻譯之屬。

支謙　無量壽經贊一卷

支謙　中本起經贊一卷

支謙　了本生死經注一卷

慧皎《高僧傳》："支謙又從《無量壽》、《中本起》，製菩薩連句梵唄三契，并注《了本生死經》等，皆行於世。"

智昇《開元釋教録》曰："又依《無量壽》、《中本起經》，製讚菩薩連句梵唄三契，注《了本生死經》，皆行於世。"

康僧會　法鏡經注二卷

康僧會　道樹經注一卷

康僧會　安般經注一卷

慧皎《高僧傳》："會又傳泥洹唄，聲清靡哀亮，一代模式。又注《安般守意》、《法鏡》、《道樹》等三經。并製經序，辭趣雅便，義旨微密，並見於世。"

智昇《開元釋教録》曰："會復有《法鏡經注解》二卷，《道樹經注解》一卷，《安般經注解》一卷，此三經會兼製序。"

嚴可均《全三國文編》曰："《釋藏》服字、跡字號有康僧會《法鏡經序》。又敬字、輦字號有《安般守意經序》。"

右贊注之屬。

右魏吳佛經凡翻譯一十家，一百一十二部。失譯八十七部，贊注二家，六部。

三皇内文天文三卷 《抱朴子・地真篇》云：昔黄帝見紫府先生，受《三皇内文》以劾召萬靈。 又《遐覽篇》云："道書之重者莫過於《三皇内文》。道士欲求長生，持此書入山，辟虎狼山精、五毒百邪，涉江海卻蛟龍、止風波。" 明白雲霽《道藏目録》：《三皇内祕文》三卷，凡天皇文九章，地皇、人皇文各十章。

元文上中下三卷

混成經二卷 《宋史・藝文志》神仙家："務元子《混成經》一卷。"《道藏闕經目録》有務光子《混成論》。

元録二卷 《通志・藝文略》：《上清太上元録》一卷。

九生經一卷 《道藏目録》有《九天生神玉章經》一卷。

含影圖一卷

守形圖一卷

九變經一卷

十二化經一卷

二十四生經一卷

呼身神治百病經一卷

内視經一卷 《抱朴子・地真篇》："道術諸經，所思存念作，可以卻惡防身者，如含影藏形，及守形無生，九變十二化，二十四生等，思見身中諸神，而内視令見之法，不可勝計，亦各有效也。"

九仙經一卷 《道藏目録》有《南嶽九仙人傳》。 又《闕經目録》有《洞元靈寶太上九仙經》。又見晁氏《志》。

靈卜仙經一卷

老君玉歷真經一卷

墨子枕中五行記五卷 《遐覽篇》云："其變化之術大者，唯有墨子《五行記》。"《隋・經籍志》五行家云："梁有《五行變化墨子》五卷。"

温寶經一卷

息民經一卷

自然經一卷　《道藏闕經目録》有《自然經》五卷。

陰陽經一卷

養生書一百五卷

太平經五十卷　《御覽》道部引《太平經》文。

九敬經一卷　原注一作"九都"。

甲乙經一百七十卷　按此即後漢于吉《太平清領書》。詳見《後漢藝文志》道書中。

青龍經一卷

中黄經一卷　《藝文略》道家吐納篇："《中黄經》一卷,九仙君撰。"陳氏《書録解題》云："亦名《胎藏論》。"

太清經一卷

通明經一卷

按摩經一卷　《漢書・藝文志》神仙家有《黄帝岐伯按摩》十卷。　《藝文略》、《宋史・志》：《按摩要法》一卷。

道引經十卷　《漢志》神仙家有《黄帝雜子步引》十二卷。　《隋志》醫方家：《道引圖》三卷。

元陽子經一卷

元女經一卷

素女經一卷　《抱朴子・極言篇》："黄帝論道養則資玄、素二女。"高誘《淮南子注》曰："素女,黄帝時方術之女也。"《隋志》醫方家："《素女祕道經》并《玄女經》一卷。"

彭祖經一卷　《極言篇》："《彭祖經》云殷王遣綵女從受房中之術。"劉向《列仙傳》亦言彭祖是仙人也。　《隋志》有《彭祖養性經》一卷。《道藏目録》有《攝生養性論》又有《道引圖》。

陳赦經一卷

子都經一卷

容成經一卷　《抱朴子・釋滯篇》："房中之法十餘家,元素子、都容、成公、彭祖之屬皆載其臠事,終不以至要者著於紙上者也。"《漢志》房中家有《容成陰道》二十六卷。

入山經一卷　注云"山"當作"内"。

內寶經一卷

明鏡經一卷

日月臨鏡經一卷

四規經一卷　《抱朴子·登涉篇》："萬物之老者,其精悉能假託人形以眩惑人目,而常試人,唯不能於鏡中易其真形耳。是以古之入山道士,皆以明鏡徑九寸已上懸於背後。"又《雜應篇》云"明鏡或用一,或用二,謂之日月鏡。或用四,謂之四規。四規者,照之時前、後、左、右各施一也。用四規所見來神甚多"云云。 　《隋志》五行家:"梁有《日月鏡》、《四規鏡經》各一卷,亡。"

五言經一卷

柱中經一卷

靈寶皇子心經一卷

正機經一卷

平衡經一卷

飛龜振經一卷　《抱朴子·辨問篇》云:"《靈寶經》有《正機》、《平衡》、《飛龜授袂》凡三篇,皆仙術也。"

龍蹻經一卷

鹿盧蹻經一卷　《雜應篇》云:"若能乘蹻者,可以周流天下不拘山河。凡乘蹻道有三法,一曰龍蹻,二曰虎蹻,三曰鹿盧蹻。"

蹈形記一卷

坐亡圖一卷　《抱朴子·對俗篇》:"道術有變易形兒,吞刀吐火、坐在立亡。"

觀臥引圖一卷

觀天圖一卷

木芝圖一卷

菌芝圖一卷

肉芝圖一卷

石芝圖一卷

大魄雜芝圖一卷　《抱朴子·仙藥篇》:"仙藥之上者,丹砂,次則黄金,次則白銀,次則諸芝。"又曰:"五芝者,有石芝、有木芝、有草芝、有肉芝、有菌芝,各有百二十種,自有圖也。”《漢志·神仙家》有《黃帝雜子芝菌》十八卷。

五嶽經五卷　《遐覽篇》云：“道書之重者，莫過《三皇文》及《五嶽真形圖》也。”

隱守記一卷

東井圖一卷　《道藏闕經目錄》有《太上混元上德皇帝沐浴東井經》。

虛元記一卷

牽牛中經一卷

王彌記一卷　藏本作“玉彌。”

臟成記一卷

六安記一卷

鶴鳴記一卷　《華陽國志》：“漢末沛國張陵學道於蜀鶴鳴山，造作道書，自稱太清玄元，以惑百姓。”

平都記一卷

定心記一卷

龜文經一卷　《雜應篇》云“《老子》篇中記及《龜文經》皆言大兵之後，金木之年，必有大疫，萬人餘一”云云。又《黃白篇》亦引《龜甲文》。　《道藏闕經目錄》有《河圖上篇三五龜文符圖》一卷。

山陽記一卷

玉策記一卷　《對俗篇》引《玉策記》及《昌宇經》。《仙藥篇》引《玉策記》及《開明經》。《登涉篇》云：“或佩老子玉策。”蓋亦託之老子。《昌宇經》、《開明經》或亦道書。又《黃白篇》引《玉牒記》。

八史圖一卷　《雜應篇》云：“或問將來吉凶安危去就之道。”《抱朴子》曰：“或以《三皇天文》召司命，或召致八史。八史者，八卦之精也，亦足以豫識未形矣。”

入室經一卷　《唐書·藝文志》神仙家：《老子入室經》一卷。

左右契一卷　《登涉篇》言老子左契。

玉歷經一卷

昇天儀一卷

九奇經一卷

更生經一卷　《道藏闕經目錄》有《太上混元上德皇帝反胎更生經》。

四衿經十卷

食日月精經一卷　《宋志》神仙家有《回耀飛光日月精氣上經》一卷。

食六氣經一卷

丹一經一卷

胎息經一卷　《對俗篇》云:"仙經曰:'服丹守一,與天相畢。還精胎息,延壽無極。'皆至道要言也。"《藝文略》:"《元君胎息經》一卷。"

行氣治病經一卷

勝中經十卷

百守攝提經一卷

丹壺經一卷　原注一作"丹臺"。

岷山經一卷　《金丹篇》云:"道士張蓋蹋精思於岷山石室。"又《登涉篇》云:"昔張蓋蹋及偶高成二人並精思於蜀雲台山石室。"

魏伯陽　内經一卷　魏伯陽有《參同契》諸書,詳見《後漢藝文志》道書中。

日月廚食經一卷

步三罡六紀經一卷　《藝文略》有《太微帝君步天綱行地紀金簡玉字上經》一卷。

人軍經一卷

六陰玉女經一卷　《雜應篇》:"或問將來吉凶去就。"曰:"或召六陰玉女,其法六十日成,可役使。"

四君要用經一卷

金膺經一卷

三十六水經一卷　《宋志》神仙家:《三十六水法》一卷。白雲霽曰:煮諸石三十六種法。

白虎七變經一卷　《隋志》五行家:"梁有《白獸七變經》一卷。"《遐覽篇》云:"《白虎七變法》可以移形易兒,飛沈任意。"

道家地行仙經一卷　《論仙篇》:"仙經云:上士昇虛謂之天仙,中士游於名山謂之地仙。"《仙藥篇》云:"白銀不及金玉耳,可以地仙也。"

黃白要經一卷　《黃白篇》云:"《神仙經黃白之方》二十五卷,千有餘首。黃者金也，白者銀也。”《漢志》神仙家有《泰壹雜子黄冶》三十一卷。《隋志》醫方家有《雜神仙黄白法》十二卷。

八公黄白經一卷　《仙藥篇》云：“昔仙人八公各服一物以得陸仙，各數百年，乃合神丹金液而昇太清耳。”　《宋史志》有《八公紫府河車歌》一卷。

枕中黄白經五卷　《黄白篇》云：“余昔從鄭君受《黄白中經》五卷。鄭君言曾與左君於廬江銅山試作，皆成也。”

白子變化經一卷　原注“白”一作“帛”。　按此似即謂帛仲理。仲理名和，大抵漢魏時人。至葛稚川時又有假託白和者。見《袪惑篇》。

天師神器經一卷　原注“器”一作“氣”。　按天師即謂張陵也。詳見《後漢藝文志》。《通志略》有張道陵《中山玉櫃神氣訣》一卷。

移災經一卷

厭禍經一卷

中黄經一卷　按此已見前，似重出。然《藝文略》吐納家有《中黄經》。辟穀家又有《太上老君中黄妙經》。

文人經一卷

涓子天地人經一卷　劉向《列仙傳》云：“涓子著《天地人經》四十八篇。其《琴心》三篇有條理。”

崔文子肘後經一卷　劉向《列仙傳》云：“崔文子，太山人也。”

神光占方來經一卷　《道藏目録》有《天老神光經》。

水仙經一卷

尸解經一卷　《論仙篇》曰：“中士游於名山，謂之地仙。下士先死後蜕，謂之尸解仙。”

中遁經一卷

李君包天經一卷

包元經一卷

黄庭經一卷　《唐·藝文志》：“《老子黄庭經》一卷。”

淵體經一卷

太素經一卷

華蓋經一卷　《唐志》神仙家：“《老子華蓋觀天訣》一卷。”

行廚經一卷

微言三卷

文始先生經一卷　　《通志略》:"《文始先生説道經》一卷。"按此似即《關尹子》,見《漢志》道家。

歷藏延年經一卷

南闓記一卷　　原注"闓"一作"闚"。

協龍子記七卷

九宫五卷　　《御覽》道部引《祕要經》:"太清九宫皆有僚屬。"

三五中經一卷　　《藝文略》有《三五思神圖》一卷,又《太上三五禁氣步罡法》一卷。

宣常經一卷

節解經一卷

鄒陽子經一卷　　不知是否即是漢鄒陽。

元洞經十卷

元示經十卷　　《御覽》道部引《元示經》。

箕山經十卷　　《仙藥篇》云:"石硫磺芝五嶽皆有,而箕山爲多。其方言許由就此服之而長生,故不復以富貴累意,不受堯襌也。"

鹿臺經一卷

小僮經一卷

河洛内記七卷

舉形道成經五卷　　原注"道"一作"通"。

道機經五卷　　《金丹篇》云:"流俗道士無一人不有《道機經》,以爲至祕。乃云是尹喜所撰。余告之曰,此是魏世軍督王圖所撰耳,非古人也。圖了不知大藥,正欲以行氣入室求仙,作此《道機》,謂道畢於此,此復是誤人之甚者。"

見鬼記一卷　　《論仙篇》云:"《神仙集》中有使人見鬼之術。"

無極經一卷

宫氏經一卷

真人玉胎經一卷

道根經一卷

候命圖一卷

反胎胞經一卷

枕中清記一卷

幻化經一卷　《對俗篇》幻化之事九百有餘。

詢化經一卷

金華山經一卷　《御覽》道部云：“金華山有五宫，太一所處。”又葛洪《神仙傳》曰：“金華山有石室，丹谿人皇初平之隱處也。”

鳳網經一卷　明李誕《醫學入門·姓氏》曰：“鳳綱，漢陽人，采百草花，水漬百日，煎膏爲丸。有卒死者，以此藥納口中，水下之，即生。”

召命經一卷

保神記一卷

鬼谷經一卷　《道藏目錄》有《鬼谷子天髓靈文》二卷。注云法術。

凌霄子安神記一卷

去丘子一卷

黃山公記一卷　《御覽·道部》引劉向《列仙傳》曰：“黃山君者，修彭祖之術。彭祖去，乃追論其言爲經。”《極言篇》引《黃山公記》云：“彭祖去後七十餘年，門人於流沙之西見之。又彭祖之弟子青衣鳥公、黑穴公、秀眉公、白兔公、子離婁公、太足君、高丘子，不肯來七八人。皆歷數百歲，在殷，而各仙去。”

王子五行要真經一卷　“王”，藏本作“玉”。

小餌經一卷　《金丹篇》言諸小餌丹方甚多，又言有小餌黃金法。

鴻寶經一卷

鄒生延命經一卷　《漢書·劉向傳》言淮南有鄒衍《重道延命方》。

安魂記一卷　《論仙篇》有云魂魄分去則人病，術家有拘錄之法。

皇道經一卷

九陰經一卷

雜集書錄　此以下或皆是雜集書錄者也。

銀函玉匱記一卷

金板經一卷

黄老仙録一卷

原都經一卷

元元經一卷

日精經一卷

渾成經一卷

三尸集一卷 《微旨篇》云:"身中有三尸,三尸之爲物,雖無形而實魂靈鬼神之屬也。欲使人早死,此尸當得作鬼,自放縱游行,享人祭酹。是以每到庚申之日,輒上天白司命,道人過失。"《道藏缺經目録》有《太上混元上德皇帝三尸經》。 按此謂《易内戒》、《赤松子經》、《河圖記命符》皆有是言,大似張陵等鬼道之説。

收山鬼老魅治邪精經三卷 《極言篇》云:"山神作禍,則妖鬼試之,猛獸傷之,谿毒擊之,蛇蝮螫之,致多死事,非一條也。"

入五毒中記一卷

休糧經三卷 《對俗篇》有云:"吾今知仙之可得也,吾能休糧不食也。"《通志略》、《宋史志》有《休糧諸方》一卷。

采神藥治作祕法三卷

登名山渡江海敕地神法三卷

趙太白囊中要五卷

入温氣疫病大禁七卷 《雜應篇》引《仙人入瘟疫祕禁法》。

收治百鬼召五嶽丞太山主者記三卷 《論仙篇》云:《神仙集》中有召神劾鬼之法。按《漢志》雜占家亦有《執不祥劾鬼物》八卷。[①]

興利宫宅官舍法五卷 按《漢志》形法家亦有《宫宅地形》二十卷。

斷虎狼禁山林記一卷 《至理篇》云:"吴越有禁咒之法,多炁耳。入山林能禁虎豹及蛇蜂,皆悉令伏不能起。"

召百里蟲蛇記一卷

萬畢高丘先生法三卷 《隋志》五行家:"梁有《淮南萬畢術》一卷。"高丘先生或即彭祖弟子。高丘子見前《黄山公記》。

---

① "有",原脱,據《二十五史補編》本補。

王喬　養性治身經三卷　《列仙傳》云：“王子喬者，周靈王太子晋也。”或曰王喬古仙人，亦見《後漢書·方術傳》。

服食禁忌經一卷

立功益算經一卷　《微旨篇》云：“覽諸道戒欲求長生者，必積善立功、慈心於物、恕己及人。”

道士奪算律三卷　《微旨篇》云：“諸應奪算者有數百事，不可具論。”

移門子記一卷　《仙藥篇》云：“移門子服五味子十六年，色如玉女，入水不沾，入火不灼。”

鬼兵法一卷

立亡術一卷　《對俗篇》：“《後漢書》載魏尚能坐在立亡。”

練形記五卷

郊公道要一卷

角里先生長生集一卷　商山四皓之一也。見《漢書·張良傳》。“角”當爲“角”，讀如禄。

少君道意十卷　殆即謂李少君也。見《封禪書·郊祀志》。

樊英石壁文三卷　樊英見《後漢書·方術傳》，詳見《後漢藝文志》。

思靈經三卷

龍首經一卷　《道藏目録》：《黄帝龍首經》二卷。注云七十二六壬占法。

荆山記一卷　《微旨篇》云：“黄帝於荆山之下，鼎湖之上，飛九丹成乘龍登天也。”

孔安仙淵一卷　按《至理篇》引孔安國《祕記》，言張良得仙事，疑即此書。此敓“國”字歟？

赤斧子大覽七卷　《列仙傳》云：“赤斧者，巴戎人也。爲碧雞祠主簿，手掌中有赤斧焉。”

董君地仙卻老要記一卷　按《論仙篇》引董仲舒《李少君家録》，疑即此書。

李先生口訣肘後二卷

玉女隱微一卷　《遐覽篇》云：其變化之術之大者，唯有《墨子五行記》，其次有《玉女隱微》一卷。

　《抱朴子·遐覽篇》：“或曰：‘先生既窮觀墳典，又兼綜奇祕，

不審道書凡有幾卷，願告篇目。'抱朴子曰：'昔者幸遇明師鄭
君語余曰：雜道書中卷卷有佳事，但當校其精麤而擇所施行
耳。乃先以道家訓教戒書不要者近百卷稍稍示余，又漸得短
書縑素所寫者。積年之中，合集所見當得二百許卷。他書雖
不具得，皆疏其名，今將爲子説之，後生好書者可以廣索也。
凡有不言卷數者，皆一卷也。'"又曰："遐覽者，欲令好道者知
異書之名目也。"

自來符一卷

金光符一卷

太元符三卷

通天符一卷

五精符一卷

石室符一卷

玉策符一卷

枕中符一卷

小童符一卷

九靈符一卷

六君符一卷

元都符一卷

黃帝符一卷

少干三十六將軍符一卷　　《辨問篇》云"少干執百鬼，長房縮地脈"，蓋人名也。

延命神符一卷

天水神符一卷

四十九真符一卷

天水符一卷

青龍符一卷

白虎符一卷

朱雀符一卷

玄武符一卷

朱胎符一卷

七機符一卷

九天發兵符一卷

九天符一卷

老經符一卷

七符一卷

大桿扈符一卷

元子符一卷

武孝經一卷

燕君龍虎三囊辟兵符

包元符一卷

沈羲符一卷

禹蹻符一卷

消災符一卷

八卦符一卷

監乾符一卷

雷電符一卷

萬畢符一卷

八威五勝符一卷

威喜符一卷

巨勝符一卷

采女符一卷

元精符一卷

玉歷符一卷

北臺符一卷

陰陽大鎮符一卷

枕中符一卷

治百病符十卷

厭怪符十卷

壺公符二十卷

九臺符九卷

六甲通靈符十卷

六陰行廚龍胎石室三金五木防終符合五百卷

軍火召治符玉斧符十卷

《抱朴子·遐覽篇》:"道經有《三皇内文》等,其次有諸符,則有自來符,至玉斧符,皆大符也。其餘小小不可具記。鄭君言符出於老君,皆天文也。老君能通於神明,符皆神明所授。今人用之少驗者,由於出來歷久,傳寫之多誤故也。"又曰:"凡爲道士求長生,志在藥中耳,符劍可以卻鬼辟邪而已。諸大符乃云用之可以得仙者,亦不可專據也。昔吳世有介象者能讀符文,知誤之與否。有人試取治百病雜符及諸厭劾符,去其籤題以示象,皆一一據名之。其有誤者,便爲人定之。自是以來,莫有能知者也。"介象見《吳志·方術傳》注。

太清丹經三卷　《金丹篇》云:"太清神丹,其法出於元君。元君者,老子之師也。《太清觀天經》有九篇,其上三篇不可教授,其中三篇世無足傳,常沈之三泉之下。其下三篇者正是《丹經》上中下,凡三卷也。"又曰:"近代漢末,新野陰君合此太清丹得仙。"

九鼎丹經一卷　《金丹篇》按《黃帝九鼎神丹經》云:"黃帝服之,遂以昇仙。"又云:"黃帝以傳元子。"又云:"合時又當祭,祭時自有圖法一卷。　第一之丹名曰丹華,第二名曰神丹,第三亦曰神丹,四曰還丹,五曰餌丹,六曰鍊丹,七曰柔丹,八曰伏丹,九曰寒丹。"

金液丹經一卷　《金丹篇》云:"金液,太乙所服而仙者也,不減九丹矣。經云金液入口,則其身皆金色。老子受之於元君"云。　《道藏目録》:《金液神丹經》上卷本文五百四字。

五靈丹經一卷　《金丹篇》云：“其次有《五靈丹經》一卷，有五法也。但不及《太清》及《九鼎丹藥》耳。”

岷山丹法　《金丹篇》云：道士張蓋蹹精思於岷山石室中得此方也。

務成子丹法　《漢志》小説家、五行家、房中家並有務成子書。詳見《漢志條理》。

羨門子丹法　《漢志》五行家有《羨門式法》。詳見《漢志條理》。

立成丹　《金丹篇》又有《立成丹》，亦有九首，似《九鼎》而不及也。

赤松子丹法　劉向《列仙傳》云：“赤松子者，神農時雨師也。”

石先生丹法

康風子丹法

崔文子丹法　崔文子見前。　《道藏目録》有《崔公入藥鏡》一卷，凡八十二句，言簡而意盡，貫諸丹經之骨髓也。

劉元丹法

樂子長丹法　《御覽·道部·三洞珠囊》曰：“樂子，長齊人。”

李文丹法

尹子丹法

太乙招魂魄丹法　《極言篇》云：“黃帝及老子奉事太乙元君以受要訣。”

采女丹法

稷丘子丹法　劉向《列仙傳》：“稷丘君者，太山下道士也。武帝時人。”《黃白篇》云：“角里先生從稷丘子受黃金法。”

墨子丹法

張子和丹法

綺里丹法　綺里季，商山四皓之一也。此脱“季”字。

玉柱丹法

肘後丹法

李公丹法

劉生丹法

王君丹法

陳生丹法

韓終丹法　韓終,秦始皇時方士。　《仙藥篇》云:"韓終服菖蒲,十三年身生毛。日視書萬言,皆誦之,冬袒不寒。"

《抱朴子·金丹篇》:"昔左元放於天柱山中精思而神人授之《金丹仙經》。會漢末亂,不遑合作。而避地江東,志欲投名山以修斯道,余從祖仙公又從元放受之。凡受《太清丹經》三卷及《九鼎丹經》一卷、《金液丹經》一卷。余師鄭君者,則余從祖仙公之弟子也,又於從祖受之。江東先無此書,書出於左元放,元放以授余從祖,從祖以授鄭君,鄭君以授余,故他道士了無知者也。"又曰:"余考覽養性之書,鳩集久視之方,曾所披涉篇卷以千計矣,莫不皆以還丹、金液爲大要者焉,然則此二事蓋仙道之極也。今略鈔金丹之都較,以示後之同志好之者。自韓終《丹法》以往尚數十法,不可具論。又諸小餌丹方甚多,有《神丹方》、《小丹法》、《小餌黃金法》、《兩儀子餌》、《消黃金法》,然小丹之下者,猶自遠勝草木之上者也。"

右道書凡三門,綜二百九十一部。

　　自秦皇漢武崇祠祀求長生,而神仙方士之術於是乎大起。《封禪書》、《郊祀志》所載實繁有徒。至後漢之季,沛人張陵、張魯以鬼道惑衆,而其徒愈熾,其書亦浸淫汗漫,不可究詰。逮至魏晉,流風未熄,《抱朴子·金丹篇》云:"余周旋徐、豫、荆、襄、江、廣數州之閒,閱見流移俗道士數百人矣。"《道意篇》云:"諸妖道百餘種,皆煞生血食,獨有吳大帝時李家道無爲爲小差,然每供福食無有限劑,未爲清省,皆宜在禁絕之列。"又曰:"李寬弟子布滿江表,動有千計。"《勤求篇》云:"世閒自有姦僞圖錢之子,竊道士之號者不可勝數。"而《袪惑篇》所載古强、蔡誕、項曼都、白和四人僞託古神,詿惑多端，共謶之以爲戲笑。然此輩但飾詐欺愚，未必能著書垂世也。《釋滯篇》云：“道書之出於黄老者蓋少許耳，率多後世之好事者各以所知見而滋長，遂令篇卷至於出積。”《勤求篇》又云：“後之知道者于吉、容嵩、桂帛諸家，各著千所篇，多教誡之言。”

按葛稚川生於晉初，其所見道書皆本其師鄭君。鄭君者，名景世，亦曰思遠，師其從祖葛仙公名玄者，皆魏吴時人。然則《遐覽篇》、《金丹篇》所載皆三國時所有之書，余譔集《後漢》、《三國藝文志》，既取《開元釋教録》爲佛經之目，因取此所臚舉者爲道書録。其中有可以攷見者，略附數語，不求甚詳。其他篇所引，尚有《易内戒》、《河圖記命符》、《赤松子經》、《中黄子服食節度神藥經》、《銅柱經》、《昌宇記》、《開明經》、《九天祕記》、《太一遁甲》、《遁甲中經》、《玉鈐經》、《玉牒記》、《玉經》、《金簡記》、《百鬼録》、《白澤圖》、《九鼎記》、《周公城名録》、董仲舒、李少君《家録》、孔安國《祕記》，亦多是道書或小説家書。《隋志》醫方家又有葛仙公《狐剛子萬金訣》二卷，并識於此，不别出焉。

三國藝文志卷四

《補後漢藝文志》四卷，《三國藝文志》四卷，姚振宗撰。振宗字海槎，山陰人。諸生。所居山深水複，即放翁快閣故阯也。隱居讀書，不與人事，望之如神仙中人，尤同光閒罕覿者。博極羣書，於目録之學實能貫通今古。越中向推章實齋、章逢之二家，振宗生百有餘年之後，實足紹二家之傳。著《漢藝文志》、《隋經籍志考證》，又訂逢之之失，無不實事求是。《後漢》志未成，《三國》無《志》。補《後漢》者，嘉定錢大昭可廬二卷，脱漏甚多，似非完書。番禺侯康君謨四卷，考證尚精，門類不備。江寧顧櫰三秋碧十二卷，又與輯書不分。三家均未爲完璧。《三國》只君謨一種，亦與《後漢》同病。海槎之書，局面博大，考證細密，於斷代尤爲謹嚴。後附釋、道二家之書，亦有確據。海槎殁，子三人寶持遺書，借讀不吝，亦佳子弟也。謹刊兩書以惠學者，藉以慰海槎好古敏求之盛心矣。歲在柔兆執徐八月，吳興張鈞衡跋。

二十五史藝文經籍志考補萃編總目